2025
年度版

みんなが欲しかった!

税理士
消費税法の教科書&問題集 3

納税義務編

はじめに

消費税といえば、普段、私たちが買い物をして支払った代金に含まれており、日常生活の中でもっとも身近な税金です。

その用途・目的は、年金、医療および介護の社会保障給付と少子化に対応するために使用するとされており、広く国民一般に負担を求めるとともに、その国民を「幸福」にすることを最終的な目的にしているといえます。

近年、税率の引上げや軽減税率制度、インボイス制度の導入など消費税を取り巻く環境変化は著しく、このような先を読めない不確実な時代において重要なことは、「どのような状況にも対応できるだけの適応力」を身につけることです。

本書は、TACにおける30年を超える受験指導実績に基づく税理士試験の完全合格メソッドを市販化したもので、予備校におけるテキストのエッセンスを凝縮して再構築し、まさに「みんなが欲しかった！」税理士の教科書としてまとめたものです。

膨大な学習範囲から、合格に必要な論点をピックアップしているため、本書を利用すれば、短期間で全範囲の基礎学習が完成します。また、初学者でも学習しやすいように随所に工夫をしていますので、税法を初めて学習する方にもスムーズに学習を進めていただけます。

近年、税理士の活躍フィールドは、ますます広がりを見せており、税務分野だけでなく、全方位的に経営者の相談に乗れる、財務面からも経営支援を行うプロフェッショナルとしての役割が期待されています。

読者のみなさまが、本書を最大限に活用して税理士試験に合格し、税務のプロという立場で人生の選択肢を広げ、どのような状況にも対応できる適応力を身につけ、幸福となれますよう願っています。

TAC税理士講座

TAC出版　開発グループ

本書を使った
税理士試験の**合格法**

Step 1 全体像を把握しましょう

まずは、この Chapter の Section 構成（①）と学習内容（②）を確認するとともに、Point Check（③）でこれから学習する内容を把握しておきましょう。また、前付に消費税法学習の全体像として、課税の対象のイメージ（④）と消費税の申告書の形式で各 Chapter の学習内容との関連（⑤）を掲載していますので、自分がどの部分を学習しているかを常に確認することで、より効率よく学習することができます。

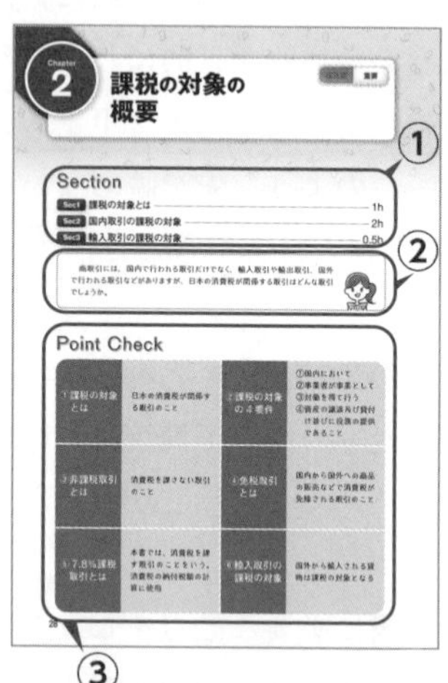

Chapter 2 課税の対象の概要

Section
Sec1 課税の対象とは 1h
Sec2 国内取引の課税の対象 2h
Sec3 輸入取引の課税の対象 0.5h

消費税には、国内で行われる取引だけでなく、輸入取引や輸出取引、国外で行われる取引などがありますが、日本の消費税が関係する取引はどんな取引でしょうか。

Point Check

①課税の対象とは	日本の消費税が関係する取引のこと	②課税の対象の４要件	①国内において ②事業者が事業として ③対価を得て行う ④資産の譲渡及び貸付け並びに役務の提供であること
③非課税取引とは	消費税を課さない取引のこと	④免税取引とは	国内から国外への商品の販売などで消費税が免除される取引のこと
⑤7.8%課税取引とは	本書では、消費税を課す取引のことをいう。消費税の納付税額の計算に使用	⑥輸入取引の課税の対象	国外から輸入される貨物は課税の対象となる

28

「課税の対象となる取引」の分類

消費税の申告書形式でみた各Chapterの学習内容

X1年４月１日
X2年３月31日　課税期間及び資産の譲渡等 Chapter19

課税標準額		Chapter 5
仕入税額控除（原則 Ch 8）	非課税資産の輸出等	Chapter13
	仕入れに係る対価の返還等	Chapter 9
	課税売上割合の著しい変動	Chapter10
	調整対象固定資産の転用	Chapter11
	居住用賃貸建物に係る消費税額の調整	Chapter12
	棚卸資産に係る消費税額の調整	Chapter14
	簡易課税	Chapter15
売上に係る対価の返還等に係る税額※		Chapter 6
貸倒れに係る税額		Chapter 7
差引税額		
中間納付税額（中間申告制度）		Chapter20
納付税額（確定申告制度）		Chapter20
※ インボイス制度		Chapter22

12

Step 2 「教科書」を読みましょう

イラストや図表を用いてまとめた図解（⑥）で、学習する内容のイメージをもつことができます。適宜例題（⑦）も入っていますので、試験でどのように問題を解けばよいのかを思い浮かべながら読んでいくと効果的です。また、多くの受講生がつまずいてきた論点の学習のヒントやケアレスミス防止対策等について、ひとことコメント（⑧）としてまとめていますので、参考にしてください。

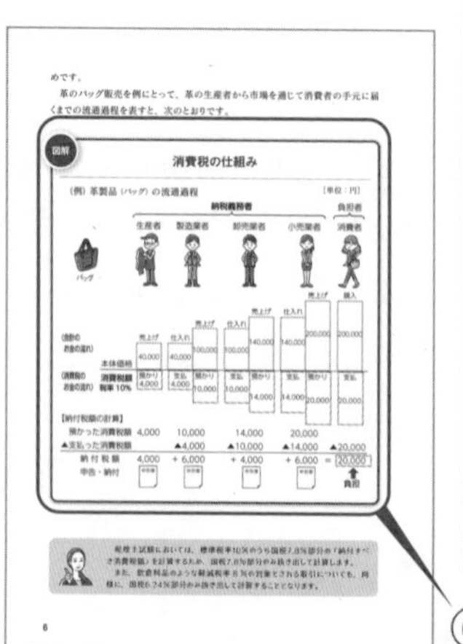

めです。
革のバッグ販売を例にとって、革の生産者から市場を通じて消費者の手元に届くまでの流通過程を表すと、次のとおりです。

図解 消費税の仕組み

（例）革製品（バッグ）の流通過程　［単位：円］

	生産者	製造業者	卸売業者	小売業者	消費者
（取引の お金の流れ）本体価格	売上げ 40,000	仕入れ 40,000 / 売上げ 100,000	仕入れ 100,000 / 売上げ 140,000	仕入れ 140,000 / 売上げ 200,000	購入 200,000
（消費税の お金の流れ）消費税額 税率10%	預かり 4,000	支払 4,000 / 預かり 10,000	支払 10,000 / 預かり 14,000	支払 14,000 / 預かり 20,000	20,000

【納付税額の計算】

預かった消費税額	4,000	10,000	14,000	20,000	
▲支払った消費税額		▲4,000	▲10,000	▲14,000	▲20,000
納付税額	4,000	＋6,000	＋4,000	＋6,000	＝20,000
申告・納付					負担

税理士試験においては、標準税率10%のうち国税7.8%部分の「納付すべき消費税額」を計算するため、国税7.8%部分のみ抜き出して計算します。また、飲食料品のような軽減税率８%の対象となる取引についても、同様に、国税6.24%部分のみ抜き出して計算することとなります。

6

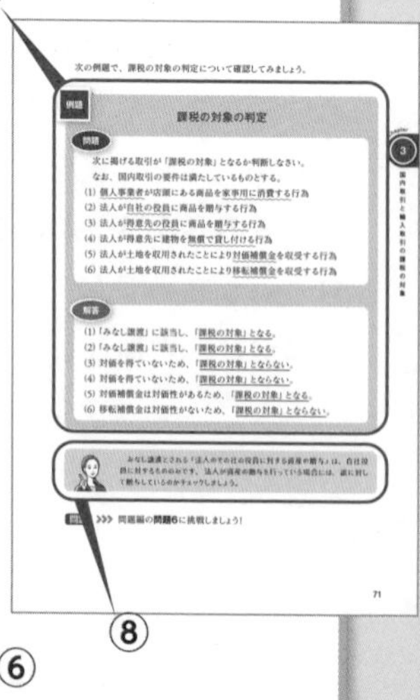

次の例題で、課税の対象の判定について確認してみましょう。

例題 課税の対象の判定

問題
次に掲げる取引が「課税の対象」となるか判断しなさい。
なお、国内取引の要件は満たしているものとする。
(1) 個人事業者が店舗にある商品を家事用に消費する行為
(2) 法人が自社の役員に商品を贈与する行為
(3) 法人が得意先の役員に商品を贈与する行為
(4) 法人が得意先に建物を無償で貸し付ける行為
(5) 法人が土地を収用されたことにより対価補償金を収受する行為
(6) 法人が土地を収用されたことにより移転補償金を収受する行為

解答
(1)「みなし譲渡」に該当し、「課税の対象」となる。
(2)「みなし譲渡」に該当し、「課税の対象」となる。
(3) 対価を得ていないため、「課税の対象」とならない。
(4) 対価を得ていないため、「課税の対象」とならない。
(5) 対価補償金は対価性があるため、「課税の対象」となる。
(6) 移転補償金は対価性がないため、「課税の対象」とならない。

みなし譲渡とされる「法人のその役員に対する資産の贈与」は、自社役員に対するものです。法人が資産の贈与を行っている場合には、誰に対して贈与しているのかをチェックしましょう。

問題編 >>> 問題編の問題6に挑戦しましょう!

71

Step 3 「問題集」を解きましょう

ある程度のところまで教科書を読み進めると、問題集へのリンク（⑨）があるので、まずは重要度Ａ（⑩）の問題から丁寧に解いていきましょう。計算問題への対応は本を読むだけでは身につきません。実際に手を動かして問題を解くことが、知識の定着には不可欠です。解き終えたら、解答へのアプローチ（⑪）や学習のポイント（⑫）をよく読み、理解を深めましょう。また、問題集の答案用紙にはダウンロードサービスもついていますので、これを利用して最低３回は解くようにしましょう。

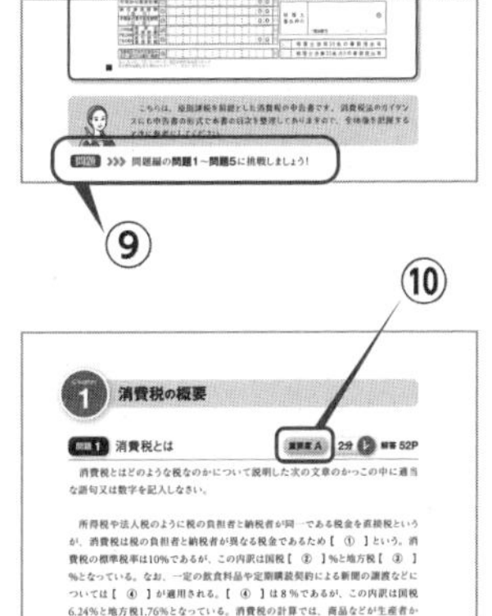

こちらは、原則課税を前提とした消費税の申告書です。消費税法のガイダンスにも申告書の形式で本書の目次を整理してありますので、全体像を把握するときに参考にしてください。

>>> 問題編の**問題1～問題5**に挑戦しましょう！

⑨

⑩

Chapter 1 消費税の概要

問題 1 消費税とは　重要度 A　2分　解答 52P

消費税とはどのような税なのかについて説明した次の文章のかっこの中に適当な語句又は数字を記入しなさい。

所得税や法人税のように税の負担者と納税者が同一である税金を直接税というが、消費税は税の負担者と納税者が異なる税金であるため【 ① 】という。消費税の標準税率は10%であるが、この内訳は国税【 ② 】%と地方税【 ③ 】%となっている。なお、一定の飲食料品や定期購読契約による新聞の譲渡などについては【 ④ 】が適用される。【 ④ 】は８%であるが、この内訳は国税6.24%と地方税1.76%となっている。消費税の計算では、商品などが生産者から消費者に行きつくまでの流通の各段階で二重、三重に税が課されることがないように多段階累積控除という仕組みが採用されており、「預かった消費税額」から

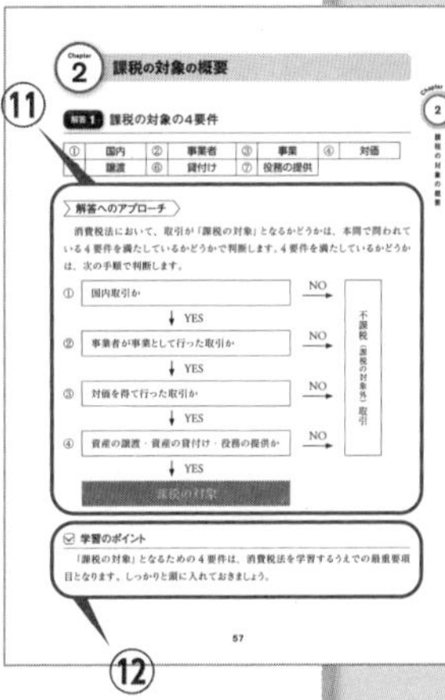

Chapter 2 課税の対象の概要

⑪

解答 1 課税の対象の4要件

①	国内	②	事業者	③	事業	④	対価
⑤	譲渡	⑥	貸付け	⑦	役務の提供		

解答へのアプローチ

消費税法において、取引が「課税の対象」となるかどうかは、本問で問われている４要件を満たしているかどうかで判断します。４要件を満たしているかどうかは、次の手順で判断します。

① 国内取引か
YES
② 事業者が事業として行った取引か
YES
③ 対価を得て行った取引か
YES
④ 資産の譲渡・資産の貸付け・役務の提供か
YES
課税の対象
NO
不課税（課税の対象外）取引

学習のポイント

「課税の対象」となるための４要件は、消費税法を学習するうえでの最重要項目となります。しっかりと頭に入れておきましょう。

57

⑫

Step 4 実践的な問題を解きましょう

本書の学習が一通り終わったら、「総合計算問題集　基礎編」「総合計算問題集　応用編」で実践力を身につけましょう。「総合計算問題集　基礎編」「総合計算問題集　応用編」は、本試験の計算問題対策として重要な総合問題形式の問題を収録したトレーニング問題集です。「基礎編」は総合問題を解くための基礎力の養成を主眼としており、「応用編」は答案作成能力の養成を主眼としています。

問題演習

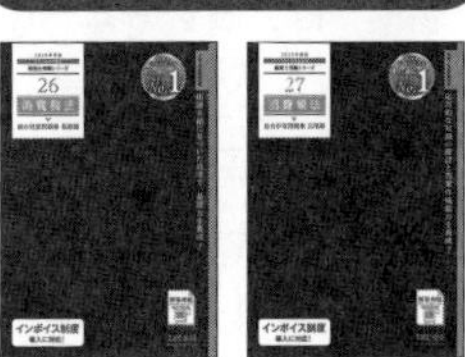

Step 5 理論問題へのアプローチ

理論問題対策

理論問題は、毎年、個別理論問題と事例理論問題の２題形式で出題されます。

① 個別理論問題対策

個別理論問題とは、「理論マスター」に収録されている条文の規定がそのまま出題されるような問題のことをいいます。
この問題の場合、その条文を覚えているかどうかが合否の分かれ目になりますので、まずは「教科書」で論点を正確に理解してから「理論マスター」に収録されている条文を覚えるようにしましょう。

② 事例理論問題対策

事例理論問題とは、取引事例について文章で問題資料が与えられるため、論点を自分で判断しなければならないような問題のことをいいます。
この問題の場合、問題文の読み取りと論点の把握、さらに覚えている条文の事例問題への当てはめができるかどうかが問われます。「理論マスター」に収録されている条文を覚え、「過去問題集」などで事例理論の問われ方を分析しましょう。

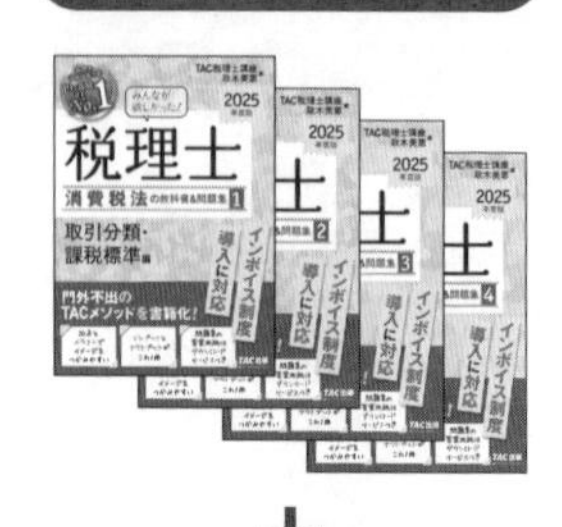

＋

理論マスター

Step Up 仕上げ

過去問演習

Step1 ～ 4 で計算力をつけ、Step5 で理論問題対策をしたら、仕上げは「過去問題集」で本試験問題のレベルを体感しましょう。
「過去問題集」は、直近５年分の本試験問題を収録し、かつ、税制改正にあわせて問題・解答解説ともに修正を加えています。時間を計りながら実際の本試験問題を解くことで、自分の現在位置を確認し、本試験に向けて対策を立てることができます。

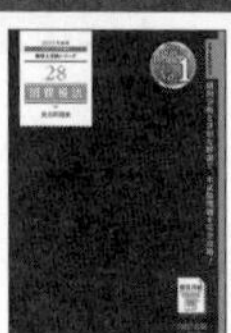

過去問題集

合格！

本書を利用して消費税法を**効率よく学習するため**の「スタートアップ講義」を税理士独学道場「学習ステージ」ページで**無料公開中**です！

カンタンアクセスはこちらから ⇨

https://bookstore.tac-school.co.jp/dokugaku/zeirishi/stage.html

税理士試験について

みなさんがこれから合格をめざす税理士試験についてみていきましょう。
なお、詳細は、最寄りの国税局人事第二課（沖縄国税事務所は人事課）または国税審議会税理士分科会にお問い合わせ、もしくは下記ホームページをご参照ください。
https://www.nta.go.jp/taxes/zeirishi/zeirishishiken/zeirishi.htm

国税庁 >> 税の情報・手続・用紙 >> 税理士に関する情報 >> 税理士試験

☑概要

税理士試験の概要は次のとおりです。申込書類の入手は国税局等での受取または郵送、提出は郵送（一般書留・簡易書留・特定記録郵便）にて行います。一部手続はe-Taxでも行うことができます。また、試験は全国で行われ、受験地は受験者が任意に選択できるので、住所が東京であったとしても、那覇や札幌を選ぶこともできます。なお、下表中、受験資格については例示になります。実際の受験申込の際には、必ず受験される年の受験案内にてご確認ください。

受験資格	・会計系科目（簿記論・財務諸表論）は制限なし。 ・税法系科目は以下のとおり。 所定の学歴（大学等で社会科学に属する科目を１科目以上履修して卒業した者ほか）、資格（日商簿記検定１級合格者ほか）、職歴（税理士等の業務の補助事務に２年以上従事ほか）、認定（国税審議会より個別認定を受けた者）に該当する者。
受験料	１科目4,000円、２科目5,500円、３科目7,000円、４科目8,500円、５科目10,000円
申込方法	国税局等での受取または郵送による請求で申込書類を入手し、試験を受けようとする受験地を管轄する国税局等へ郵送で申込みをする。

☑合格までのスケジュール

税理士試験のスケジュールは次のとおりです。詳細な日程は、毎年４月頃の発表になります。

受験申込用紙の交付	４月上旬～下旬（土、日、祝日は除く）
受験申込受付	４月下旬～５月上旬
試験日	８月上旬～中旬の３日間
合格発表	11月下旬

☑試験科目と試験時間割

税理士試験は、全11科目のうち5科目について合格しなければなりません。5科目の選択については、下記のようなルールがあります。

	試験時間	科　目	選択のルール
1日目	9：00～11：00	簿記論	会計系科目。必ず選択する必要がある。
	12：30～14：30	財務諸表論	
	15：30～17：30	消費税法または酒税法	税法系科目。この中から3科目を選択。ただし、所得税法または法人税法のどちらか1科目を必ず選択しなくてはならない。また、消費税法と酒税法、住民税と事業税はいずれか1科目の選択に限る。
2日目	9：00～11：00	法人税法	
	12：00～14：00	相続税法	
	15：00～17：00	所得税法	
3日目	9：00～11：00	国税徴収法	
	12：00～14：00	固定資産税	
	15：00～17：00	住民税または事業税	

なお、税理士試験は科目合格制をとっており、1科目ずつ受験してもよいことになっています。

☑合格率

受験案内によれば合格基準点は満点の60％ですが、そもそも採点基準はオープンにされていません。税理士試験の合格率（全科目合計）は次のグラフのとおり、年によってばらつきはありますが、おおむね15％前後で推移しています。現実的には、受験者中、上位10％前後に入れば合格できる試験といえるでしょう。

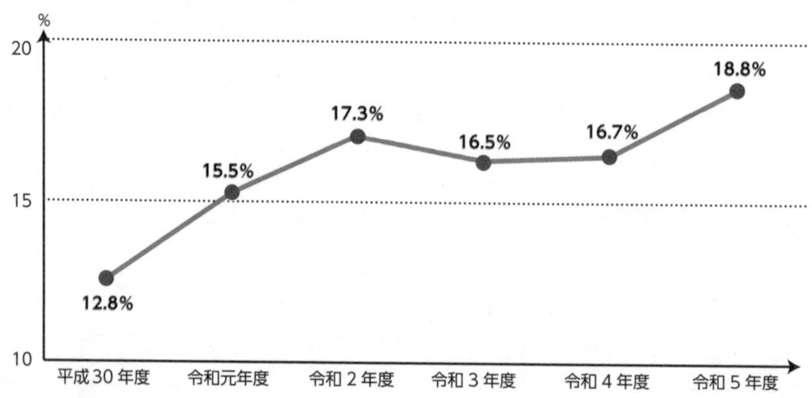

☑出題傾向と時間配分について

税理士試験の消費税法は下表に示すような２問構成です。一方、試験時間は２時間であり、全部の問題にまんべんなく手をつけるには絶対的に時間が足りません。そこで、戦略的な時間配分が必要となります。

第１問	第２問
50点（理論）	50点（計算）

では、どのように時間配分をすればよいでしょうか。ここでは、本試験問題のレベルとボリュームから考えてみましょう。過去問題を見てみると、本試験問題は２時間ですべてを解けないくらいのボリュームがあり、この中から基本的な問題を選択して、確実に正答していくことが求められます。

また、試験時間の２時間のうちに、すべての問題に目を通す必要もあるため、消費税法は以下のような時間配分で解答するようにしてください。

第１問	第２問
50～55分	65～70分

消費税法は本試験の難易度にかかわらず、この時間配分をしっかりと守るようにしましょう。なぜなら、１点でも多く点数を取る（合格点に近づく）ためには、時間のかかる計算問題に少し多めに時間をかける必要があるからです。また、理論問題も、消費税法の条文の用語を使って論述し、慎重に答案を作成し部分点を少しでも拾えるようにするためにも、しっかりと時間をかけられるようにしておく必要があるからです。

消費税法のガイダンス

❶私たちは、お店で買い物をして代金を払うとき、商品代金と合わせて「消費税」を支払っています。
本書では、この「消費税」について学習します。

❷消費税は、市場の流通過程の中でそれぞれの取引にかかります。商品が生産者から消費者の手元に届くまでの市場の流通過程を見てみましょう。

バッグ

市場の流通過程

（例）革製品（バッグなど）の流通過程

生産者	製造業者	卸売業者	小売業者	消費者
皮の洗浄などを行い、製造業者へ販売	皮などの材料を仕入れ、革製品を製造し、卸売業者へ販売	革製品を仕入れ、小売業者に販売	革製品であるバッグなどを仕入れ、消費者に販売	バッグを購入して商品代金と消費税を支払う

❸この流通過程の中で、それぞれの事業者は、モノを仕入れたときに「消費税」を支払い、モノを売ったときに「消費税」を預かります。事業者は「預かった消費税額」から「支払った消費税額」を控除して「納付すべき消費税額」を計算し国へ納めます。

事業者が行う取引

4 事業者が行う取引には、材料・商品等の仕入れや販売のほか、建物や土地の売却、車の購入、保有株式の配当金の受取りなどがあります。

土 地

土地一筆
○○○○万円也
××××

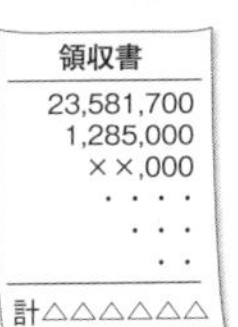

領収書
23,581,700
1,285,000
××,000
計△△△△△△

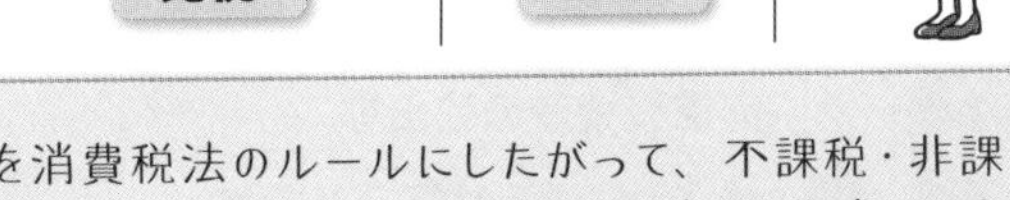

不課税　非課税　免税　課税

5 事業者はすべての取引を消費税法のルールにしたがって、不課税・非課税・免税・課税に分類し、消費税額を計算して『消費税の申告書』を作成します。

6 消費税を納める義務のある事業者は、『消費税の申告書』を、確定申告や中間申告の時期に税務署長に提出しなければなりません。

7 現在、消費者が負担する消費税の標準税率は10%、軽減税率は８%です。これは消費税（国税）と地方消費税の合計額で、税理士試験においては国税額部分を計算します。本書では、標準税率10%のうち国税7.8%、軽減税率８%のうち国税6.24%を前提に説明します。

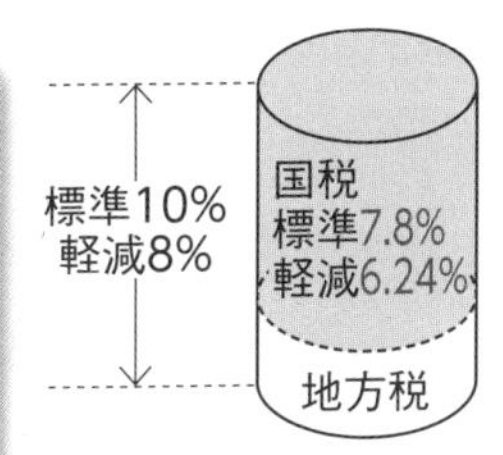

消費税率（標準10%・軽減8%）

「課税の対象となる取引」の分類

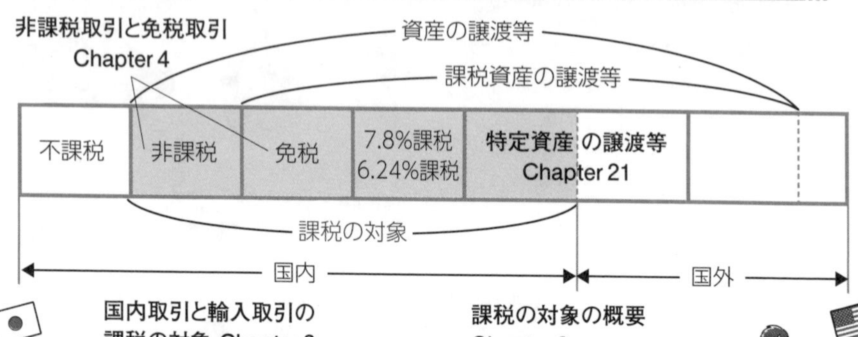

国内取引と輸入取引の課税の対象 Chapter 3

課税の対象の概要 Chapter 2

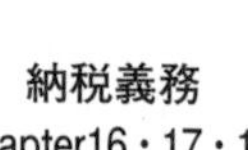

売り手側の事業者は、7.8％課税売上高と6.24％課税売上高の金額を使って課税標準額を計算します。

納税義務 Chapter16・17・18

消費税の申告書形式でみた各Chapterの学習内容

X1年 4 月 1 日
X2年 3 月31日

課税期間及び資産の譲渡等	Chapter19
課税標準額	Chapter 5
※仕入税額控除 ― 原則 Ch 8 ― 非課税資産の輸出等	Chapter13
※仕入税額控除 ― 原則 Ch 8 ― 仕入れに係る対価の返還等	Chapter 9
※仕入税額控除 ― 原則 Ch 8 ― 課税売上割合の著しい変動	Chapter10
※仕入税額控除 ― 原則 Ch 8 ― 調整対象固定資産の転用	Chapter11
※仕入税額控除 ― 原則 Ch 8 ― 居住用賃貸建物に係る消費税額の調整	Chapter12
※仕入税額控除 ― 原則 Ch 8 ― 棚卸資産に係る消費税額の調整	Chapter14
※仕入税額控除 ― 簡易課税	Chapter15
売上に係る対価の返還等に係る税額※	Chapter 6
貸倒れに係る税額	Chapter 7
差引税額	
中間納付税額（中間申告制度）	Chapter20
納付税額（確定申告制度）	Chapter20
※　インボイス制度	Chapter22

「課税の対象となる取引」は、日本の消費税が関係する取引です。消費税法は日本の税法なので、日本国内で行われた取引を課税の対象とします。世界中で行われた取引をこの消費税法のルールにしたがって分類してまとめると左の図のようになります。納付すべき消費税額の計算は、取引の分類から行います。これから消費税法の学習を進めていく中で、様々な取引が出てきます。「課税の対象となる取引」を判定する際は、この取引分類を思い出して整理するとよいでしょう。

申告書・内訳書の概略と各Chapterの学習内容をまとめたものです。常に全体の中でどの部分を学習しているのかを意識しましょう。

特定課税仕入れがある場合の課税標準額等の内訳書

課税標準額	特定課税仕入れに係る支払対価の額
返還等対価に係る税額	特定課税仕入れの返還等対価に係る税額

電気通信利用役務の提供 及び 特定役務の提供 Chapter21

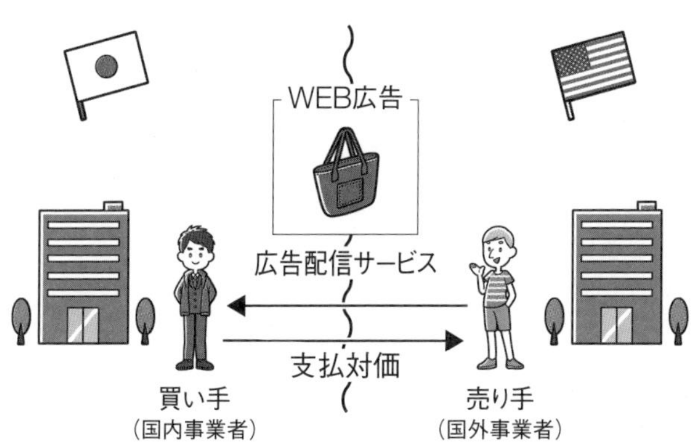

国外事業者が行う「事業者向け電気通信利用役務の提供」などの取引は、サービスを買った国内事業者が消費税を国へ納めます。左の例では広告配信サービスの提供を受けて支払った対価の額を「特定課税仕入れ」といい、この金額を課税標準額及び控除対象仕入税額の計算に含めます。

標準税率と軽減税率

現行の消費税の標準税率は10％ですが、低所得者への配慮の観点から一定の品目には軽減税率８％が適用されています。これを**軽減税率制度**といいます。（令和元年10月１日より導入）

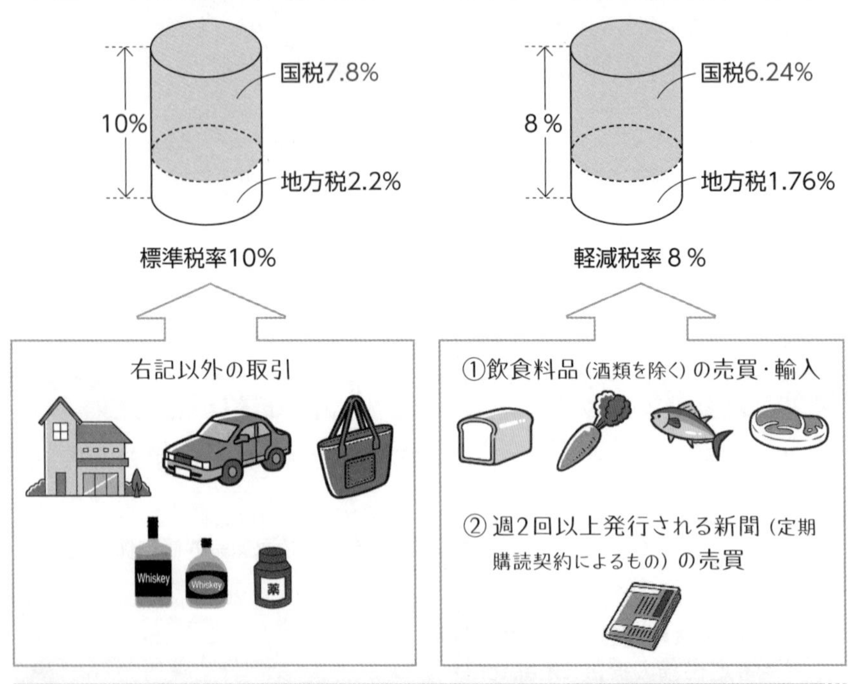

インボイス制度

事業者が「納付すべき消費税額」を正しく計算するために、消費税額を証明する書類が「インボイス」です。買い手側の事業者が「支払った消費税額」を控除するためには、売り手側の事業者からインボイスの交付を受け、保存する必要があります。売り手側の事業者は、買い手側の事業者から求められたときは、インボイスを交付しなければなりません。（令和５年10月１日より導入）

目次

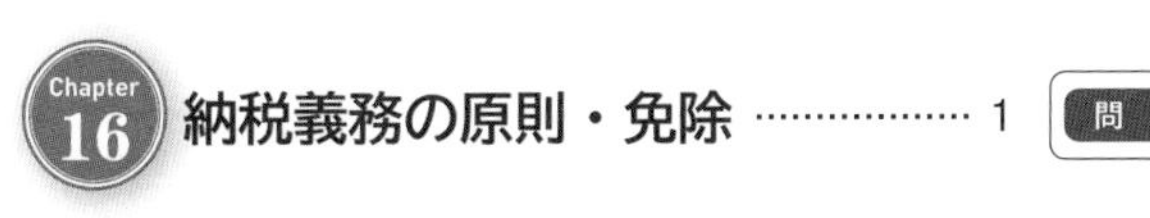

（参考）

Chapter10　課税売上割合が著しく変動した場合の消費税額の調整
Chapter11　調整対象固定資産の転用
Chapter12　居住用賃貸建物に係る消費税額の調整
Chapter13　非課税資産の輸出等
Chapter14　棚卸資産に係る消費税額の調整
Chapter15　簡易課税制度

「みんなが欲しかった！　税理士　消費税法の教科書＆問題集　4
申告制度・新論点その他編」収録内容
Chapter19　課税期間及び資産の譲渡等の時期
Chapter20　確定申告制度・中間申告制度
Chapter21　電気通信利用役務の提供及び特定役務の提供
Chapter22　インボイス制度

本書は、令和６年７月現在の法令に準拠しています。税率は、令和７年４月現在の適用法令に基づきます。

納税義務の原則・免除

Chapter 16

超重要 重要

納税義務の原則・免除

Section

誰が消費税を納めなければならないのでしょうか。

Point Check

①納税義務者とは	消費税を納める義務のある者のこと	②国内取引の納税義務者の原則	国内において課税資産の譲渡等を行った事業者は、原則として消費税を納める義務がある
③小規模事業者に係る納税義務の免除とは	基準期間における課税売上高が1,000万円以下の事業者の納税義務を免除すること	④輸入取引の納税義務者の原則	輸入取引における消費税の納税義務者は、原則として外国貨物を保税地域から引き取る者である

納税義務者の原則

納税義務者の原則

消費税は、モノやサービスの消費に対して広く公平に課税する間接税です。

したがって、商品の販売、資産の貸付け、サービスの提供等を行った場合は、その取引に対して消費税が課されます。

(1) 国内取引

国内取引については、多段階累積控除の仕組みにより、流通過程におけるそれぞれの事業者が、原則として消費税を納める義務を負います。このように消費税を納める義務がある者のことを**納税義務者**といいます。

それぞれの事業者は、モノやサービスを売ったときに消費税を預かり、モノやサービスを仕入れたときに消費税を支払い、「預かった消費税額」から「支払った消費税額」を控除して「納付税額」を自ら計算し、消費税を納めることになります。

このとき、いくらを「支払った消費税額」として計算するかにより「納付税額」が大きく変わってくるため、納税義務者にとって仕入税額控除できる「支払った消費税額」の計算は非常に重要なプロセスです。

ここで改めて国内取引の納税義務者について、市場の流通過程の流れの中で見てみると、次のとおりです。

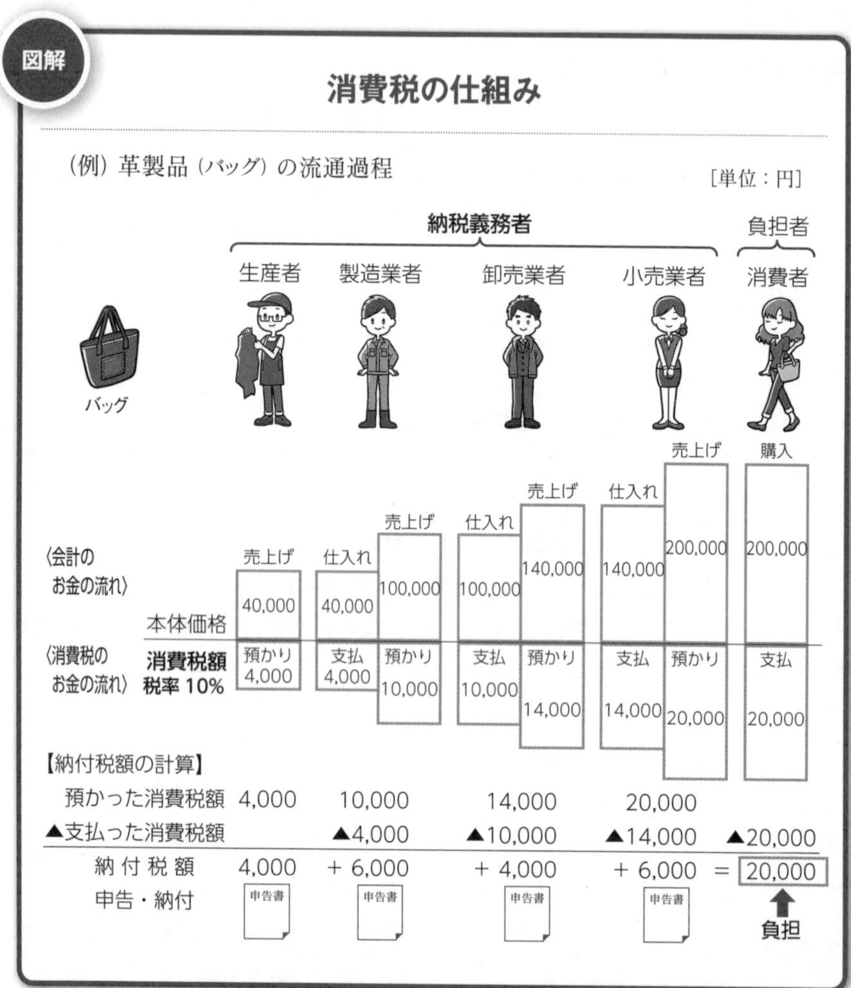

上の例の市場の流通過程の流れの中で「支払った消費税額」の金額を見てみると、それぞれの取引段階の一つ前の売り手側の事業者が、この納税システムの中で、すでに消費税を納付していることが分かります。つまり、買い手側の事業者が「支払った消費税額」を「預かった消費税額」から控除できるのは、すでに売り手側の事業者がその消費税相当額を納付しているからです。それを証明するた

めの証拠書類がインボイスであり、令和５年10月１日からインボイス制度が開始され、買い手側の事業者は、このインボイスを保存することにより仕入税額控除できるようになりました。

また、納税義務の観点からは、国内取引における消費税の納税義務者は、上の例では原則として、革のバッグを売るという行為を行った事業者、つまり、**課税資産の譲渡等を行った事業者**となります。そして、インボイスを発行できる事業者のことを適格請求書発行事業者といい、この適格請求書発行事業者は消費税の納税義務があります。

一方、サービスを買った事業者が消費税の納税義務者となる場合もありますが、こちらの論点については、Chapter21（４分冊目）で詳しく説明します。

(2) 輸入取引

輸入取引については、保税地域から引き取られる外国貨物を課税対象としているため、その外国貨物を引き取る者が消費税を納める義務を負います。

輸入取引の納税義務者についてまとめると、次のとおりです。

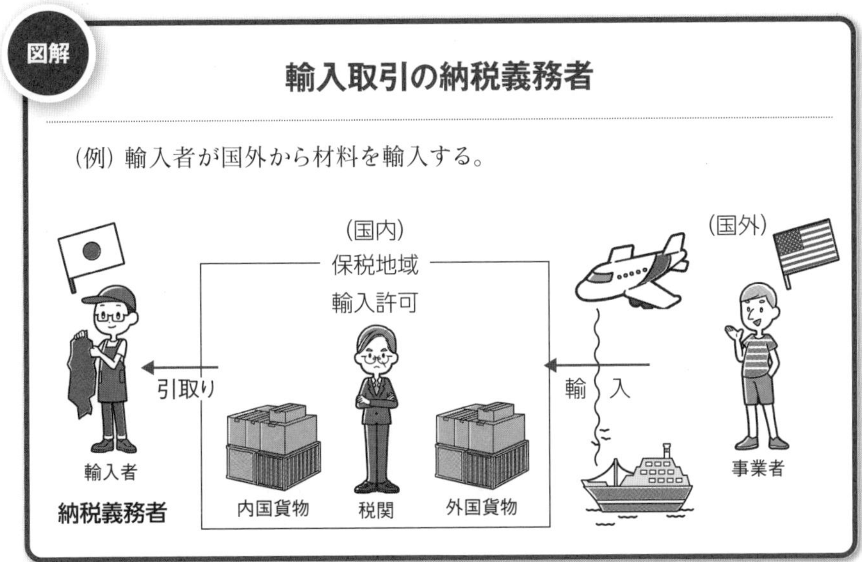

つまり、輸入取引における消費税の納税義務者は、上の例では原則として、

貨物を引き取る輸入者、つまり、**保税地域から課税貨物を引き取る者**となります。

これは、貨物を引き取る者が誰であっても、例えば、事業者はもちろんのこと、一般の消費者であっても納税義務があるということです。

(3) 納税義務者の原則のまとめ

国内取引と輸入取引の納税義務の原則についてまとめると、次のとおりです。

図解

納税義務者の原則

納税義務者		
	国内取引	…国内において**課税資産の譲渡等**を行った事業者
	輸入取引	…保税地域から**課税貨物**を引き取る者(輸入者)

これらの納税義務者には、基本的に消費税を申告・納付する義務があります。

課税貨物とは、保税地域から引き取られる外国貨物のうち、非課税貨物とされるもの以外のものです。Chapter 4（1分冊目）で学習しましたね。

2 国内取引の納税義務者の原則

国内取引の納税義務者の原則

国内取引における消費税の納税義務者は、原則として課税資産の譲渡等を行った事業者となります。

国内取引の納税義務者の取引について表すと、次のとおりです。

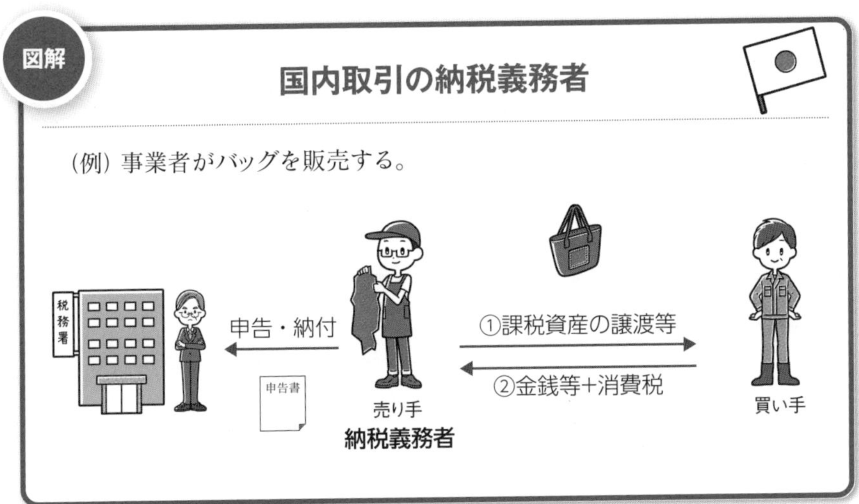

上の図解では、事業者がバッグを販売するという行為に対して納税義務があります。したがって、売り手が納税義務者となります。

国内において行った課税資産の譲渡等の位置付けを取引分類図で示すと、次のとおりです。

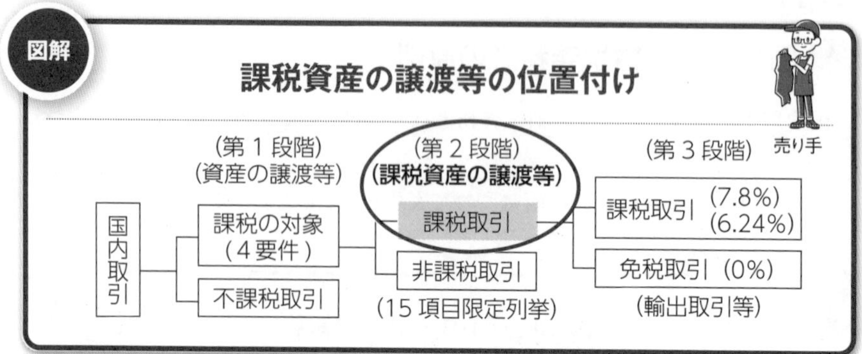

課税資産の譲渡等は、「7.8%課税取引」・「6.24%課税取引」と「免税取引」を合わせた取引です。

つまり、売り手は、「7.8%課税売上げ」・「6.24%課税売上げ」と「免税売上げ」を行ったとき、消費税を納める義務があります。

特定課税仕入れを行った事業者も納税義務がありますが、Chapter21（４分冊目）で説明しますので、ここでは割愛させて頂きます。

国内取引の納税義務者の原則について、条文では次のように規定しています。

条文

国内取引の納税義務者の原則（法5①）

事業者は、国内において行った**課税資産の譲渡等**（特定資産の譲渡等を除く。）及び**特定課税仕入れ**につき、消費税を**納める義務がある**。

条文上、「消費税を納める義務がある」と規定しているため、納税義務者となります。「特定資産の譲渡等」・「特定課税仕入れ」については、Chapter21（４分冊目）で詳しく説明します。

3 適格請求書発行事業者の納税義務

適格請求書発行事業者の納税義務

令和５年10月１日よりインボイス制度が開始されてからは、インボイス発行事業者となった事業者、つまり、**適格請求書発行事業者**は、消費税を納める義務があります。ここでまず、納税義務の全体系を見てみましょう。

図解

納税義務の全体系

〈納税義務の条文体系〉

- 原則：原則　国内 法5①
- 免除：小規模事業者に係る納税義務の免除 法9①※
- 免除の特例（別段の定め）：
  - 課税事業者の選択 法9④～⑨
  - 前年等の課税売上高による特例 法9の2
  - 相続　法10
  - 合併 法11：吸収合併①②／新設合併③④
  - 分割等 法12：新設分割子法人①②③／新設分割親法人④
  - 吸収分割　法12⑤⑥
  - 新設法人　法12の2
  - 特定新規設立法人　法12の3
  - 新設法人・特定新規設立法人
  - 高額特定資産の仕入れ等　法12の4

※適格請求書発行事業者を除く。

適　用　順　序 →

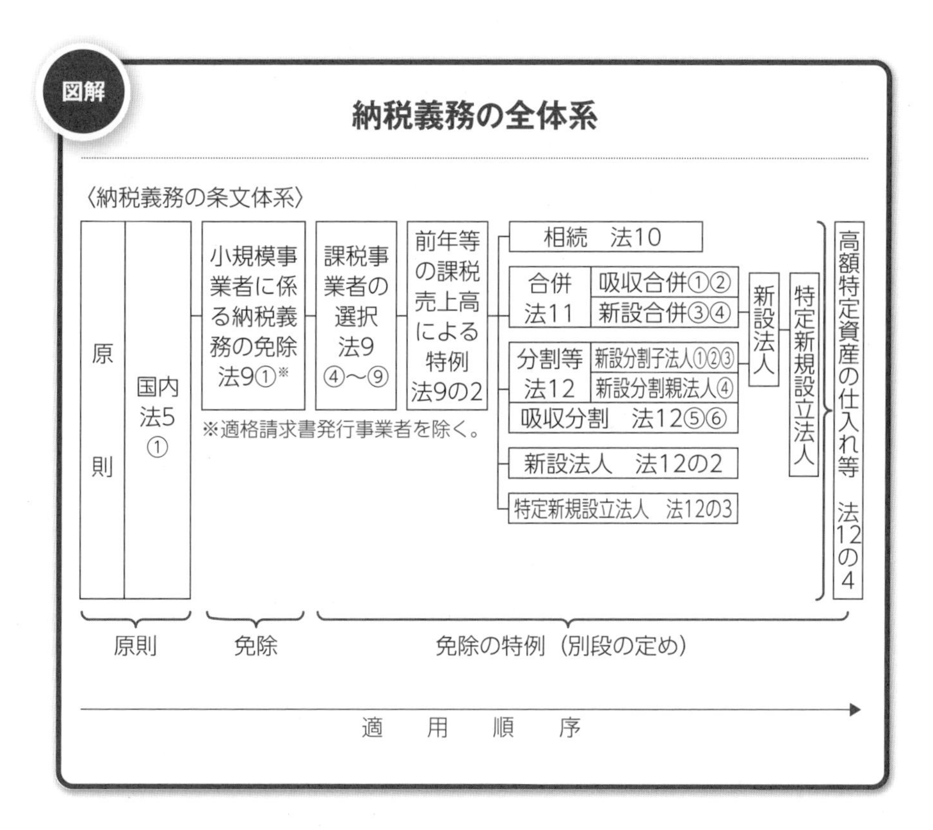

上の図解のとおり、納税義務を判定する際には、最初に適格請求書発行事業者かどうかをチェックすることになります。

適格請求書発行事業者とは

適格請求書発行事業者は、課税事業者で事前に事業者自らの申請により国税庁に登録されたものに限られます。そのため、適格請求書発行事業者となるためには手続きが必要です。

具体的には、事前に「適格請求書発行事業者の登録申請書」を納税地の所轄税務署長に提出し、国税庁に適格請求書発行事業者として登録を申請します。この登録が完了すると、国税庁から登録番号が通知され、事業者は適格請求書発行事業者となります。

適格請求書発行事業者との取引について表すと、次のとおりです。

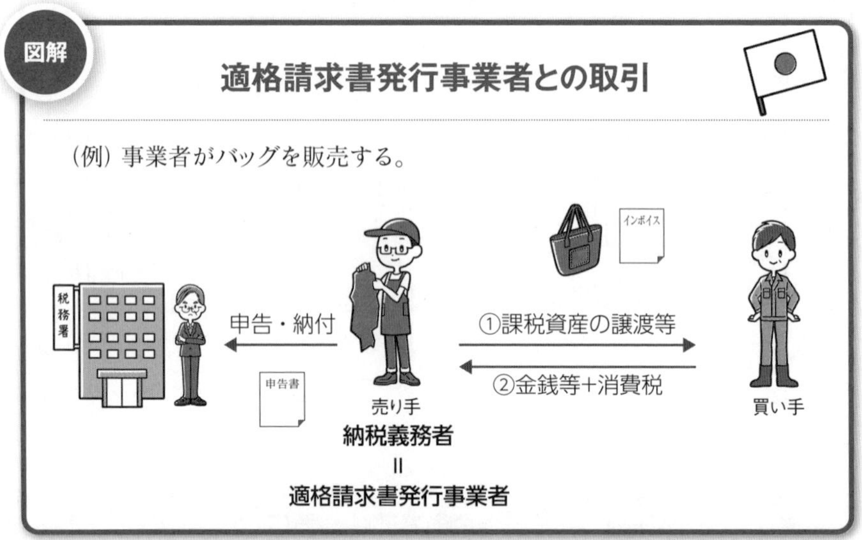

適格請求書発行事業者には納税義務があるため、買い手側の事業者がモノやサービスを仕入れた際に負担した消費税額相当額は、原則として国に納付されることになります。したがって、適格請求書発行事業者が発行したインボイスに記載された買い手側の事業者が支払った消費税額は、仕入税額控除の対象となるのです。

インボイス制度について、Chapter22（４分冊目）でもう一度まとめて詳しく説明します。

4 小規模事業者に係る納税義務の免除

趣　旨

Section②で学習したように、国内において課税資産の譲渡等を行った事業者は、原則として消費税を納める義務があります。

しかし、日本国内にあるすべての事業者が消費税を納めるのかというと、そうではありません。適格請求書発行事業者を除く事業規模の小さい事業者については、納税手続などの事務負担を軽減させるため、消費税の納税義務が免除されています。この納税義務の免除規定のことを、**小規模事業者に係る納税義務の免除**といいます。

また、このように消費税を納める義務を免除されている事業者のことを**免税事業者**といいます。これに対し、消費税を納める義務がある事業者のことを**課税事業者**といいます。

消費税を納める義務を免除されていることから、この制度を免税事業者制度ということもあります。

小規模事業者に係る納税義務の免除

適格請求書発行事業者を除く事業規模の小さい事業者については、消費税の納税義務が免除されます。

事業規模の大小を判定する基準となるのは、前々年度の課税売上高です。この前々年度の期間のことを**基準期間**といいます。

消費税法では、**基準期間における課税売上高が1,000万円以下の適格請求書発行事業者を除く事業者**については、小規模事業者として国内取引の納税義務を免除しています。この場合、課税売上高とは、課税資産の譲渡等の金額をいいます。

売り手において課税資産の譲渡等となる取引について、Section②の図解の取引分類図で確認しておきましょう。

なお、適格請求書発行事業者の登録を受けている場合は、事業規模の大小にかかわらず、納税義務は免除されません。

適格請求書発行事業者ではない小規模事業者に係る納税義務の免除規定に係る、納税義務の判定についてまとめると、次のとおりです。

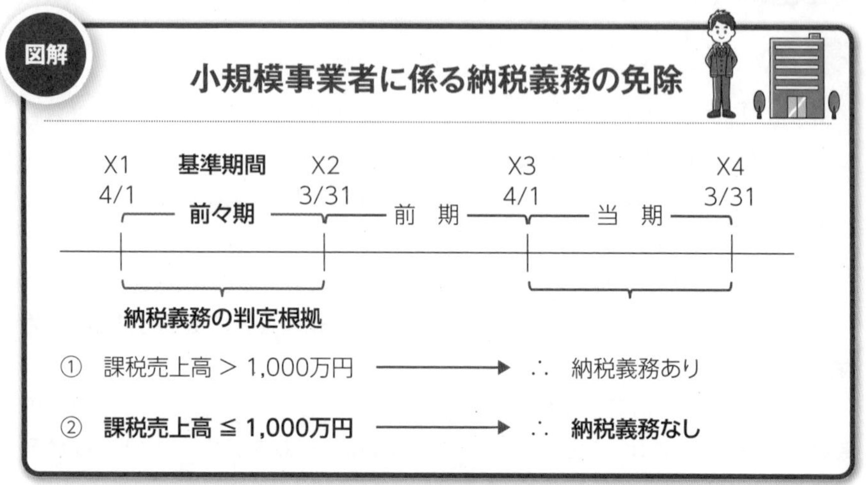

つまり、納税義務を判定する際は、最初に適格請求書発行事業者かどうかチェックし、適格請求書発行事業者ではないその事業者の基準期間における課税売上高が1,000万円を超えている場合には、当期において納税義務があります。一方、その事業者の基準期間における課税売上高が1,000万円以下の場合には、当期において納税義務が免除されます。

要するに、適格請求書発行事業者ではないときは、当期の納税義務を判断するのに、当期の課税売上高は関係なく、基準期間である前々期の課税売上高で行うことになります。

国内取引の小規模事業者に係る納税義務の免除について、条文では次のとおり規定されています。

条文

小規模事業者に係る納税義務の免除（法9①）

事業者のうち、その課税期間に係る**基準期間における課税売上高**が**1,000万円**以下である者（適格請求書発行事業者を除く。）については、原則にかかわらず、その課税期間中に国内において行った**課税資産の譲渡等**（特定資産の譲渡等を除く。）及び**特定課税仕入れ**につき、消費税を**納める義務を免除する**。

ただし、別段の定めがある場合は、この限りでない。

「消費税を納める義務を免除する」とは、例えば、事業者がバッグを販売しても消費税を納めなくてもいい、という意味です。

免税事業者が国内において行った課税資産の譲渡等の取引を示すと、次のとおりです。

図解

国内取引の免税事業者

（例）事業者がバッグを販売する。

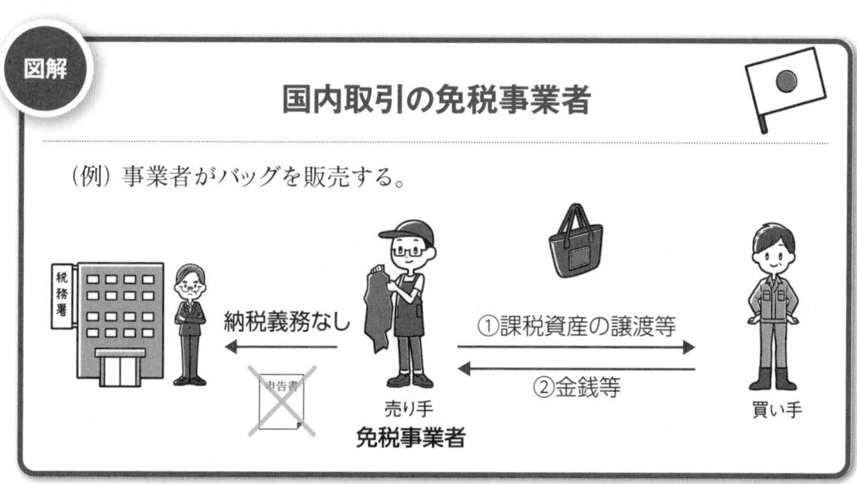

納税義務の判定の流れ

国内取引の納税義務の判定の流れをまとめると、次のとおりです。

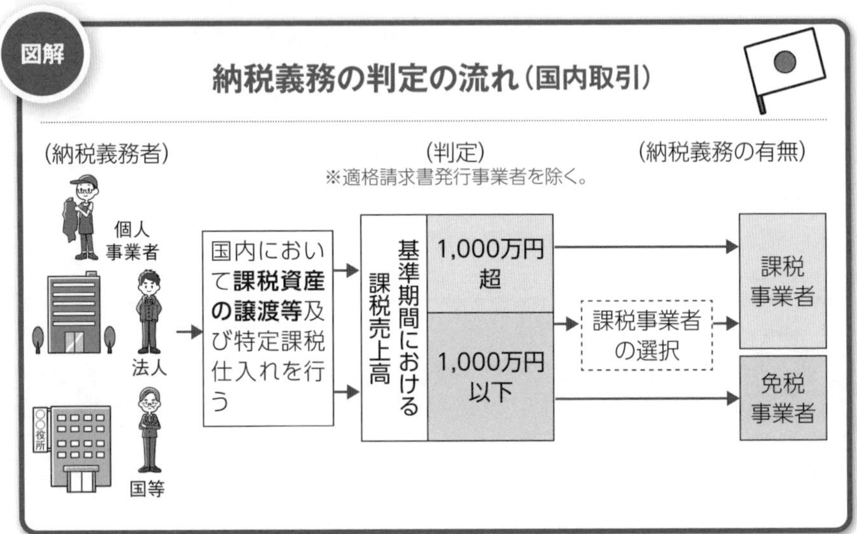

納税義務を判定する際は、最初に適格請求書発行事業者かどうかチェックし、適格請求書発行事業者ではないときは、その事業者は、基準期間である前々期の課税売上高を計算し、その金額が1,000万円超なら課税事業者となり、当期は消費税を納める義務があります。

一方、前々期の課税売上高が1,000万円以下なら小規模事業者として免税事業者となり、当期は消費税を納める義務が免除されるのです。

要するに、適格請求書発行事業者ではない事業者がバッグを販売した場合、原則的には消費税を納める義務がありますが、基準期間における課税売上高が1,000万円以下の場合は、消費税を納める義務が免除されます。

なお、令和５年10月１日から始まったインボイス制度のもとでは、「適格請求書発行事業者」として国税庁に登録された場合、すでに消費税の申告が必要な課税事業者となっていることが明らかなため、基準期間における課税売上高の大小にかかわらず、小規模事業者に係る納税義務の免除の適用を受けることはありません。

問題 ＞＞＞ 問題編の**問題１**に挑戦しましょう！

5 納税義務の判定

RANK A

国内取引の納税義務の判定の流れ

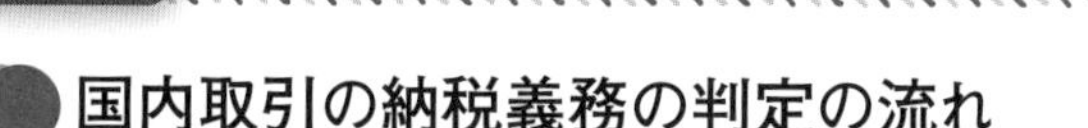

それでは、まず、国内取引の納税義務の判定の流れをもう一度確認してみましょう。

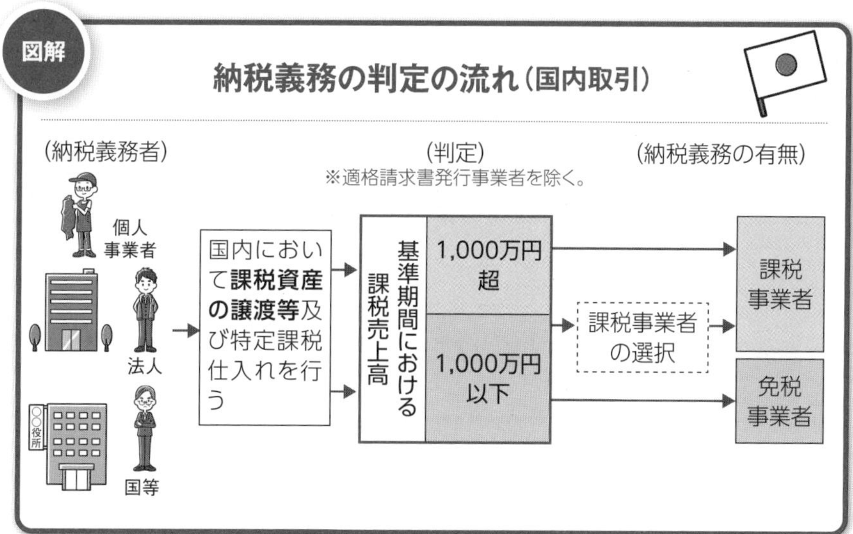

つまり、適格請求書発行事業者ではない事業者が当期において課税事業者となるか免税事業者となるかは、「基準期間における課税売上高」に基づいて判定します。

納税義務の判定では、「基準期間」の認識と「基準期間における課税売上高」の計算がポイントになります。

ここからは、適格請求書発行事業者ではない事業者の納税義務の判定について、個人事業者と法人に分けて説明していきます。

個人事業者の納税義務の判定

(1) 基準期間

基準期間とは、当期の納税義務の有無を判定する基準となる期間のことをいいます。

個人事業者の基準期間は、当年の前々年１月１日から12月31日までの期間となります。

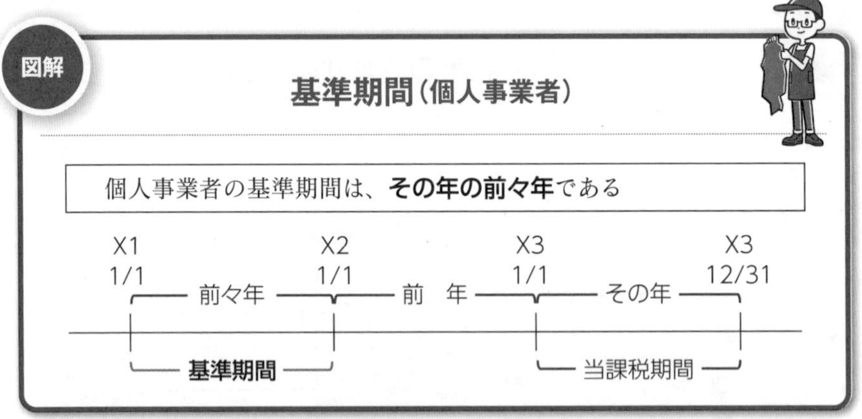

個人事業者の場合は、常に暦年で考えますので、消費税の納付税額を計算する期間は１月１日から12月31日になります。したがって、年の途中で開業又は廃業した場合でも、常に１月１日から12月31日を１つの期間として考えます。

(2) 納税義務の判定

個人事業者の納税義務の判定を行う場合、前々年の課税売上高（税抜純売上高）が1,000万円超であれば課税事業者となり、課税売上高（税抜純売上高）が1,000万円以下のときは免税事業者となります。

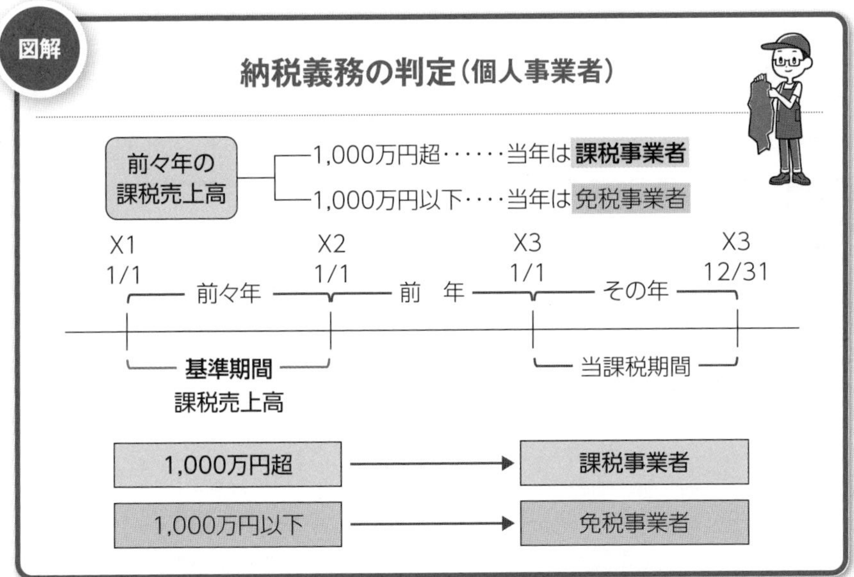

判定で用いる課税売上高は、総売上高から売上返還等を控除した「純売上高（税抜）」となります。課税売上高の計算方法については、「基準期間における課税売上高の計算方法」にて詳しく説明します。

法人の納税義務の判定

法人の場合、定款により原則一年以内であれば事業年度を自由に決められるため、基準期間については、次のようになります。

(1) 前々事業年度が１年の場合の基準期間

前々事業年度が１年の場合の法人の基準期間は、当期の前々事業年度となります。

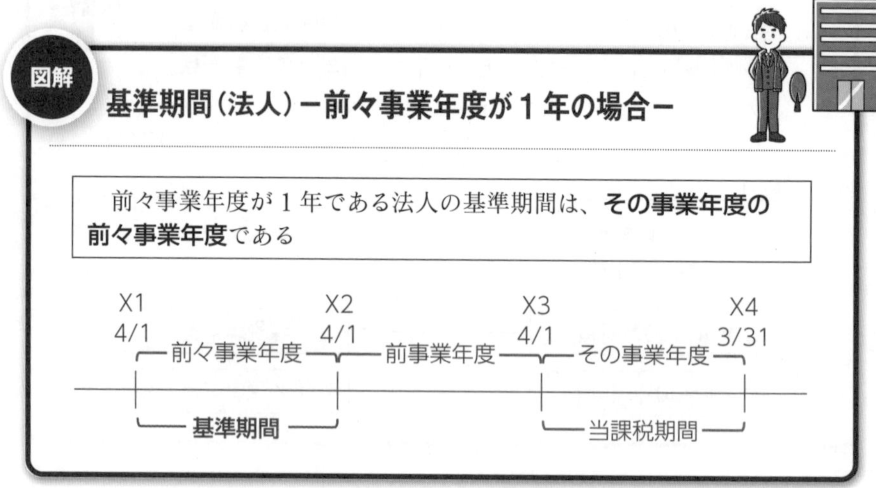

(2) 前々事業年度が１年未満の場合の基準期間

前々事業年度が１年未満の場合の法人の基準期間は、当事業年度開始の日の２年前の日の前日から１年を経過する日までの間に開始した各事業年度を合わせた期間となります。

基準期間（法人）－前々事業年度が１年未満の場合－

前々事業年度が**１年**未満である法人の基準期間は、①その事業年度開始の日の②**２年**前の日の前日から③**１年**を経過する日までの間に④**開始**した⑤各**事業年度**を合わせた期間

（例）８ヶ月決算法人の基準期間

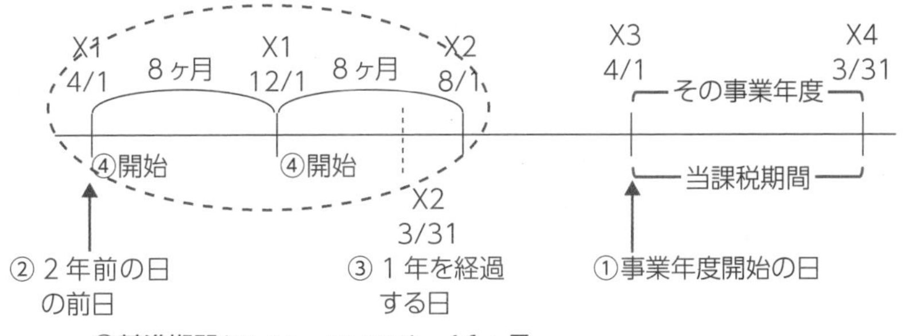

その事業年度開始の日(X3.4.1)の２年前の日の前日(X1.4.1)から１年を経過する日(X2.3.31)までの間に開始した各事業年度(X1.4.1からの８ヶ月とX1.12.1からの８ヶ月)を合わせた16ヶ月の期間が基準期間となります。

前々事業年度が１年未満の場合、基準期間を判定する際に「開始した各事業年度」が「１年を経過する日までの間」に複数でてくることもありますが、「開始した各事業年度」をすべて基準期間に含めることに注意しましょう。

(3) 設立間もない法人の基準期間

前々事業年度において新たに法人を設立した場合の法人の基準期間についても(2)と同様に、当事業年度開始の日の２年前の日の前日から１年を経過する日までの間に開始した各事業年度を合わせた期間となります。

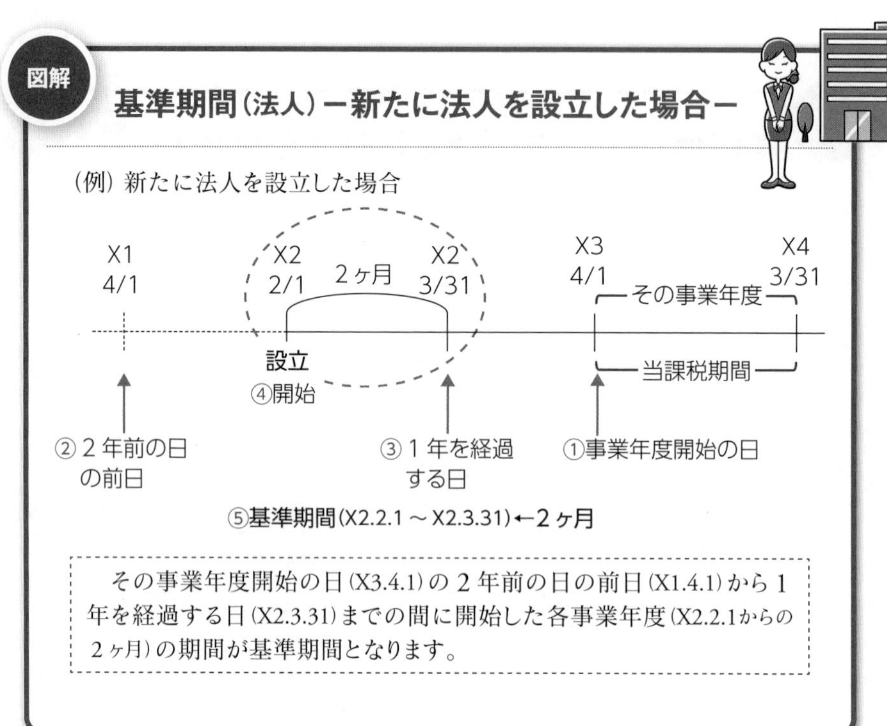

その事業年度開始の日(X3.4.1)の２年前の日の前日(X1.4.1)から１年を経過する日(X2.3.31)までの間に開始した各事業年度(X2.2.1からの２ヶ月)の期間が基準期間となります。

(4) 納税義務の判定

① 基準期間が１年の場合

法人の納税義務の判定を行う場合、前々事業年度の課税売上高（税抜純売上高）が1,000万円超であれば課税事業者となり、課税売上高（税抜純売上高）が1,000万円以下のときは免税事業者となります。

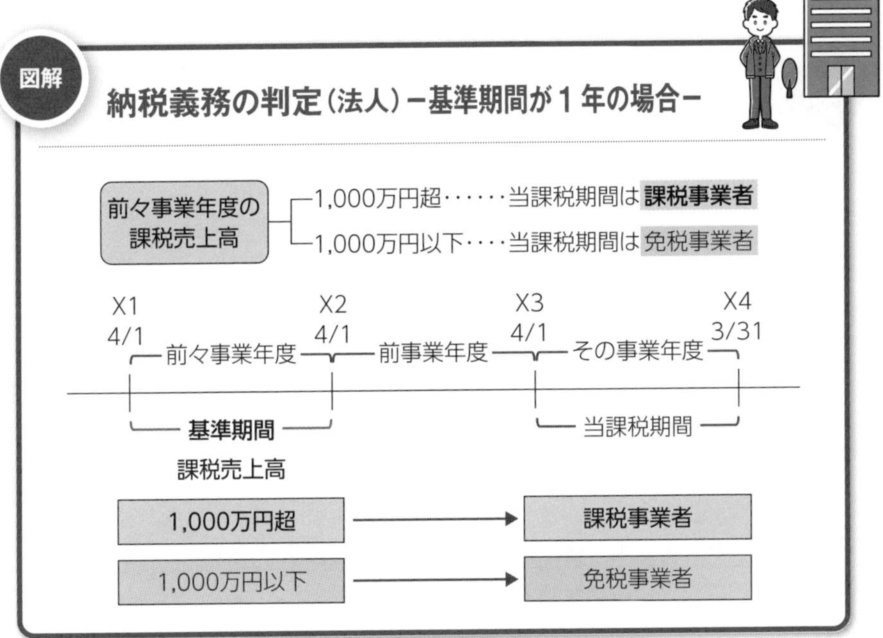

② 基準期間が１年でない場合

基準期間が１年でない法人の場合には、基準期間の税抜純課税売上高を年換算した金額をもとに1,000万円の判定をします。

年換算とは、１年でない期間の課税売上高を１年ベース、つまり、12ヶ月ベースの課税売上高に計算しなおすことです。

なお、個人事業者は常に暦年を基準期間とするため、たとえば前々年の途中に新たに事業を開始した場合には、その期間中に事業を行った期間が１年未満となりますが、課税売上高を年換算しないことに注意しましょう。

問題 >>> 問題編の**問題2～問題4**に挑戦しましょう！

基準期間における課税売上高の計算方法

(1) 納税義務の判定根拠となる課税売上高

個人事業者においても、法人においても、納税義務の判定に使用する金額は、基準期間における課税売上高です。

課税売上高の位置付けを取引分類図で示すと、次のとおりです。

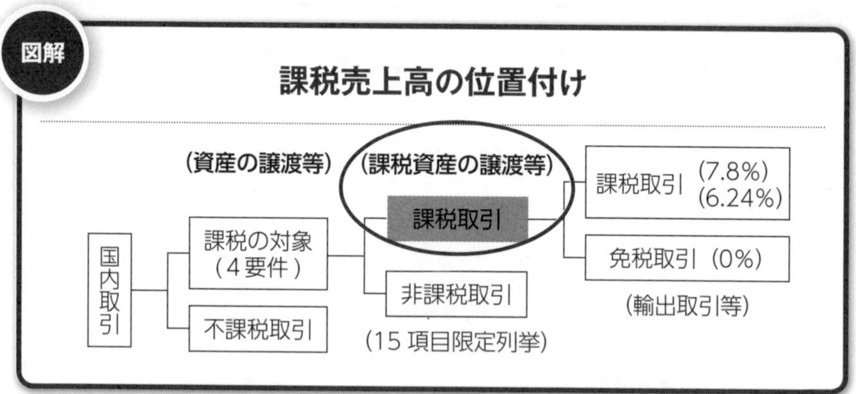

課税売上高は、「7.8%課税売上高」・「6.24%課税売上高」と「免税売上高」を合計した金額です。

納税義務の判定の際には、売り手側の事業者の「基準期間における課税売上高」として、課税資産の譲渡等の対価の額を使用します。

課税売上高は、「免税売上高」を含んだ金額であることがポイントです。

基準期間における課税売上高を計算する際、問題資料から「7.8%課税売上高」や「6.24%課税売上高」を拾い出すときは、税込経理している場合、この拾い出した金額が税込金額であることに注意してください。一方、「免税売上高」には、そもそも消費税は含まれていません。

(2) 基準期間における課税売上高（個人事業者及び基準期間が1年であるもの）

「基準期間における課税売上高」の計算方法を詳しく説明します。

① 基準期間における課税売上高の計算イメージ

基準期間における課税売上高とは、「基準期間における税抜の純課税売上高（12ヶ月分）」のことです。

税抜の純課税売上高は、税抜の総課税売上高から税抜の課税売上対価の返還等を控除して求めます。

「基準期間における課税売上高」の計算イメージを示すと、次のとおりです。

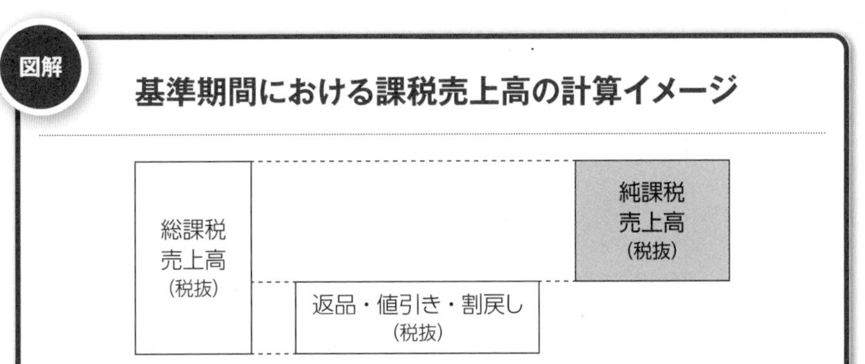

上の図解の一番右のボックスの「純課税売上高」が1,000万円超か1,000万円以下かにより、納税義務を判定します。一番左のボックスの総課税売上高は、取引分類図の課税資産の譲渡等の対価の額となります。また、課税売上対価の返還等とは、課税売上げに係る返品・値引き・割戻しなどのことです。

「基準期間における課税売上高」を計算する際は、次の２つの点に注意しましょう。

図解

「基準期間における課税売上高」の計算の注意点

(1) 売上対価の返還等を控除した純額の売上高であること

(2) 税抜金額であること

- 7.8％課税売上高
  6.24％課税売上高 → 消費税が含まれているため、税抜処理する
- 免税売上高 → 消費税が含まれていないため、税抜処理しない

基準期間における課税売上高を計算する際は、7.8％課税売上高と6.24％課税売上高、免税売上高の３つの売上高を使って、税抜の純課税売上高を求めることになります。

ここで、改めて消費税が含まれている課税売上高を税抜処理する際に必要となる税率の基礎知識についてまとめてみます。

国税と地方税の税率の関係

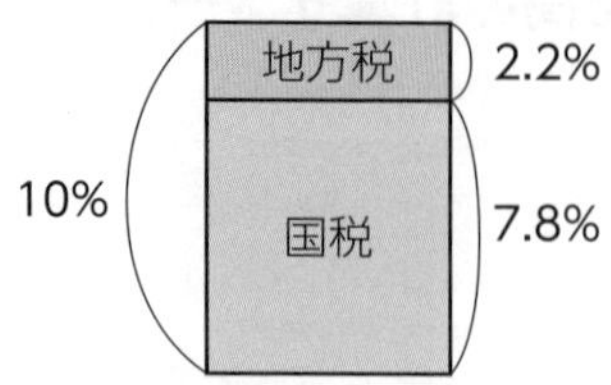

※　消費税の税率は、現行の標準税率 10％（国税 7.8%、地方税 2.2%）を前提とする。

● **国税の計算方法**（取引金額をいったん税抜きにしてから国税分を求める方法）

収入金額（税込）× $\frac{100}{110}$ ＝ 収入金額（税抜）

収入金額（税抜）× 7.8%＝ ×××

● **国税の計算方法**（取引金額から直接国税分を求める方法）

取引金額（税込）× $\frac{7.8}{110}$ ＝ ×××

● **地方税の計算方法**

国税 × $\frac{22}{78}$ ＝ ×××

● **全体10%税額の計算方法**

① **国税分から全体10%税額分を求める方法**

国税 × $\frac{100}{78}$ ＝ ×××

② **取引金額から全体10%税額分を求める方法**

取引金額（税込）× $\frac{10}{110}$ ＝ ×××

② 基準期間における課税売上高の計算式

それでは、基準期間を暦年で考える個人事業者と、基準期間が1年である法人の「基準期間における課税売上高」を求める計算式を見てみましょう。

図解

基準期間における課税売上高（個人事業者及び基準期間が1年であるもの）

(1) 課税売上高(税抜) − (2) 課税売上返還等(税抜) ＝ 基準期間における課税売上高

「基準期間における課税売上高」（税抜の純課税売上高）を求めるため、課税売上高（税抜）から課税売上返還等（税抜）を控除します。

(1) 課税売上高（税抜）

課税資産の譲渡等（特定資産の譲渡等を除く。）の対価の額の合計額

$$\left(7.8\%\text{課税売上高(税込)} \times \frac{100}{110} + 6.24\%\text{課税売上高(税込)} \times \frac{100}{108}\right) + \text{免税売上高}$$

(2) 課税売上返還等（税抜）

売上げに係る対価の返還等の金額（税抜）の合計額

$$\left(7.8\%\text{課税売上返還等(税込)} \times \frac{100}{110} + 6.24\%\text{課税売上返還等(税込)} \times \frac{100}{108}\right) + \text{免税売上返還等}$$

「7.8％課税売上高」や「6.24％課税売上高」には消費税額が含まれていますが、「免税売上高」には消費税額が含まれていません。

したがって、上の図解の (1) 課税売上高（税抜）の計算をする際は、消費税額が含まれている「7.8％課税売上高」と「6.24％課税売上高」を税抜計算した後に消費税額が含まれていない「免税売上高」を足します。同様に、(2) 課税売上返還等（税抜）の計算をする際は、消費税額が含まれている「7.8％課税売上返還等」と「6.24％課税売上返還等」を税抜計算した後に消費税額が含まれていない「免税売上返還等」を足します。そして、最後に (1) 課税売上高（税抜）

から(2)課税売上返還等(税抜)を控除して純課税売上高(税抜)を求めて「基準期間における課税売上高」を求めます。

(3) 基準期間における課税売上高(基準期間が1年でない法人)

次に、基準期間が1年でない法人の「基準期間における課税売上高」の計算方法を詳しく説明します。

基準期間が1年でない法人の場合の納税義務の判定に使用する「基準期間における課税売上高」の金額は、上記(2)で計算した課税売上高を1年ベースに換算した金額となります。

例を挙げて計算式を示すと、次のとおりです。

図解

基準期間における課税売上高
(基準期間が1年でない法人)

基準期間における課税売上高 = 基準期間における純課税売上高(税抜) × 12/基準期間の月数

(例)設立間もない法人の基準期間における課税売上高の計算

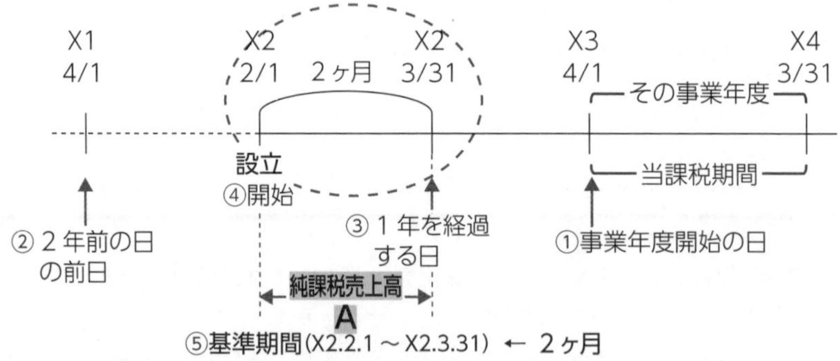

※ 基準期間における課税売上高

A(X2.2.1～X2.3.31の純課税売上高) × 12/2(年換算)

X2.2.1～X2.3.31の2ヶ月分の課税売上高 A を1年ベースに換算した金額が基準期間における課税売上高となります。

基準期間における課税売上高は、基準期間中の総課税売上高（税抜）から課税売上返還等（税抜）を控除して求めます。基準期間が１年でない場合には、この金額を年換算したものが基準期間における課税売上高となり、納税義務を判定します。

「基準期間における課税売上高」は、条文で次のように規定されています。

条文

基準期間における課税売上高（法9②③）

① 個人事業者、基準期間が**１年**である法人

基準期間中に国内において行った**課税資産の譲渡等**（注）**の対価の額**の合計額から、**売上げに係る税抜対価の返還等の金額**の合計額を控除した残額

② 基準期間が**１年**でない法人

①の残額をその法人のその基準期間に含まれる事業年度の月数の合計数で除し、12を乗じて計算した金額

※１月未満の端数は、１月とする。

（注）「課税資産の譲渡等」からは、「特定資産の譲渡等」を除く。

課税売上高の計算方法は、いろいろな論点で出てきますので、確実に理解しましょう。また、「特定資産の譲渡等」については、Chapter21（４分冊目）で説明します。

それでは、次の例題で納税義務の判定方法を確認してみましょう。

例題

納税義務の判定①

問題

次の資料から、当社の当課税期間（X3年４月１日～X4年３月31日）に係る基準期間における課税売上高を次のケース別に計算し、納税義務の有無を判定しなさい。なお、金額は税込である。また、当社は適格請求書発行事業者でないものとする。

〈資料〉

基準期間（X1年４月１日～X2年３月31日）における資産の譲渡等の状況は、次のとおりである。なお、基準期間は課税事業者に該当している。

（単位：円）

	内　訳	(ケース1)	(ケース2)	(ケース3)	(ケース4)
(1)	国内商品売上高	16,500,000	11,000,000	22,000,000	22,000,000
(2)	(1)の売上返品高	0	0	11,000,000	11,000,000
(3)	輸出免税売上高	0	5,000,000	5,000,000	10,000,000
(4)	(3)の売上返品高	0	0	0	5,000,000

(注)　商品はいずれも非課税とされるものではなく、軽減税率が適用されるものはない。

解答

● 「基準期間における課税売上高」を計算し納税義務の判定を行う

（ケース１）

$$\underbrace{16{,}500{,}000\text{円} \times \frac{100}{110}}_{7.8\%\text{課税売上高(税抜)}} = 15{,}000{,}000\text{円} > 10{,}000{,}000\text{円}$$

∴　納税義務あり

（ケース２）

$$\underbrace{11{,}000{,}000\text{円} \times \frac{100}{110}}_{7.8\%\text{課税売上高(税抜)}} + \underbrace{5{,}000{,}000\text{円}}_{\text{免税売上高}} = 15{,}000{,}000\text{円} > 10{,}000{,}000\text{円}$$

∴　納税義務あり

（ケース３）

① 課税売上高

$$\underbrace{22{,}000{,}000円 \times \frac{100}{110}}_{7.8\%課税売上高（税抜）} + \underbrace{5{,}000{,}000円}_{免税売上高} = 25{,}000{,}000円$$

② 課税売上返還等

$$11{,}000{,}000円 \times \frac{100}{110} = 10{,}000{,}000円$$

③ ①－②＝ 15,000,000円＞10,000,000円　　∴ 納税義務あり

（ケース４）

① 課税売上高

$$\underbrace{22{,}000{,}000円 \times \frac{100}{110}}_{7.8\%課税売上高（税抜）} + \underbrace{10{,}000{,}000円}_{免税売上高} = 30{,}000{,}000円$$

② 課税売上返還等

$$\underbrace{11{,}000{,}000円 \times \frac{100}{110}}_{7.8\%課税売上返還等} + \underbrace{5{,}000{,}000円}_{免税売上返還等} = 15{,}000{,}000円$$

③ ①－②＝ 15,000,000円＞10,000,000円　　∴ 納税義務あり

納税義務の判定を行う際は、「基準期間における課税売上高（税抜）」を計算して10,000,000円と比較し、「納税義務あり」または「納税義務なし」のコメントを付します。符号の種類・向き（≧、＞、≦、＜）に注意しましょう。

例題

納税義務の判定②

問題

次の資料から、当社の当課税期間（X3年４月１日～X4年３月31日）に係る基準期間における課税売上高を計算し、納税義務の有無を判定しなさい。なお、金額は税込であり、軽減税率が適用されるものはない。また、当社は適格請求書発行事業者でないものとする。

〈資料〉

基準期間（X1年４月１日～X2年３月31日）における資産の譲渡等の状況は、次のとおりである。なお、基準期間は課税事業者に該当している。

(1)	商品（課税商品）売上高	235,000,000円
	うち輸出免税売上高	△ 25,600,000円
(2)	売上返還等	1,870,000円
	うち輸出免税売上高に係るもの	△ 270,000円
(3)	有価証券売却額	1,250,000円
(4)	土地売却額	14,000,000円
(5)	車両売却額	420,000円

解答

● 「基準期間における課税売上高」を計算し納税義務の判定を行う

(1) 課税売上高　←税抜計算をするため、免税分をいったん抜き取る

（235,000,000円 − 25,600,000円）＋ 420,000円 ＝ 209,820,000円

$209,820,000円 \times \frac{100}{110}$ ＋ 25,600,000円 ＝ 216,345,454円

（209,820,000円 × 100/110：7.8%課税売上高（税抜）、25,600,000円：免税売上高 ←改めて免税分を足す）

(2) 課税売上返還等

（1,870,000円 − 270,000円）$\times \frac{100}{110}$ ＋ 270,000円 ＝ 1,724,545円

（（1,870,000円 − 270,000円）× 100/110：7.8%課税売上返還等、270,000円：免税売上返還等）

(3) 基準期間における課税売上高

(1) − (2) ＝ 214,620,909円 ＞ 10,000,000円　∴　納税義務あり

次に、基準期間が1年でない法人の納税義務の判定について見てみましょう。

例題

納税義務の判定③

問題

甲社のX3年10月21日以後に開始した各事業年度における総売上高、その他の取引状況等は次のとおりである。この資料から甲社の当課税期間（X6年4月1日からX7年3月31日）の納税義務の有無を判定しなさい。また、甲社は適格請求書発行事業者でないものとする。

甲社は事業年度の変更に伴い、X4年10月21日に開始した事業年度はX5年3月31日に終了している。また、いずれの事業年度とも消費税法第9条第1項《小規模事業者に係る納税義務の免除》の規定の適用を受けていない。なお、甲社は軽減税率が適用される取引は行っていない。

	X3年10月21日から X4年10月20日まで	X4年10月21日から X5年3月31日まで	X5年4月1日から X6年3月31日まで
(1) 総売上高	219,114,000円	92,950,000円	240,765,000円
(2) 売上割戻	14,210,700円	△2,530,000円	11,833,500円
(3) 株式売却額	4,800,000円	6,130,000円	5,028,000円
(4) 車両売却額	0円	0円	210,000円
(5) 社宅使用料収入	2,694,000円	1,571,500円	2,694,000円

(6) 事務所用ビル賃貸料収入

3,600,000円　　2,310,000円　　3,600,000円

(7) 受取利息

435,000円　　206,000円　　387,000円

解答

● **「基準期間における課税売上高」を計算し納税義務の判定を行う**

(1) 課税売上高

$$(92,950,000円 + 2,310,000円) \times \frac{100}{110} = 86,600,000円$$

(2) 課税売上返還等

$$2,530,000円 \times \frac{100}{110} = 2,300,000円$$

(3) 基準期間における課税売上高

$$((1) - (2)) \times \frac{12}{6} = 168,600,000円 > 10,000,000円$$

↑ 年換算する

∴　納税義務あり

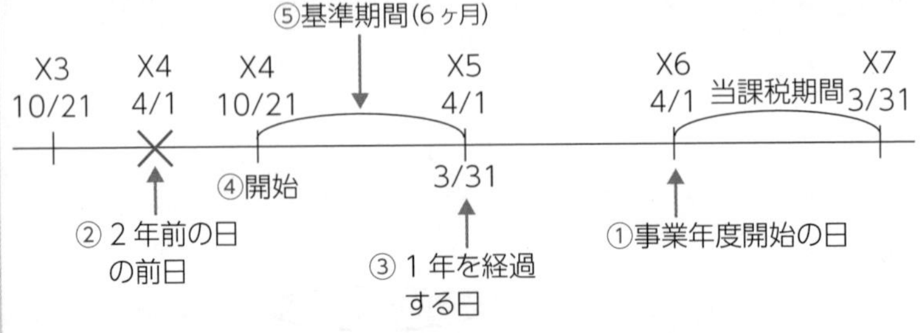

納税義務の判定方法をまとめると、次のとおりです。

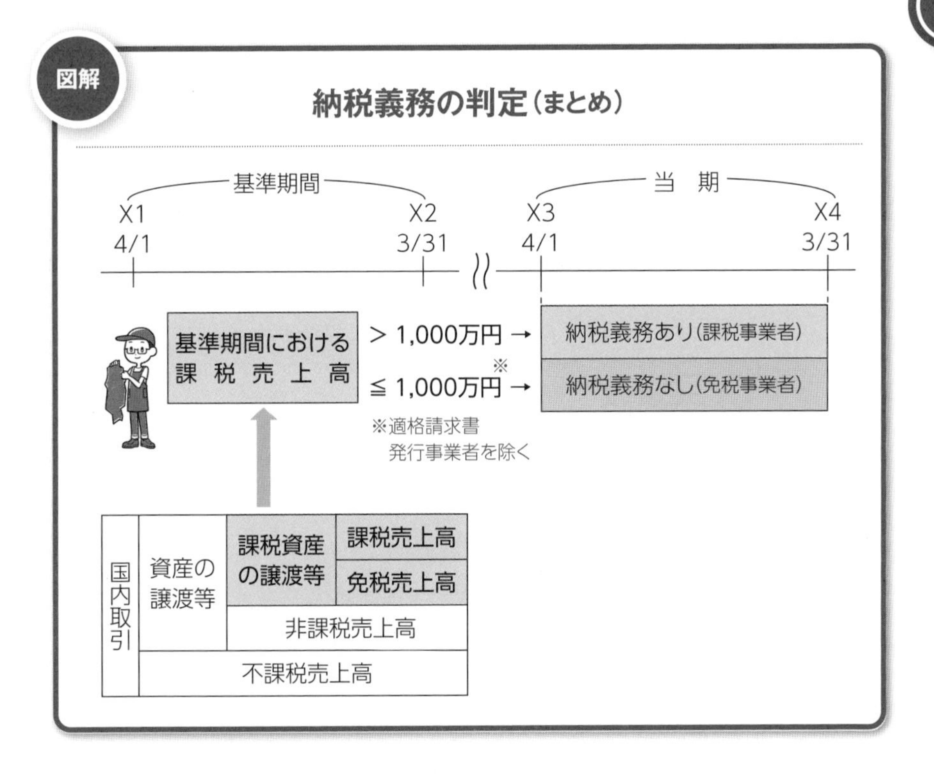

図解

納税義務の判定（まとめ）

基準期間：X1 4/1 〜 X2 3/31
当期：X3 4/1 〜 X4 3/31

基準期間における課税売上高 ＞ 1,000万円 → 納税義務あり（課税事業者）
基準期間における課税売上高 ≦ 1,000万円※ → 納税義務なし（免税事業者）

※適格請求書発行事業者を除く

国内取引	資産の譲渡等	課税資産の譲渡等	課税売上高
			免税売上高
		非課税売上高	
	不課税売上高		

本試験では、計算問題を解く際には、まず納税義務の判定から行います。

また、基準期間における課税売上高の計算は、簡易課税制度を適用するかどうかの判定の際（基準期間における課税売上高≦5,000万円の判定）にも使うことになりますので、きちんと理解しておきましょう。

インボイス制度については、まとめてChapter22（4分冊目）で説明しますので、このChapterでは、納税義務の判定方法をマスターすることに集中しましょう。

基準期間が免税事業者であった場合

ここまでは、すべて基準期間が課税事業者であることが前提で説明してきましたが、基準期間が免税事業者である場合、納税義務がないとされているため、税抜処理は不要となります。

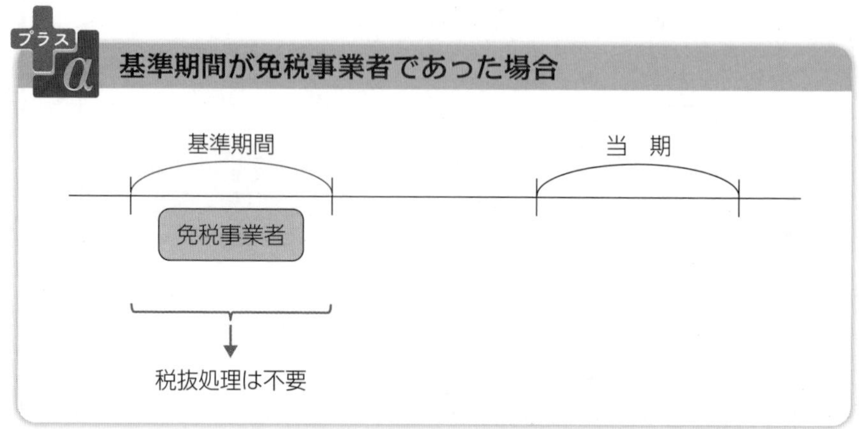

当期だけでなく前期や前々期においても、当社が「課税事業者」か「免税事業者」かを確認するようにしましょう。

また、1分冊目で学習した「売上げに係る対価の返還等」（Chapter 6）や「貸倒れ」（Chapter 7）に係る規定は、「課税事業者」が7.8％課税売上げや6.24％課税売上げを行い、その売上げ分について返品等や貸倒れが発生したときに適用されます。したがって、「免税事業者」だった課税期間中の売上げ分については、適用されない点に注意しましょう。

また、当期より前の納税義務の判定をする際には、令和５年10月１日以前の日付であれば、適格請求書発行事業者に該当しているかどうかは考慮不要です。

問題 >>> 問題編の**問題5～問題9**に挑戦しましょう！

納税義務の全体系

それでは、ここで改めて納税義務の全体系を確認してみましょう。

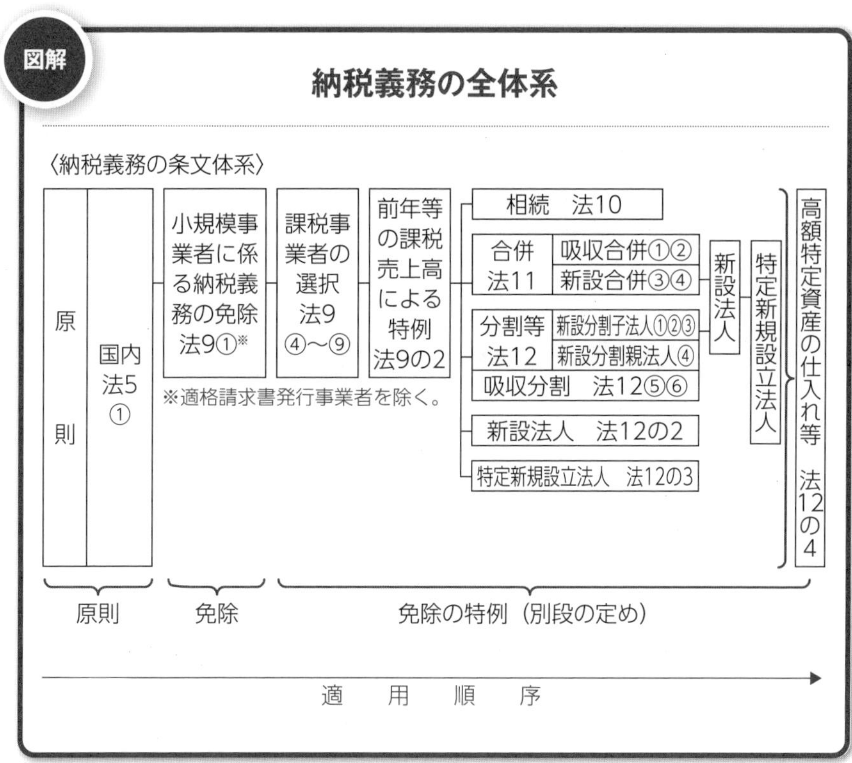

納税義務を判定する際は、最初に適格請求書発行事業者かどうかチェックします。

その上で、適格請求書発行事業者ではない場合には、その事業者の納税義務の判定は、まず、原則として基準期間における課税売上高により行います。

基準期間における課税売上高が1,000万円以下である事業者（適格請求書発行事業者を除く。）については、小規模事業者に係る納税義務の免除の規定により消費税を納める義務が免除されます。

次に、Chapter17で学習する「課税事業者選択届出書」を提出しているかどうかをチェックします。免税事業者がこの届出書を納税地の所轄税務署長に提出している場合には、課税事業者となります。

続いて、この届出書を提出していない場合には、次の特例として「前年等の課税売上高による納税義務の免除の特例」を適用し、特定期間における課税売上高等により判定します。特定期間における課税売上高等が1,000万円超であれば、課税事業者となります。

さらに、特定期間における課税売上高等が1,000万円以下である場合に限り、相続、合併、分割等などの免除の特例の判定に進むことになります。

納税義務の判定は、全体系を意識して適用順序どおりに判定するという手順をマスターすることがポイントです。

ただし、インボイス制度が開始されたことにより、最初に適格請求書発行事業者かどうかチェックすることになるため、受験対策としての重要度は高くはなくなるでしょう。

また、調整対象固定資産の仕入れ等を行った場合には、納税義務の判定にも影響を及ぼします。各論点の横のつながりを意識しながら、もう一度Chapter10（２分冊目）を復習しておきましょう。

6 輸入取引の納税義務者の原則

輸入取引における消費税の納税義務者は、原則として外国貨物を保税地域から引き取る者となります。

輸入取引の納税義務者の原則

輸入取引の納税義務者についてまとめると、次のとおりです。

図解

輸入取引の納税義務者

(例) 輸入者が国外からモノを輸入する。

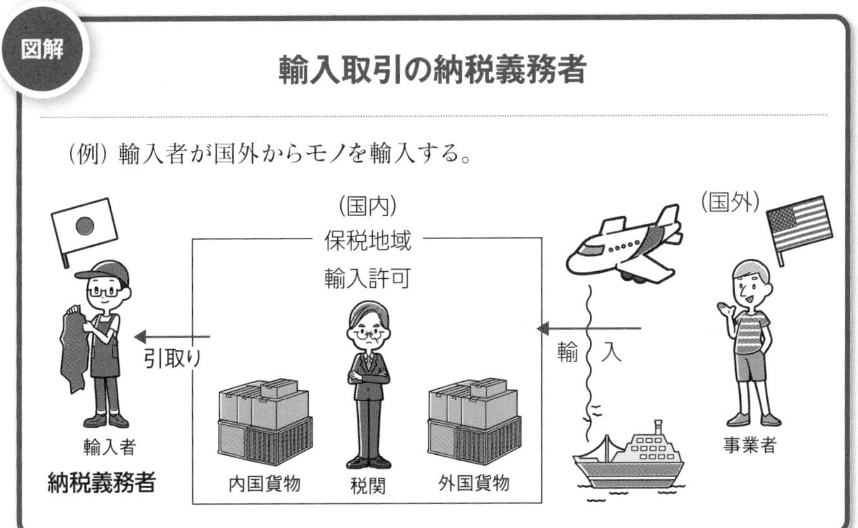

上の図解では、輸入者が保税地域からモノを引き取っていますが、外国貨物を保税地域から引き取る者が事業者以外の消費者でも、納税義務者になります。

また、輸入取引の納税義務者については「小規模事業者に係る納税義務の免除」の規定は関係ありません。

輸入取引の納税義務者の原則について、条文では次のように規定しています。

条文

輸入取引の納税義務者の原則（法5②）

外国貨物を保税地域から引き取る**者**は、**課税貨物**につき、消費税を**納める義務がある**。

輸入取引の場合、課税貨物について、消費税を納める義務があります。課税貨物とは、保税地域から引き取った外国貨物のうち非課税貨物以外のものです。輸入取引の非課税貨物については、Chapter 4（1分冊目）で学習しました。

納税義務の免除の特例①
（届出書・前年等・相続・合併）

Chapter 17

超重要 重要

納税義務の免除の特例①（届出書・前年等・相続・合併）

Section

免税事業者が消費税の還付を受けたいときや、前年等の売上規模が大きい場合には、どのような手続きがあって、どのように納税義務の有無を判定するのでしょうか。また、相続や合併があった場合には、誰が消費税を納めなければならないのでしょうか。

Point Check

①課税事業者の選択とは	免税事業者が消費税の還付を受けるために、課税事業者となることを選択すること	②前年等の課税売上高による特例	免税事業者であっても、前年等の課税売上高が1,000万円を超える場合には、課税事業者とする特例のこと
③相続があった場合	相続人のみならず、被相続人の課税売上高も含めて納税義務を判定	④合併があった場合	合併法人だけでなく、被合併法人の課税売上高も含めて納税義務を判定

国内取引の納税義務の全体系

納税義務とは、消費税を納める義務のことをいいます。国内において課税資産の譲渡等を行った事業者は、原則として消費税を納める義務があります。ただし、適格請求書発行事業者ではない事業者の場合、小規模事業者に係る納税義務の免除の規定により、基準期間における課税売上高が1,000万円以下の事業者（インボイス制度による適格請求書発行事業者を除く。）については、消費税を納める義務が免除されています。

さらに、別段の定めにより、納税義務の免除の特例の規定が設けられています。Chapter16に続いて、Chapter17では、納税義務の免除の特例について取り上げ、具体的には、相続・合併・分割等の事業承継があった場合や、新しく法人を設立した場合などの納税義務について説明します。

これから学習する相続・合併・分割等の論点は、受験上、納税義務の判定方法や、下書きの描き方がポイントになります。

また、特定課税仕入れを行った事業者も納税義務がありますが、ここでは触れず、Chapter21（４分冊目）で詳しく説明します。

それでは、まず、国内取引の納税義務の全体系を見てみましょう。

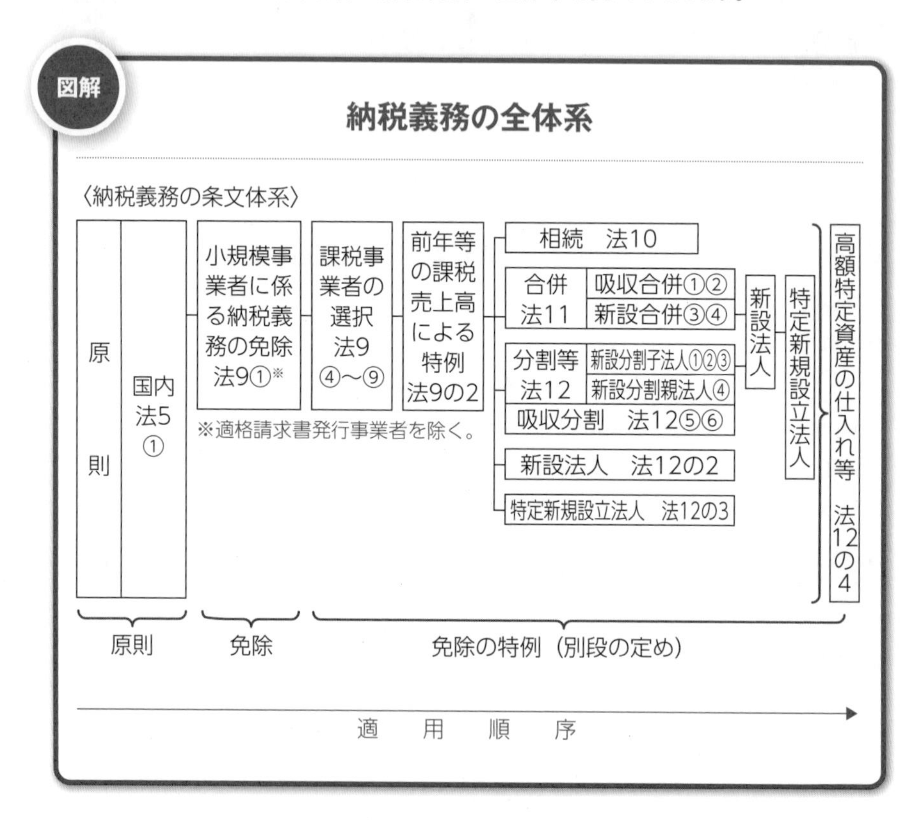

図解

納税義務の全体系

〈納税義務の条文体系〉

原則		免除	免除の特例（別段の定め）				
原則	国内 法5①	小規模事業者に係る納税義務の免除 法9①※	課税事業者の選択 法9④～⑨	前年等の課税売上高による特例 法9の2	相続 法10		高額特定資産の仕入れ等 法12の4
					合併 法11：吸収合併①②／新設合併③④	新設法人 → 特定新規設立法人	
					分割等 法12：新設分割子法人①②③／新設分割親法人④	新設法人 → 特定新規設立法人	
					吸収分割 法12⑤⑥		
					新設法人 法12の2		
					特定新規設立法人 法12の3		

※適格請求書発行事業者を除く。

適　用　順　序 →

納税義務の判定を行う際は、常にこの全体系を意識し、条文の適用順序に従い判定しましょう。

また、どの規定を適用する場合においても、納税義務の判定で使用する「課税売上高」は、7.8％課税売上高・6.24％課税売上高と免税売上高を合わせた金額です。課税売上高の計算方法については、Chapter16の基準期間における課税売上高の計算方法を参照して下さい。

課税事業者の選択

趣　旨

国内取引では、事業者は課税資産の譲渡等について消費税を納める義務があります。一方、小規模事業者については消費税を納める義務を免除しています。ここで改めて消費税の納付税額の計算方法をおさらいしてみましょう。

図解

消費税の納付税額の計算

(例) 事業者は商品を仕入れ3,300千円を支払い、その商品の一部を販売し1,100千円を受け取った。なお、インボイス制度に基づく税額計算方法として、「割戻し計算方式」を前提とする。

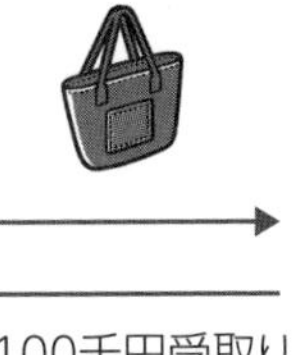

3,300千円支払い

1,100千円受取り

仕入先　　事業者　　得意先

〈消費税額の計算〉

預かった消費税額 − 支払った消費税額 ＝ 納付税額

● 預かった消費税額

$1,100千円 \times \frac{100}{110} = 1,000千円$

$1,000千円 \times 7.8\% = 78千円$

● 支払った消費税額

$3,300千円 \times \frac{7.8}{110} = 234千円$

〈課税事業者と免税事業者の消費税額の計算〉

課税事業者の場合			免税事業者の場合		
売上高 1,100千円（税込金額）	預 78千円		売上高 1,100千円	預 0円	
	支 234千円	(控除)		支 234千円	(控除)
	▲156千円	(還付)		▲234千円	(還付)

課税事業者の場合、預かった消費税額よりも支払った消費税額が大きい場合、還付を受けることができます。一方、免税事業者の場合、消費税の納税義務が免除されているため、預かった消費税額から支払った消費税額を控除して納付税額を計算することはありません。

したがって、預かった消費税額よりも支払った消費税額が大きい場合でも還付を受けることができません。

また、上の図解では、売上金額＜仕入金額であり、支払った消費税額の方が預かった消費税額より大きくなっています。このような場合、免税事業者でいるよりも課税事業者でいる方が還付を受けられるため得ですね。

消費税の納付税額を計算する際に、預かった消費税額よりも支払った消費税額が大きい場合には、納付税額ではなく還付税額が発生するため、課税事業者であれば還付を受けることができます。そうすると、免税事業者は還付を受けるために、免税事業者である期間について自らの選択により、「課税事業者」になっておいた方が有利です。

免税事業者は「免税事業者」のままでは消費税の還付を受けることができないので、一定の届出書を提出し、自らが率先して「課税事業者」となり、還付を受けられるように手続を行います。

また、この場合「課税事業者」を選択するかどうかは、事業者の判断に委ねられています。

輸出事業者などのように、売り上げた際に免税売上げとなるために預かった消費税額がない場合は、国内で調達した課税仕入れにのみ消費税がかかるため、経常的に消費税の還付が生ずることがあります。このような場合に、事業者が「課税事業者」となることを選択することが多いようです。

課税事業者の選択

次に、免税事業者が消費税の還付を受けるために、「課税事業者」となることを選択した場合における課税事業者の選択の流れについてまとめると、次のとおりです。

図解

課税事業者の選択

基準期間における課税売上高が1,000万円以下の事業者（＝免税事業者）であっても「**消費税課税事業者選択届出書**」を提出することにより、課税事業者となることができます。

基準期間における課税売上高が1,000万円以下の事業者

課税事業者の選択

選択します	選択しません
「消費税課税事業者選択届出書」を提出	
原則として提出した日の属する課税期間の翌課税期間から**課税事業者**	**免税事業者**のまま
「預かった消費税額」から「支払った消費税額」を控除して「納付税額」を計算します。	「支払った消費税額」の控除はできません。
課税事業者であるため、申告書の提出義務があります。	**免税事業者**であるため、申告書の提出義務はありません。
「預かった消費税額」よりも「支払った消費税額」が大きい場合、還付を受けることができます。	還付を受けることはできません。

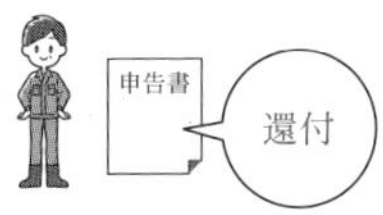

基準期間における課税売上高が1,000万円以下の事業者、つまり、免税事業者は何もしなければ「免税事業者」のままであり、申告書の提出義務は生じませんが、**消費税課税事業者選択届出書**を納税地の所轄税務署長に提出することにより「課税事業者」となり、申告書の提出義務が生じることとなります。

「課税事業者の選択」について、ここまでに学習した国内取引の納税義務の判定の流れの中で見てみると、次のとおりです。

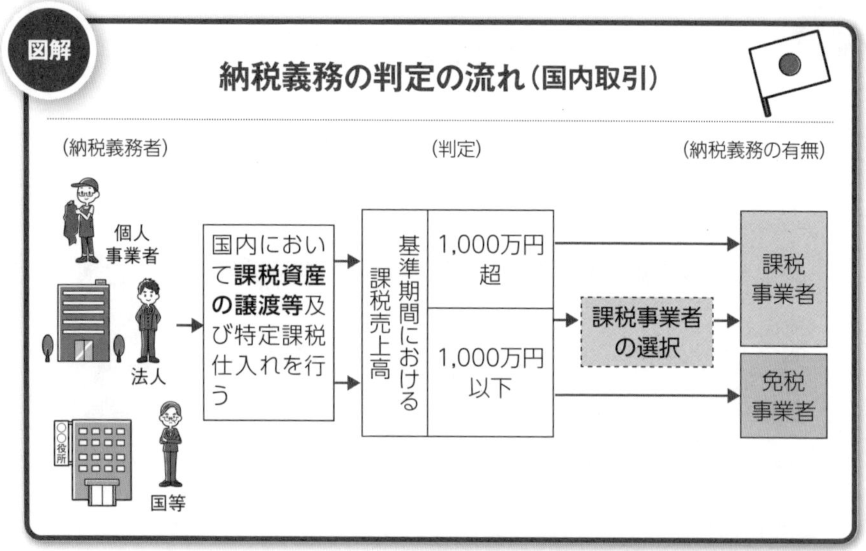

「基準期間における課税売上高が1,000万円以下」の判定をした後に事業者の判断により「消費税課税事業者選択届出書」を提出するという順序になります。

また、令和５年10月１日より開始されたインボイス制度のもとでは、免税事業者が適格請求書発行事業者となるためには、最初にこの「消費税課税事業者選択届出書」を提出することとされています。ただし、一定期間は経過措置により、この届出書の提出は不要です。詳しくはChapter22（４分冊目）で説明します。

届出書の種類

前述のように、課税事業者の選択をするためには、一定の届出書を納税地の所轄税務署長に提出することが必要です。課税事業者の選択に関する届出書には、次の２つがあります。

１つ目は、課税事業者を選択するための届出書で、これを**消費税課税事業者選択届出書**といいます。２つ目は、課税事業者の選択をやめる届出書で、これを**消費税課税事業者選択不適用届出書**といいます。

税務署とは、主に国税の賦課・徴収業務を行っている国税局の出先機関であり、日本全国に500ヶ所以上あります。

消費税課税事業者選択届出書の効力

消費税課税事業者選択届出書は、課税事業者を選択するための届出書であり、通常、提出日の属する課税期間の翌課税期間以後の課税期間について効力を発します。また、新たに事業を開始した場合など事前に届出書を提出することが不可能な場合は、届出書を提出した課税期間から課税事業者となることができます。

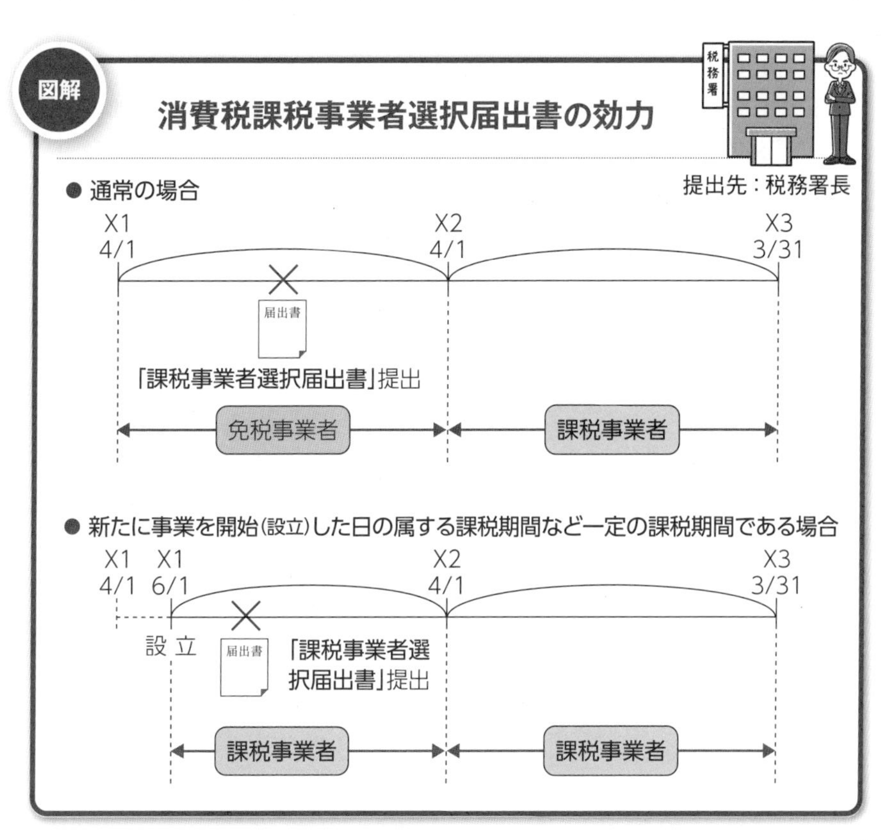

図解

消費税課税事業者選択届出書の効力

税務署

提出先：税務署長

● 通常の場合

X1 4/1　　X2 4/1　　X3 3/31

届出書

「課税事業者選択届出書」提出

免税事業者　　課税事業者

● 新たに事業を開始（設立）した日の属する課税期間など一定の課税期間である場合

X1 4/1　X1 6/1　　X2 4/1　　X3 3/31

設立

届出書

「課税事業者選択届出書」提出

課税事業者　　課税事業者

課税事業者を選択し、免税事業者が「課税事業者」となった課税期間においては、確定申告の際、預かった消費税額よりも支払った消費税額が大きい場合、消費税の還付を受けることができます。

効力を発するとは、効果を及ぼすという意味です。提出した届出書の効果がいつから現れるのかタイムテーブルで確認しましょう。

「消費税課税事業者の選択の届出」について、条文では次のように規定されています。

条文

消費税課税事業者選択届出書（法9④）

小規模事業者に係る納税義務の免除の規定により消費税を納める義務が免除されることとなる事業者が、その**基準期間における課税売上高**が**1,000万円**以下である課税期間につき、**課税事業者選択届出書**を納税地の所轄税務署長に提出した場合には、提出日の属する課税期間の翌**課税期間**（注1）以後の**課税期間**（注2）中に国内において行う**課税資産の譲渡等**（特定資産の譲渡等を除く。）及び**特定課税仕入れ**については、納税義務は免除されない。

（注1）提出日の属する課税期間が**事業を開始した日の属する課税期間**その他の一定の課税期間である場合には、その**課税期間**

（注2）基準期間における課税売上高が**1,000万円**を超える課税期間を除く。

条文上、「納税義務は免除されない」という表現は、納税義務があります、という意味です。つまり、課税事業者になります。

消費税課税事業者選択不適用届出書の効力

消費税課税事業者選択不適用届出書は、一度「消費税課税事業者選択届出書」を提出した事業者が課税事業者の選択をやめようとするとき、又は事業を廃止したときに「消費税課税事業者選択届出書」の効力を撤回するための届出書です。

「消費税課税事業者選択不適用届出書」を提出すると、提出日の属する課税期間の末日の翌日以後に「消費税課税事業者選択届出書」の効力を失います。

ただし、基準期間における課税売上高が1,000万円超の場合は、原則どおり当期は課税事業者となります。

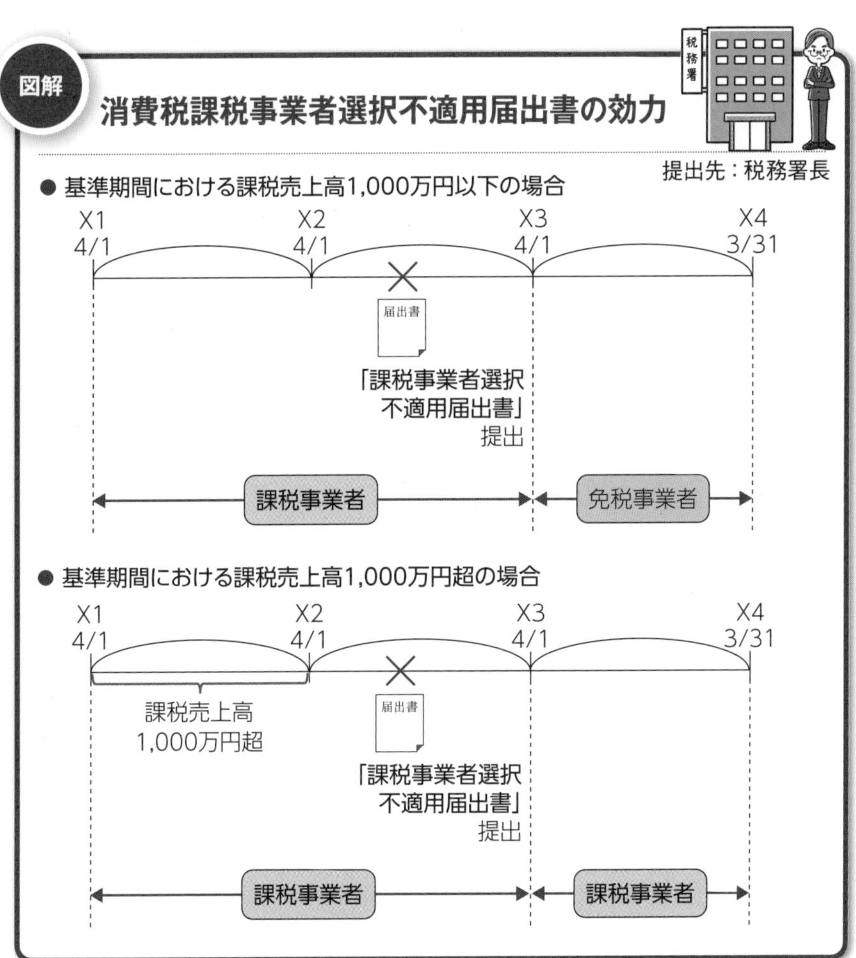

上の図解（通常の場合）のように「消費税課税事業者選択不適用届出書」を提出した事業者は、提出日の属する課税期間の末日（X3.3.31）の翌日（X3.4.1）以後は課税事業者の選択の届出の効力を失い免税事業者となります。

効力を失うとは、効果をなくすという意味です。提出した届出書の効果がいつからなくなるのかタイムテーブルで確認しましょう。また、納税義務の判定の流れをもう一度確認しながら知識を整理してみましょう。

課税事業者を選択した場合の拘束期間

課税事業者選択届出書を提出した事業者は、「消費税課税事業者選択不適用届出書」をいつでも好きなときに提出できるわけではありません。

過度に意図的な操作を排除するため、「消費税課税事業者選択届出書」を提出しその効力が生ずる課税期間の初日から1年間は、「消費税課税事業者選択不適用届出書」の提出をすることができません。

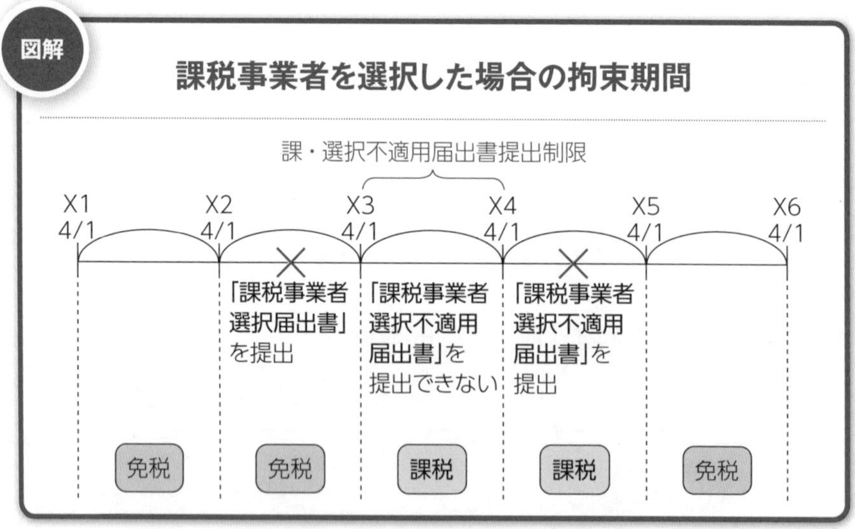

上の図解のようにその届出の効力が生ずる課税期間（X3.4.1）の初日から2年を経過する日（X5.3.31）の属する課税期間（X4.4.1～X5.3.31）の初日（X4.4.1）以後でなければ「消費税課税事業者選択不適用届出書」を提出することはできません。

つまり、課税事業者を選択した場合、原則2年間（X3.4.1～X5.3.31）、継続適用されます。

条文

消費税課税事業者選択不適用届出書（法9⑤⑥⑧）

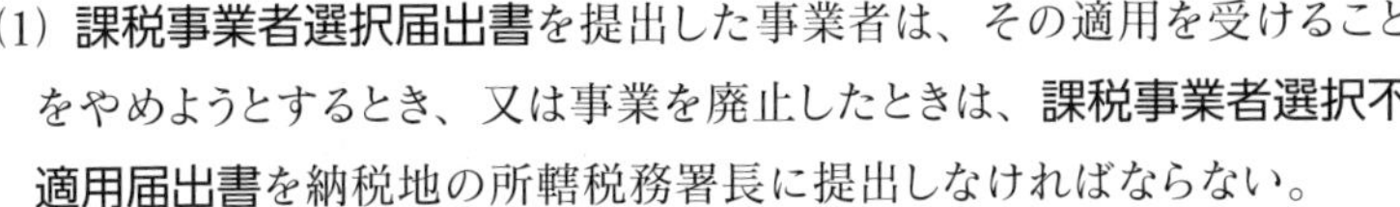

(1) **課税事業者選択届出書**を提出した事業者は、その適用を受けることをやめようとするとき、又は事業を廃止したときは、**課税事業者選択不適用届出書**を納税地の所轄税務署長に提出しなければならない。
(2) **課税事業者選択届出書**を提出した事業者は、事業を廃止した場合を除き、その届出の効力が生ずる課税期間の初日から**2年**を経過する日の属する課税期間の初日以後でなければ、**課税事業者選択不適用届出書**を提出することができない。
(3) **課税事業者選択不適用届出書**の提出があったときは、提出日の属する課税期間の末日の翌日以後は、**課税事業者の選択**の届出は、その効力を失う。

また、「課税事業者選択届出書」を提出したことにより、2年間、課税事業者となっている期間中に、調整対象固定資産の仕入れ等をした場合には、その仕入れ等をした課税期間から2年間は「課税事業者選択不適用届出書」及び「簡易課税制度選択届出書」を提出できません。
調整対象固定資産と納税義務、簡易課税制度選択届出書との関係について、Chapter10（2分冊目）及びChapter15（2分冊目）を復習しておきましょう。

宥恕（ゆうじょ）規定

やむを得ない事情により、「消費税課税事業者選択届出書」又は「消費税課税事業者選択不適用届出書」を、その効力を受けようとし又は受けることをやめようとする課税期間の初日の前日までに提出できなかった場合には、宥恕規定があります。

宥恕規定があるということは、やむを得ない事情がある場合にのみ、寛大な取扱いが認められるという意味ですね。
税額控除制度の手続要件のところで学習しましたね。

この宥恕規定は、課税事業者選択（不適用）届出に係る特例承認申請書を提出することにより認められ、まとめると次のとおりです。

課税事業者選択（不適用）届出に係る特例承認申請書（令20条の2）

● 申請書を提出するときの状況

(1) 課税事業者選択届出

やむを得ない事情があるため**課税事業者選択届出書**を、その適用を受けようとする課税期間の初日の前日（その課税期間が一定の課税期間である場合には、その課税期間の末日）までに提出できなかったとき

(2) 課税事業者選択不適用届出

やむを得ない事情があるため**課税事業者選択不適用届出書**を、その適用を受けることをやめようとする課税期間の初日の前日までに提出できなかったとき

● 申請期間

やむを得ない事情がやんだ後**相当の期間内**※

※ やむを得ない事情がやんだ日から２月以内の期間となります。

● 手続の流れ

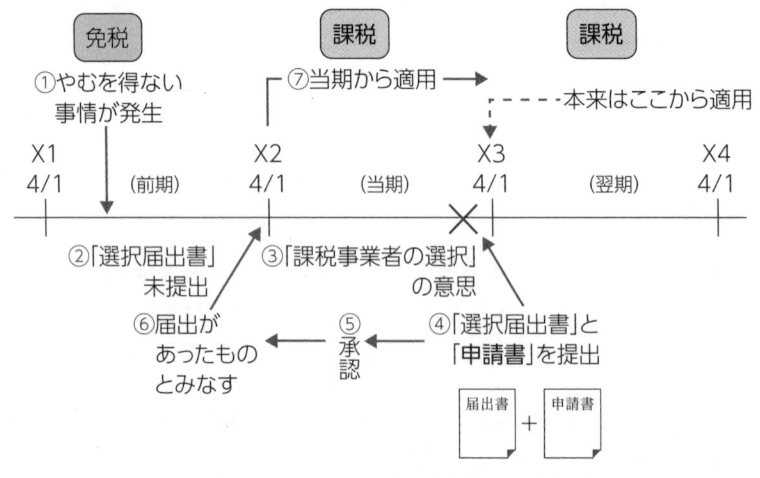

この宥恕規定による場合においても、「消費税課税事業者選択不適用届出書」の提出制限を受け、課税事業者であることを2年間継続した後でなければ、課税事業者であることをやめることはできません。

ここで、Chapter15（2分冊目）で学習した「消費税簡易課税制度選択届出書」の提出制限との関係を復習しておきましょう。

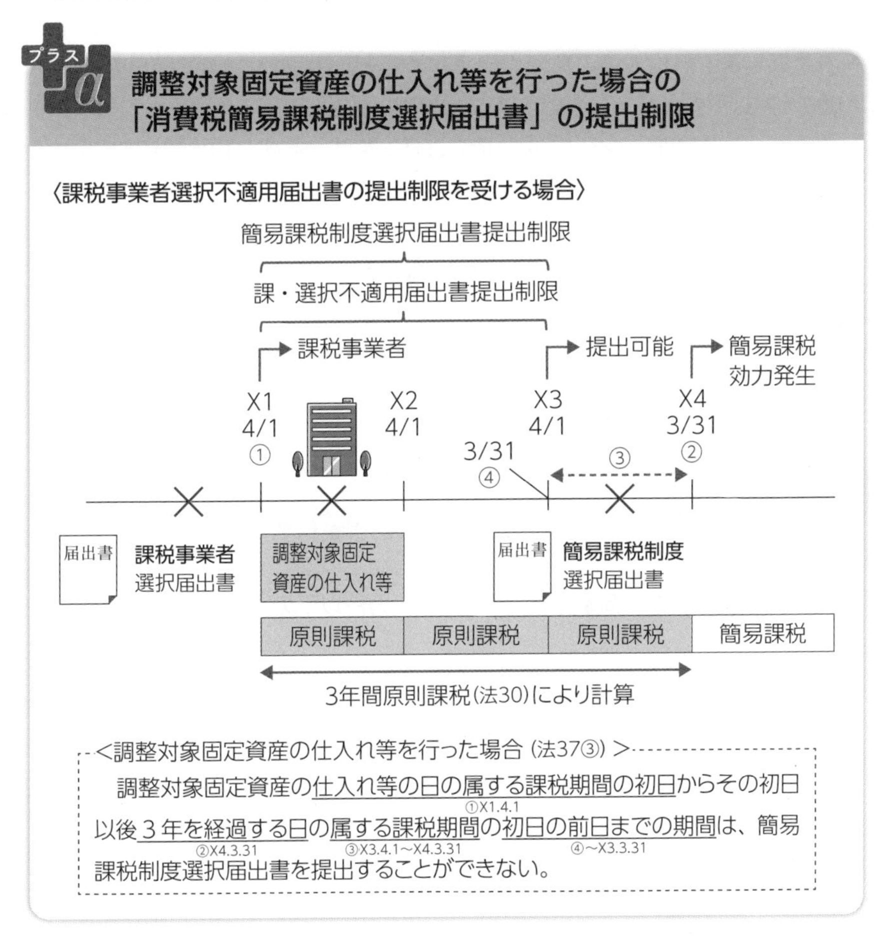

プラスα 調整対象固定資産の仕入れ等を行った場合の「消費税簡易課税制度選択届出書」の提出制限

〈課税事業者選択不適用届出書の提出制限を受ける場合〉

簡易課税制度選択届出書提出制限
課・選択不適用届出書提出制限
課税事業者
提出可能
簡易課税 効力発生
X1 4/1 ①
X2 4/1
3/31 ④
X3 4/1
③
X4 3/31 ②
届出書 課税事業者選択届出書
調整対象固定資産の仕入れ等
届出書 簡易課税制度選択届出書

原則課税	原則課税	原則課税	簡易課税

3年間原則課税(法30)により計算

<調整対象固定資産の仕入れ等を行った場合（法37③）>

調整対象固定資産の仕入れ等の日の属する課税期間の初日（①X1.4.1）からその初日以後3年を経過する日（②X4.3.31）の属する課税期間（③X3.4.1～X4.3.31）の初日の前日までの期間（④～X3.3.31）は、簡易課税制度選択届出書を提出することができない。

問題 >>> 問題編の**問題1**に挑戦しましょう！

3 前年等の課税売上高による特例

趣　旨

ここまで見てきたように、適格請求書発行事業者ではない事業者の場合、小規模事業者に係る納税義務の免除の規定により、基準期間における課税売上高が1,000万円以下の事業者については、国内取引の納税義務を免除されます。

例えば、基準期間、つまり、前々期における課税売上高が1,000万円以下の場合、前期の課税売上高がいくら大きくても納税義務はないこととなります。また、新たに法人を設立した場合、設立第１期から相当の課税売上高がある事業者であっても設立第１期と第２期は基準期間がないため、納税義務が生じるのは課税事業者の選択をしない限り、第３期以降となってしまいます。そのため、これまで、こうした制度を悪用した租税回避が行われることがありました。まとめると、次のとおりです。

図解

基準期間における課税売上高のみで納税義務判定を行う際の問題点

● 基準期間における課税売上高が1,000万円以下の場合

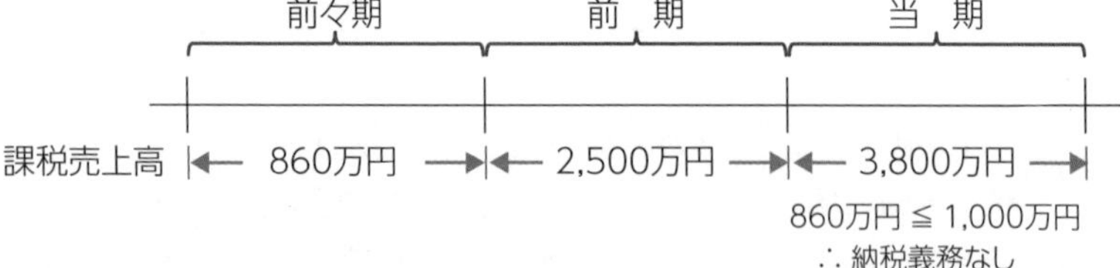

● 新たに法人を設立した場合

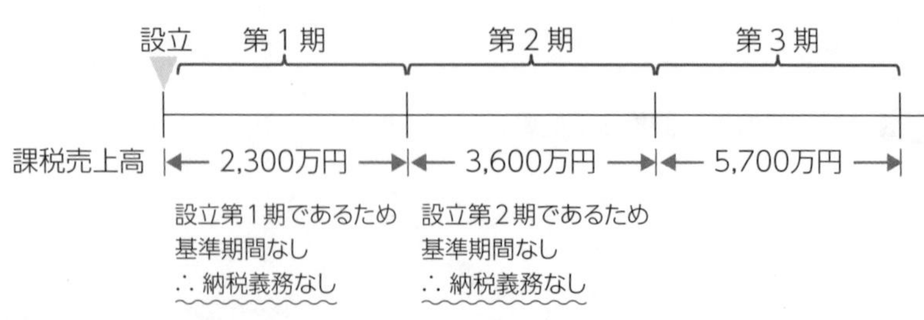

そこで、課税の公平を確保するため、基準期間における課税売上高が1,000万円以下であっても、一定の場合には、納税義務を免除しないこととする規定を設けました。この規定を**納税義務の免除の特例**といいます。

前年等の課税売上高による納税義務の免除の特例

適格請求書発行事業者ではない事業者の基準期間における課税売上高が1,000万円以下であっても、前年等の課税売上高が1,000万円を超える場合は、国内取引の納税義務は免除されません。

これを**前年等の課税売上高による納税義務の免除の特例**といいます。概要を示すと、次のとおりです。

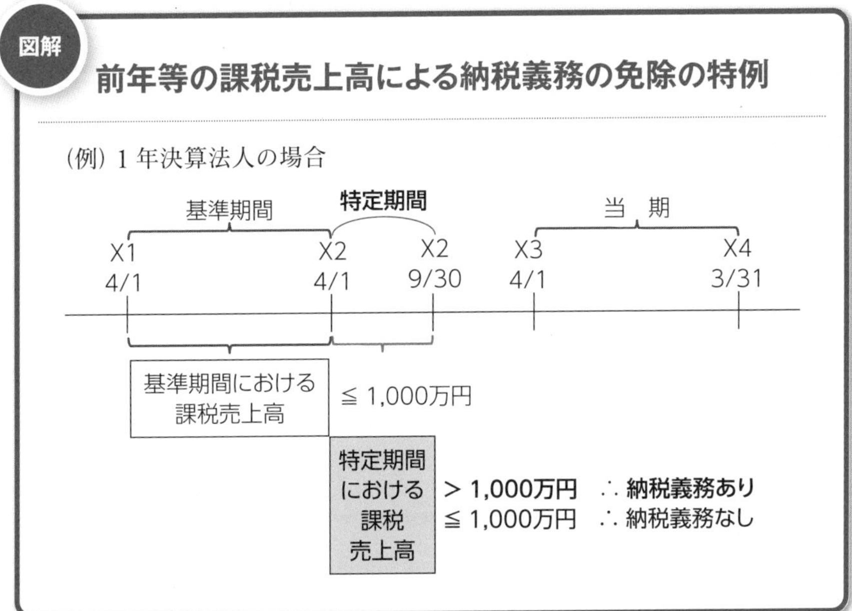

適格請求書発行事業者ではない事業者の基準期間における課税売上高が1,000万円以下の場合、前年等の課税売上高による納税義務の免除の特例に基づいて、改めて、当期の納税義務を判定することになります。

つまり、当期の前々期における課税売上高が1,000万円以下であっても、前期上半期の課税売上高が1,000万円超であれば課税事業者となります。

「特定期間」と「特定期間における課税売上高」が計算のポイントになります。
ここからは、適格請求書発行事業者ではない事業者を前提として、前年等の課税売上高による納税義務の免除の特例について、個人事業者と法人に分けて説明します。

前年等の課税売上高による納税義務の判定（個人事業者）

(1) 特定期間

特定期間とは、基準期間における課税売上高が1,000万円以下の事業者について、改めて、当期の納税義務の有無を判定する基準となる期間のことをいいます。

個人事業者の特定期間は、当期（その年）の前年1月1日から6月30日までの期間となります。

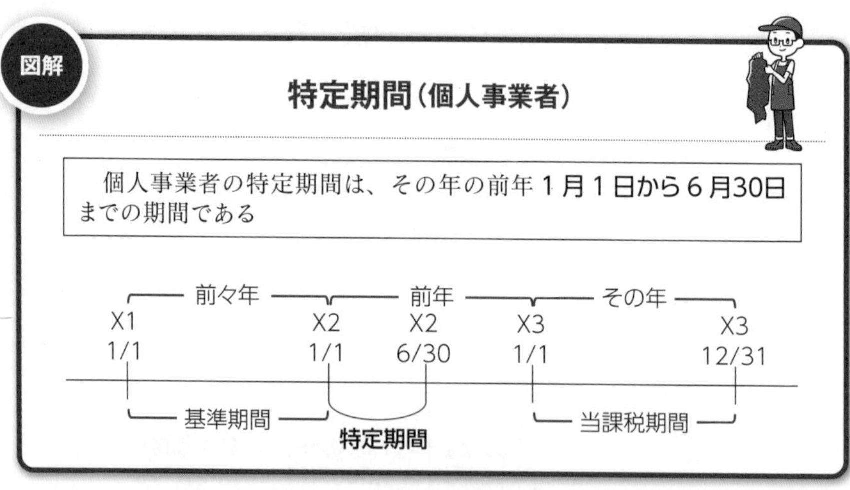

個人事業者の場合は、常に暦年を基礎として考えます。

(2) 前年等の課税売上高による納税義務の判定

個人事業者の納税義務の判定を行う際、前々年の課税売上高が1,000万円以下である場合には、前年1月1日から6月30日までの課税売上高が1,000万円超であれば課税事業者となり、同期間の課税売上高が1,000万円以下のときは免税事業者となります。

図解 前年等の課税売上高による納税義務の判定（個人事業者）

※ 国内事業者である個人事業者を前提とする。

前々年の課税売上高
- 1,000万円超……当年は**課税事業者**
- 1,000万円以下…前年1/1～6/30の課税売上高又は給与等支払額
  - ともに1,000万円超…当年は**課税事業者**
  - いずれか1,000万円以下…当年は**免税事業者**

前々年		前年		その年	
X1 1/1	X2 1/1	X2 6/30	X3 1/1		X3 12/31
基準期間		特定期間		当課税期間	

課税売上高	課税売上高（又は給与等支払額）	
1,000万円超	→	課税事業者
1,000万円以下	1,000万円超 →	課税事業者
1,000万円以下	1,000万円以下 →	免税事業者

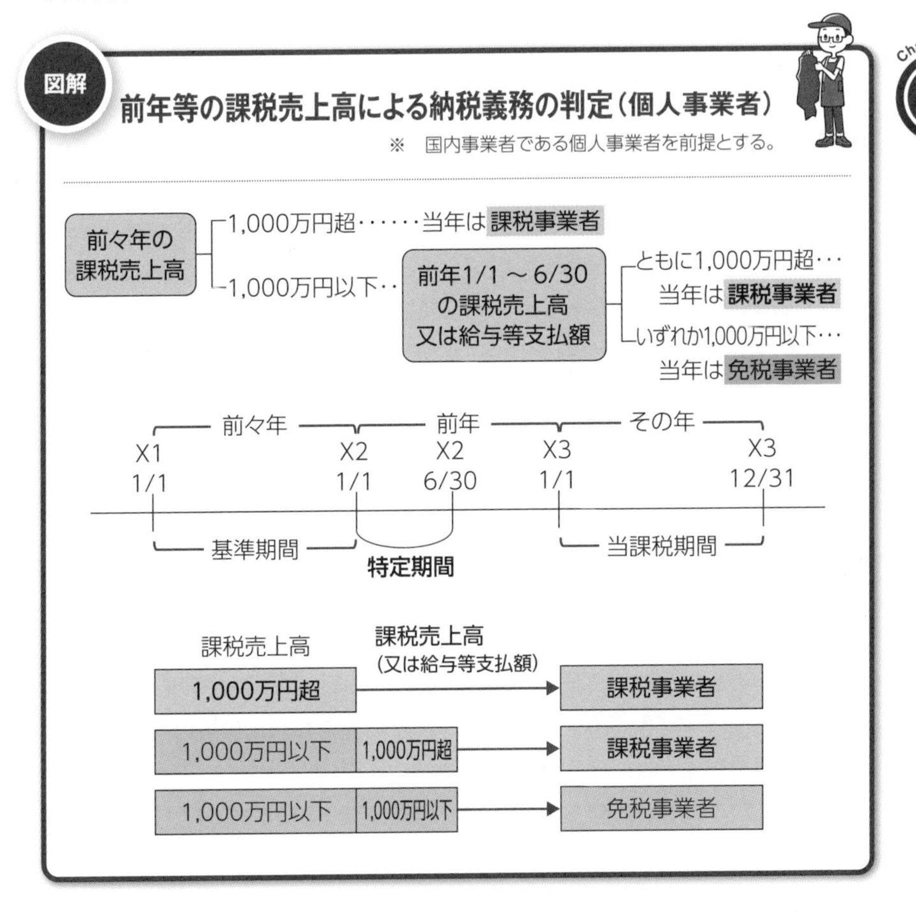

この特例では、特定期間中の課税売上高又は特定期間中に支払った給与等の金額のいずれかの金額で1,000万円の判定をすることもできます。この場合、支払った給与等の金額に未払いのものは含まれません。

なお、国外事業者は、給与等支払額を用いて納税義務の判定を行うことは認められません。

課税売上高で判定するか、給与等支払額で判定するかは、事業者の任意で決められます。ただし、受験上は、課税売上高と給与等支払額がいずれも1,000万円超であれば課税事業者と判定し、課税売上高と給与等支払額のいずれかが1,000万円以下であれば免税事業者と判定します。

ここで、給与等支払額を納税義務の判定の際に用いる理由についてまとめると、次のとおりです。

給与等支払額を納税義務の判定に用いる理由

事業者が人を雇って給与を支払ったり、税理士などに報酬を支払ったりする場合には、支払の都度、所得税等を差し引くことになっています。この差し引いた所得税等を国に納める義務がある者を「源泉徴収義務者」といいます。つまり、所得税法の規定により「源泉徴収義務者」となる事業者は、給与等の支払額を把握することになります。

したがって、前期上半期の課税売上高を計算することに伴う事業者の事務負担に配慮する観点から、給与等の金額による判定が設けられています。

ただし、インターネットが普及した近年においては、国外事業者が日本国内で従業員などを雇うことなく、自由に事業活動を行うことが可能になりました。このような状況のなか、国外事業者に対し、給与等支払額を納税義務の判定に用いることを認めてしまうと、相当の事業規模があるにもかかわらず、納税義務が免除されるケースが多数発生してしまうことになります。そこで、令和６年度税制改正により、国外事業者については、給与等支払額を納税義務判定に用いることが認められなくなったのです。

法人の納税義務の判定

法人の場合、定款により原則一年以内であれば事業年度を自由に決められるため、ここではまず前事業年度が７月超の法人を前提として説明します。

(1) 前事業年度が７月超の場合の特定期間

前事業年度が７月超の場合（短期事業年度に該当しない場合）には、法人の特定期間は、当期の前事業年度開始の日以後６月の期間（前期上半期）となります。

特定期間（法人）

法人の特定期間は、その前事業年度開始の日以後６月の期間である

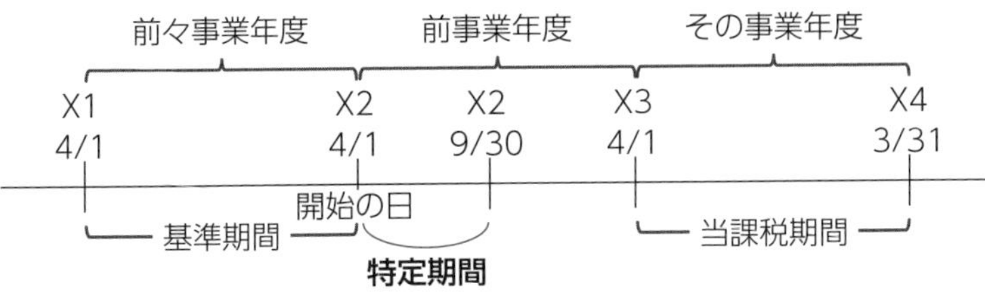

前事業年度が７月以下の場合など「短期事業年度」に該当する場合は、さらに細かな規定がありますが、後ほど詳しく説明します。まず、基準期間・特定期間がどの期間なのかを判定できるようにしておきましょう。

(2) 前年等の課税売上高による納税義務の判定

法人の納税義務の判定を行う際、前々事業年度の課税売上高が1,000万円以下である場合には、前事業年度開始の日以後６月の期間の課税売上高が1,000万円超であれば課税事業者となり、同期間の課税売上高が1,000万円以下のときは免税事業者となります。

前年等の課税売上高による納税義務の判定（法人）

※　内国法人を前提とする。

前々事業年度の課税売上高
- 1,000万円超・・・・・・当期は**課税事業者**
- 1,000万円以下・・前事業年度開始の日以後６月の期間の課税売上高又は給与等支払額
  - ともに1,000万円超・・・当期は**課税事業者**
  - いずれか1,000万円以下・・・当期は**免税事業者**

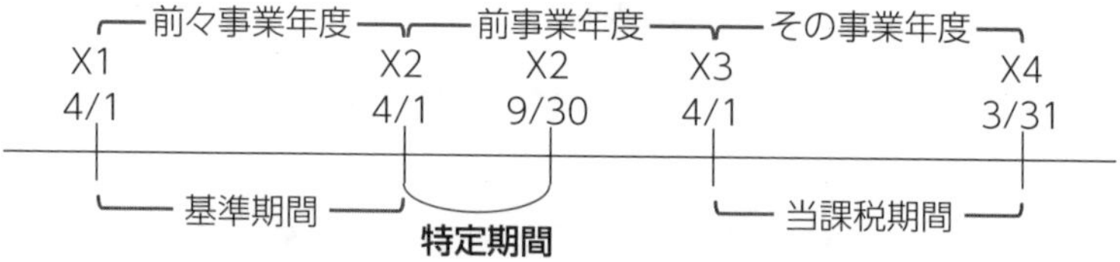

前々事業年度　前事業年度　その事業年度

X1 4/1　X2 4/1　X2 9/30　X3 4/1　X4 3/31

基準期間　**特定期間**　当課税期間

課税売上高	課税売上高（又は給与等支払額）		
1,000万円超		→	課税事業者
1,000万円以下	1,000万円超	→	課税事業者
1,000万円以下	1,000万円以下	→	免税事業者

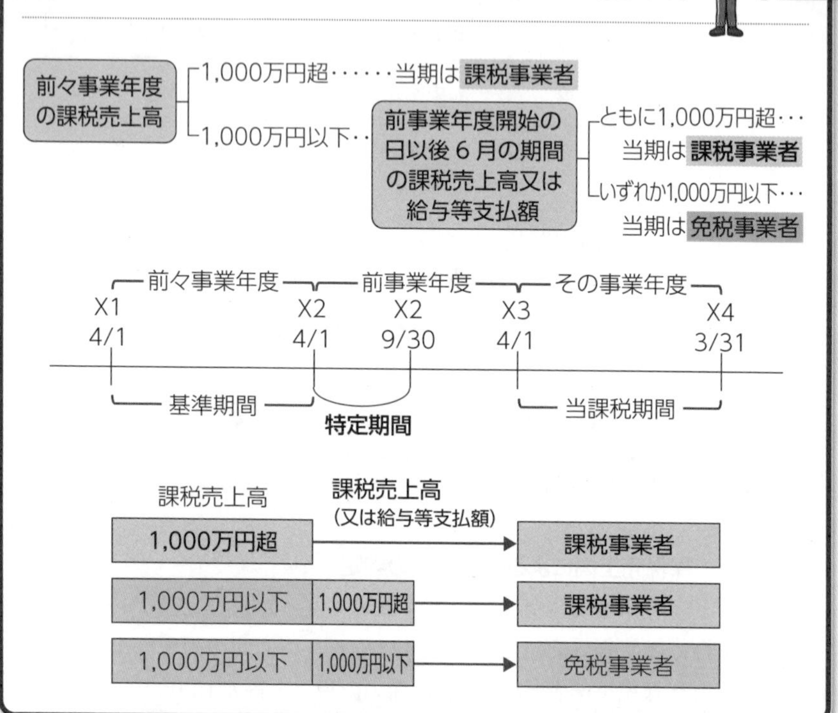

個人事業者の場合と同じく、課税売上高と給与等支払額の両方をチェックして、納税義務の判定を行いましょう。

特定期間における課税売上高の計算方法

(1) 納税義務の判定根拠となる課税売上高

個人事業者においても、法人においても、前年等の課税売上高により納税義務の判定に使用する金額は**特定期間における課税売上高**です。

課税売上高の位置付けを取引分類図で示すと、次のとおりです。

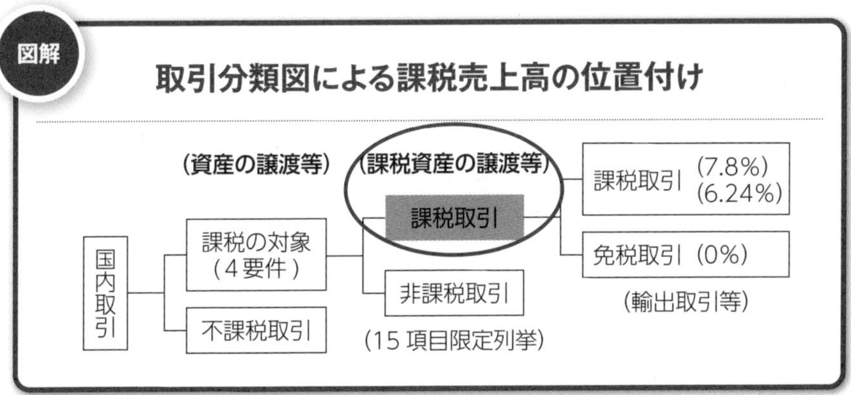

課税売上高は、「7.8%課税売上高」・「6.24%課税売上高」と「免税売上高」を合計した金額です。

「特定期間における課税売上高」は、「基準期間における課税売上高」と同じように求めます。異なるのは期間だけです。細かい計算方法については、基準期間における課税売上高の計算方法を参考にしてください。

(2) 特定期間における課税売上高（個人事業者及び前事業年度が７月超の法人）

「特定期間における課税売上高」の計算方法を詳しく説明します。

特定期間における課税売上高とは、「特定期間における税抜の純課税売上高」のことです。

税抜の純課税売上高は、税抜の総課税売上高から税抜の課税売上返還等を控除して求めます。

特定期間における課税売上高
（個人事業者及び前事業年度が７月超の法人）

(1) 課税売上高（税抜） － (2) 課税売上返還等（税抜） ＝ 特定期間における課税売上高

「特定期間における課税売上高」（税抜の純課税売上高）を求めるため、課税売上高（税抜）から課税売上返還等（税抜）を控除します。

(1) 課税売上高（税抜）

課税資産の譲渡等（特定資産の譲渡等を除く。）の対価の額の合計額

$$\left(\text{7.8\%課税売上高(税込)}\times\frac{100}{110}+\text{6.24\%課税売上高(税込)}\times\frac{100}{108}\right)$$
$$+\text{免税売上高}$$

(2) 課税売上返還等（税抜）

売上げに係る対価の返還等の金額（税抜）の合計額

$$\left(\text{7.8\%課税売上返還等(税込)}\times\frac{100}{110}+\text{6.24\%課税売上返還等(税込)}\times\frac{100}{108}\right)$$
$$+\text{免税売上返還等}$$

「基準期間における課税売上高」の計算方法と基本的には同様ですね。

前年等の課税売上高による納税義務の免除の特例について、条文では次のように規定されています。

条文

前年等の課税売上高による納税義務の免除の特例（法9の2①③）

個人事業者のその年又は法人のその事業年度の**基準期間における課税売上高**が**1,000万円**以下である場合（注）において、**特定期間におけ**

る課税売上高が**1,000万円**を超えるときは、その年又はその事業年度における**課税資産の譲渡等**（特定資産の譲渡等を除く。）及び**特定課税仕入れ**については、納税義務は免除されない。

なお、国外事業者以外の事業者は、その特定期間中に支払った支払明細書に記載すべき一定の**給与等**の合計額を**特定期間における課税売上高**とすることが**できる**。

(注) 課税事業者の選択により課税事業者となる場合を除く。

「特定期間における課税売上高」は、条文で次のとおり規定されています。

条文

特定期間における課税売上高（法9の2②）

特定期間中に国内において行った**課税資産の譲渡等**（注）**の対価の額**の合計額から、**売上げに係る税抜対価の返還等の金額**の合計額を控除した残額

(注)「課税資産の譲渡等」からは、「特定資産の譲渡等」を除く。

それでは、次の例題で納税義務の判定方法を確認してみましょう。

例題

納税義務の判定

問題

次の資料から、当社（内国法人であり、適格請求書発行事業者ではない。）の当課税期間（X3年４月１日～X4年３月31日）に係る納税義務の有無を判定しなさい。

なお、当社の事業年度は毎期４月１日から翌年３月31日までである。

(1)　前々事業年度（X1年4月1日～X2年3月31日）における課税売上高　960万円（税抜）

(2)　前事業年度上半期（X2年4月1日～X2年9月30日）における課税売上高　1,200万円（税抜）

(3)　前事業年度上半期における支払明細書に記載すべき一定の給与等の合計額　1,100万円

解答

● 基準期間における課税売上高→前年等の課税売上高の順番で納税義務の判定を行う

①　基準期間における課税売上高

960万円 ≦ 1,000万円

②　特定期間における課税売上高

売上高　1,200万円 ＞ 1,000万円

給与等　1,100万円 ＞ 1,000万円　∴　納税義務あり

【下書き】

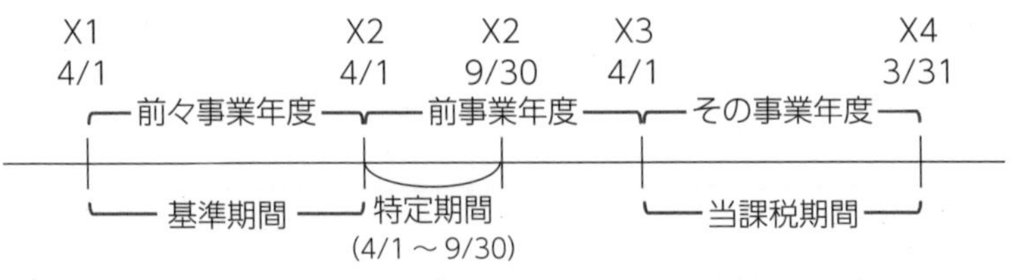

この例題では、特定期間における課税売上高、特定期間における支払った給与等の金額のいずれの金額も1,000万円超であるため、当期について納税義務があり課税事業者となります。なお、どちらの金額を基準に判定するかは、事業者の任意です。ただし、受験上は、売上高・給与等の金額の両方が与えられる場合には、両方とも1,000万円の判定を行い、両方とも1,000万円超のときには課税事業者となり、いずれかが1,000万円以下の場合には免税事業者となります。

問題 ≫≫≫ 問題編の**問題2～問題5**に挑戦しましょう！

前事業年度が７月以下である法人の特定期間

ここまでは１年決算法人を前提に説明してきましたが、合併・分割等の企業組織再編の論点で事業年度が１年でない場合が出てきます。

法人のその事業年度の前事業年度が７月以下である期間等のことを**短期事業年度**といいますが、ここからは、前事業年度が７月以下である法人の場合（短期事業年度に該当する場合）の基準期間及び特定期間について、例を挙げて説明します。

納税義務の判定については、基準期間及び特定期間を見つけて正しく課税売上高等を計算できることがポイントになります。

納税義務の判定をする際には、まず、基準期間を見つけてから前事業年度をチェックし、次のような手順で特定期間を見つけるようにするとよいでしょう。

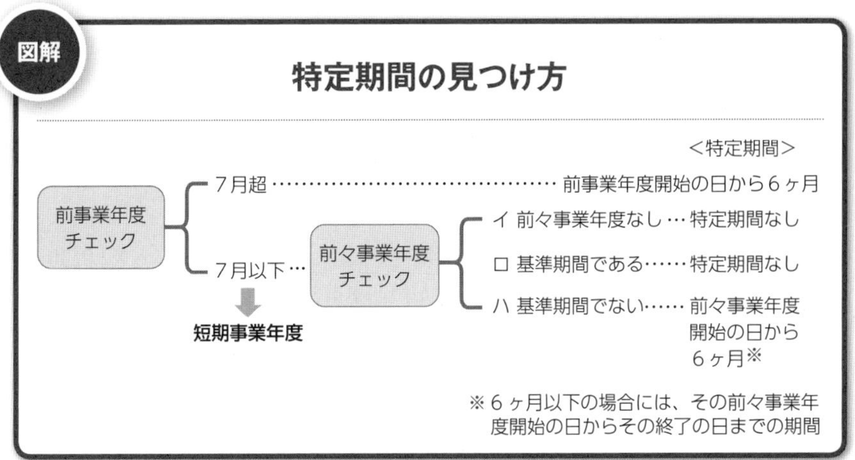

それでは、次のケース１～５を見ながら、基準期間及び特定期間の見つけ方を確認しましょう。

前事業年度が7月以下である法人の特定期間

〈ケース1〉　前事業年度が7月以下で前々事業年度が1年未満の場合

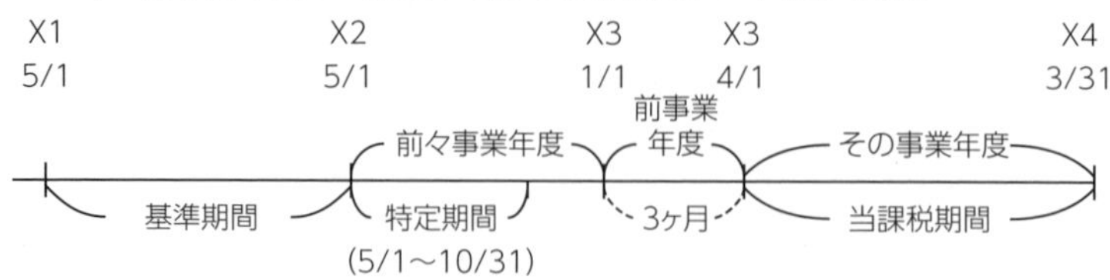

基準期間：その事業年度の前々事業年度が1年未満の場合、その事業年度開始の日の2年前の日の前日から1年を経過する日までの間に開始した各事業年度を合わせた期間　X1.5/1 ～ X2.4/30

特定期間：その事業年度の前事業年度が短期事業年度（ケース1では3ヶ月）である法人の場合、その事業年度の前々事業年度開始の日以後6月の期間　X2.5/1 ～ 10/31

〈ケース2〉　前事業年度が7月以下で前々事業年度に基準期間が含まれている場合

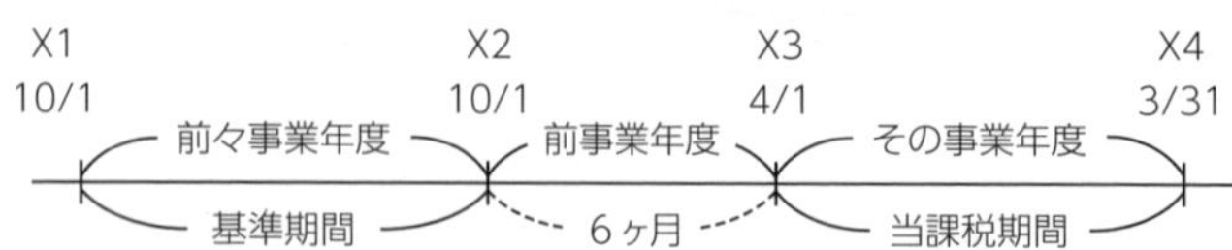

基準期間：その事業年度の前々事業年度　X1.10/1 ～ X2.9/30

特定期間：その事業年度の前事業年度が短期事業年度（ケース2では 6ヶ月）である法人であるが、その事業年度の前々事業年度が、その事業年度の基準期間に含まれるため、特定期間は生じない。

〈ケース3〉　前事業年度が7月以下で前々事業年度が6月以下の場合

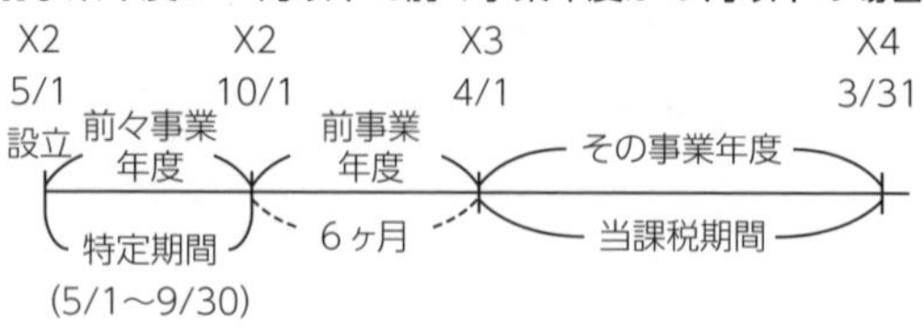

基準期間：その事業年度の前々事業年度が1年未満の場合、その事業年度開始の日の2年前の日の前日から1年を経過する日までの間に開始した各事業年度を合わせた期間

X1.4/1 ～ X2.3/31が設立前であるため基準期間は生じない。

特定期間：その事業年度の前事業年度が短期事業年度（ケース3では 6ヶ月）である法人の場合、その事業年度の前々事業年度開始の日以後 6月の期間。ただし、その前々事業年度が 6 月以下の場合には、その前々事業年度開始の日からその終了の日までの期間

X2.5/1 ～ 9/30

〈ケース4〉 前事業年度が7月以下で前々事業年度が6月以下の場合(半年決算法人)

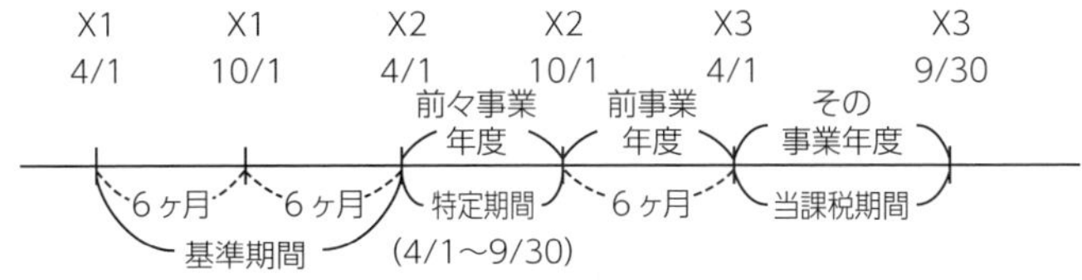

基準期間：その事業年度の前々事業年度が1年未満の場合、その事業年度開始の日の2年前の日の前日から1年を経過する日までの間に開始した各事業年度を合わせた期間

X1.4/1 ～ 9/30、X1.10/1 ～ X2.3/31

特定期間：その事業年度の前事業年度が短期事業年度（ケース4では6ヶ月）である法人の場合、その事業年度の前々事業年度開始の日以後 6月の期間

X2.4/1 ～ 9/30

〈ケース5〉 前事業年度が7月以下で、かつ、前事業年度中に新たに設立された場合

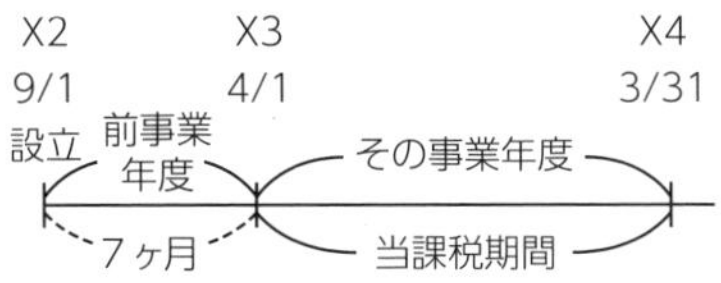

基準期間：その事業年度の前々事業年度が1年未満の場合、その事業年度開始の日の2年前の日の前日から1年を経過する日までの間に開始した各事業年度を合わせた期間

X1.4/1 ～ X2.3/31が設立前であるため基準期間は生じない。

特定期間：その事業年度の前事業年度が短期事業年度（ケース5では7ヶ月）である法人の場合、その事業年度の前々事業年度開始の日以後6月の期間

ケース5では前々事業年度が存在しないため、特定期間は生じない。

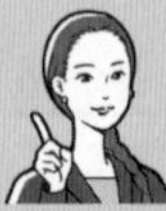

前事業年度が短期事業年度の場合、特定期間はその前々事業年度開始の日以後6月の期間となりますが、その前々事業年度が基準期間に含まれるときは特定期間は生じません（ケース2を参照）。

それぞれのケースについてタイムテーブルを見ながら、基準期間及び特定期間を見つけられるようにしましょう。

相続があった場合の納税義務の免除の特例

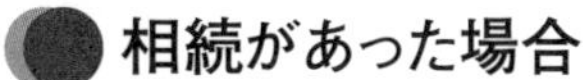

相続があった場合

相続とは、人の死亡により財産・債務が相続人に承継されることをいいます。この場合、亡くなった人を**被相続人**といい、被相続人の死亡により被相続人の財産・債務を承継する人を**相続人**といいます。

被相続人から事業を承継した場合には、相続人が自分の売上高のみで納税義務の判定を行うのは不合理であるため、その承継した事業の売上高も含めて納税義務の判定を行うこととなります。

具体例を示すと、次のとおりです。

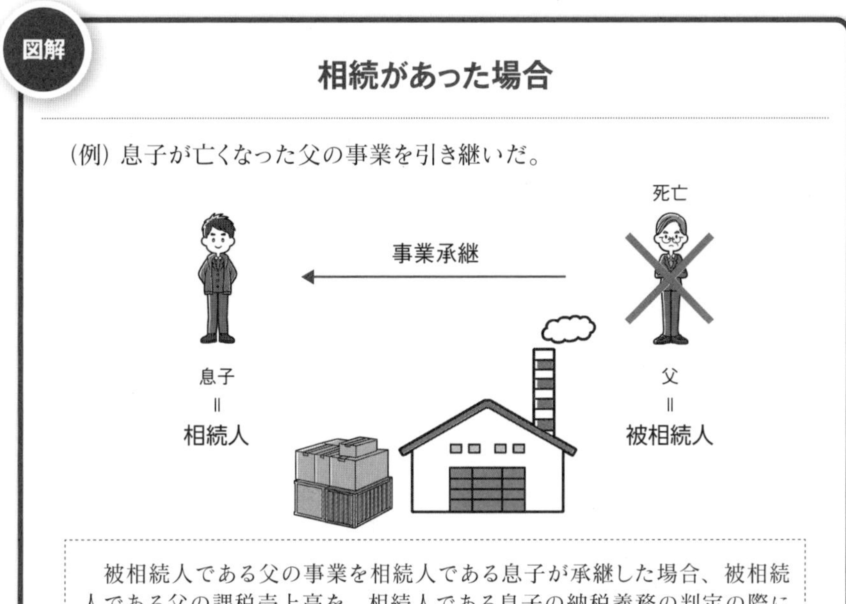

相続があった場合の納税義務の免除の特例の概要

消費税法では、免税事業者である個人事業者や事業を行っていない個人が、亡くなった親族（被相続人）の事業を相続により承継した場合に、相続人の納税義務の判定について特例が設けられています。

納税義務の判定は、最初に適格請求書発行事業者かどうかチェックし、適格請求書発行事業者でないときは、原則として基準期間における課税売上高により行います。基準期間における課税売上高が1,000万円以下である場合には、適格請求書発行事業者の登録を受けている場合を除き、小規模事業者に係る納税義務の免除の規定により消費税の納税義務が免除されています。

しかし、相続があった場合には、相続人の基準期間における課税売上高のみで納税義務の判定を行うことは課税の公平を図る上で不合理となります。

したがって、相続人の基準期間における課税売上高が1,000万円以下の場合には、被相続人の基準期間における課税売上高も含めて納税義務の判定を行うこととなります。

たとえば、相続人である息子が免税事業者である場合に、亡くなった父から基準期間における課税売上高が1,000万円超の事業を承継したにもかかわらず、小規模事業者に係る納税義務の免除の規定により相続人の消費税の納税義務が免除されてしまうのは適当ではありません。

そこで、相続人の納税義務の判定に特例を設け、相続人のみならず被相続人の課税売上高も含めて、納税義務を判定することとなります。

相続があった場合の納税義務の判定方法

まず、基準期間における課税売上高が1,000万円以下であることを判定した上で、次に課税事業者選択届出書を提出していないことを確認します。さらに、特定期間における課税売上高、特定期間における支払った給与等の金額がともに1,000万円以下であり、相続により被相続人の事業を承継した場合には、相続があった場合の納税義務の判定を行います。

この場合、相続人には相続があった年の基準期間に事業を行っていない人も含まれます。

相続があった場合の納税義務の判定方法の学習のポイントは、次のとおりです。

図解 相続があった場合の納税義務の判定方法の学習のポイント

● 納税義務の判定手順は？

基準期間における課税売上高
- 1,000万円超‥‥‥当年は **課税事業者**
- 1,000万円以下‥‥当年は免税事業者※ → **相続があった場合の納税義務の免除の特例** による判定へ

※ 適格請求書発行事業者でなく、課税事業者の選択なし、かつ、特定期間における課税売上高1,000万円以下

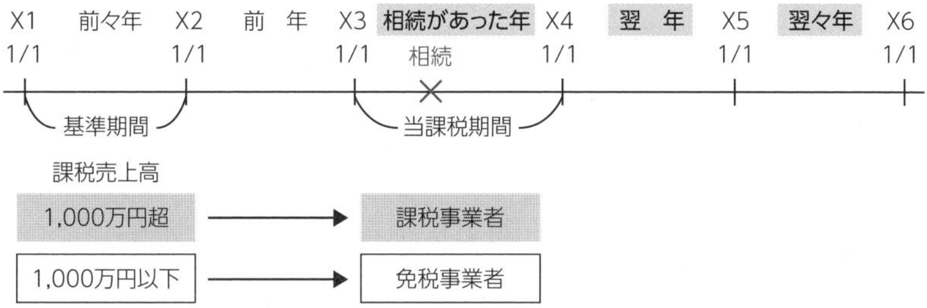

X1 1/1	前々年	X2 1/1	前年	X3 1/1	**相続があった年**（相続 ×）	X4 1/1	**翌年**	X5 1/1	**翌々年**	X6 1/1
	基準期間				当課税期間					

課税売上高
- **1,000万円超** → **課税事業者**
- 1,000万円以下 → 免税事業者

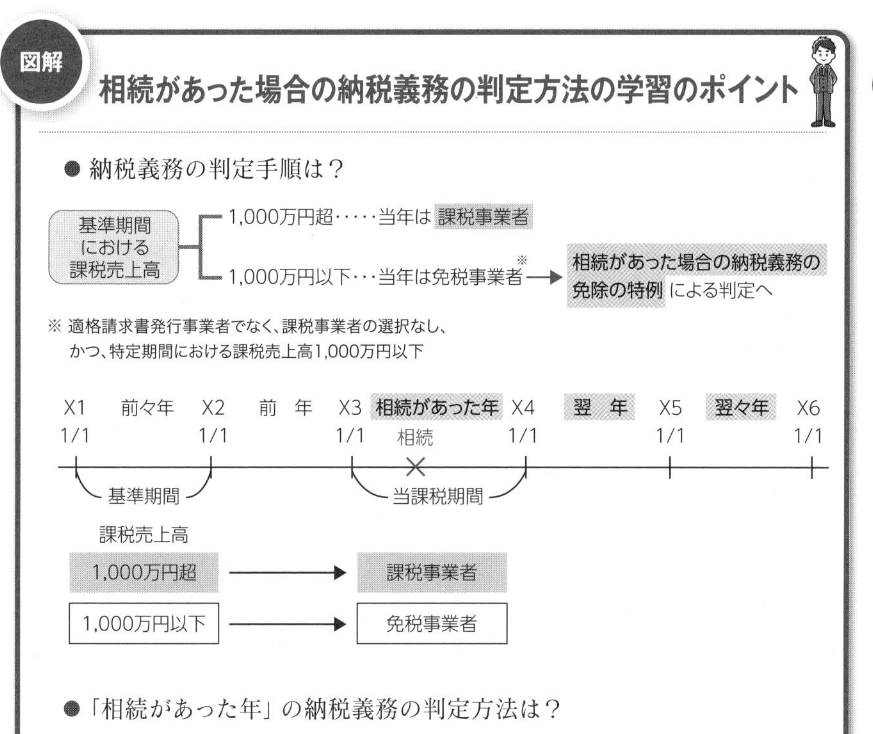

● 「相続があった年」の納税義務の判定方法は？

● 「相続があった年の翌年、翌々年」の納税義務の判定方法は？

● 納税義務の判定の際に使用する「基準期間における課税売上高」の計算方法は？

納税義務の判定を行うのが「相続があった年」なのか「相続があった年の翌年、翌々年」なのかによって、それぞれ計算方法が異なります。

また、これから納税義務の免除の特例を適用する場合について学習しますが、その際、当社は適格請求書発行事業者ではなく、課税事業者の選択なし、かつ、特定期間における課税売上高等1,000万円以下という前提で説明します。

相続があった年

相続があった年の納税義務の判定は、「相続人（自分）の基準期間における課税売上高」が1,000万円以下の場合、「被相続人（相手）の基準期間における課税売上高」で判定します。

図解

相続があった場合の納税義務の判定方法（相続があった年）

相続のあった日の翌日（X3 4/1）　■：当課税期間

	X1 1/1	X2 1/1	X3 1/1	4/1	X4 1/1	X5 1/1
相続人	A1	A2	相続前	相続後	A4	A5
被相続人（死亡）	B1	B2	B3	A3		

(1) 相続人（自分）の基準期間における課税売上高で判定

A1　≦　1,000万円

(2) 被相続人（相手）の基準期間における課税売上高で判定

B1　≦　1,000万円　∴ 納税義務なし

B1　＞　1,000万円　∴ ×3. 1/1〜3/31　納税義務なし

×3. 4/1〜12/31　納税義務あり

相続人のA1の課税売上高が1,000万円以下の場合、被相続人のB1の課税売上高で判定します。被相続人のB1の課税売上高が1,000万円超であるときは、相続前が免税事業者で相続後が課税事業者となります。

つまり、相続前と相続後を別々に判定することになります。相続前は自分の基準期間の課税売上高で納税義務を判定しますが、相続後は、被相続人の基準期間の課税売上高を含めて納税義務を判定します。

また、日付を示して解答することを忘れないようにしましょう。

相続があった年の翌年、翌々年

相続があった年の翌年、翌々年の納税義務の判定は、「相続人（自分）の基準期間における課税売上高」が1,000万円以下の場合、「相続人（自分）の基準期間における課税売上高」と「被相続人（相手）の基準期間における課税売上高」との合計額により判定します。

(1) 相続があった年の翌年

図解

相続があった場合の納税義務の判定方法（相続があった年の翌年）

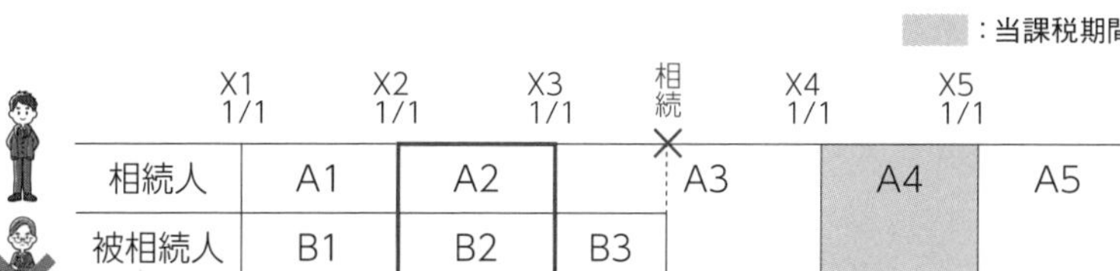

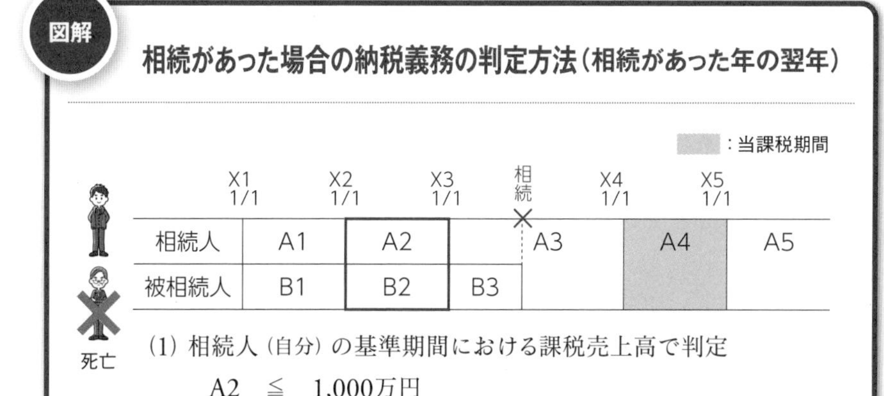

(1) 相続人（自分）の基準期間における課税売上高で判定

A2　≦　1,000万円

(2) 相続人（自分）と

被相続人（相手）の基準期間における課税売上高の合計額で判定

A2＋B2　≦　1,000万円　∴ 納税義務なし

A2＋B2　＞　1,000万円　∴ 納税義務あり

相続人のA2の課税売上高が1,000万円以下の場合、相続人のA2の課税売上高と被相続人のB2の課税売上高との合計額が1,000万円超であるときは、課税事業者となります。

(2) 相続があった年の翌々年

図解

相続があった場合の納税義務の判定方法（相続があった年の翌々年）

■：当課税期間

	X1 1/1	X2 1/1	X3 1/1 (相続×)	X4 1/1	X5 1/1
相続人	A1	A2	A3	A4	A5
被相続人	B1	B2	B3		

死亡

(1) 相続人（自分）の基準期間における課税売上高で判定

A3 ≦ 1,000万円

(2) 相続人（自分）と

被相続人（相手）の基準期間における課税売上高の合計額で判定

A3＋B3 ≦ 1,000万円 ∴ 納税義務なし

A3＋B3 ＞ 1,000万円 ∴ 納税義務あり

相続人のA3の課税売上高が1,000万円以下の場合、相続人のA3の課税売上高と被相続人のB3の課税売上高との合計額が1,000万円超であるときは、課税事業者となります。つまり、相続があった翌年、翌々年は同じ判定方法となります。

ここで改めて用語の使い方を整理すると、「納税義務なし」→免税事業者、「納税義務あり」→課税事業者、という意味です。本試験問題では、通常、「納税義務の有無の判定」が問われていますので、解答する際には、「納税義務あり」もしくは「納税義務なし」という判定結果のコメントを書きます。

問題 >>> 問題編の**問題6**に挑戦しましょう！

次の例題で、相続があった場合の納税義務の判定方法を確認してみましょう。

例題

相続があった場合の納税義務の判定方法①

問題

相続人甲（以下「甲」という。）は、X3年６月30日に被相続人乙（以下「乙」という。）が死亡したことに伴い、相続により乙の事業を承継した。

次の資料により甲のX3年からX5年までの各課税期間における納税義務の有無を判定しなさい。

なお、「課税事業者の選択」及び「前年等の課税売上高による納税義務の免除の特例」について考慮する必要はない。

甲、乙の各課税期間における課税売上高（税抜金額）は、次のとおりである。

課税期間	相続人 甲	被相続人 乙
X1年	5,000,000円	9,300,000円
X2年	6,500,000円	8,000,000円
X3年１月１日～６月30日　相続前	3,400,000円	4,000,000円
X3年７月１日～12月31日　相続後	6,600,000円	―――
X4年　→相続のあった日の翌日	―――	―――
X5年	―――	―――

解答

● 相続があった年（X3年）の納税義務の判定

「相続人（自分）の基準期間における課税売上高」で判定し、1,000万円以下の場合には「被相続人（相手）の基準期間における課税売上高」で判定します。

① 「相続人（自分）の基準期間における課税売上高」で判定

5,000,000円≦10,000,000円

② 「被相続人（相手）の基準期間における課税売上高」で判定

9,300,000円≦10,000,000円

∴ 納税義務なし

● **相続があった年の翌年（X4年）の納税義務の判定**

「相続人（自分）の基準期間における課税売上高」で判定し、1,000万円以下の場合には「相続人（自分）の基準期間における課税売上高」と「被相続人（相手）の基準期間における課税売上高」との合計額で判定します。

① 「相続人（自分）の基準期間における課税売上高」で判定

6,500,000円≦10,000,000円

② 「相続人（自分）の基準期間における課税売上高」と「被相続人（相手）の基準期間における課税売上高」との合計額で判定

6,500,000円＋8,000,000円＝14,500,000円＞10,000,000円

∴ 納税義務あり

● **相続があった年の翌々年（X5年）の納税義務の判定**

相続があった年の翌年（X4年）の納税義務の判定と同じ考え方で計算式を作ります。

① 「相続人（自分）の基準期間における課税売上高」で判定

3,400,000円＋6,600,000円＝10,000,000円≦10,000,000円

② 「相続人（自分）の基準期間における課税売上高」と「被相続人（相手）の基準期間における課税売上高」との合計額で判定

10,000,000円＋4,000,000円＝14,000,000円＞10,000,000円

∴ 納税義務あり

【下書き】

	X1 1/1	X2 1/1	X3 1/1		X4 1/1	X5 1/1	X6 1/1
相続人甲	500万円	650万円	340万円	660万円			
被相続人乙	930万円	800万円	400万円				

6/30 相続

相続があった場合の納税義務の判定は、ボックスを描いて計算するとケアレスミスが防げます。

計算式をつくる際は、1,000万円以下なのか、あるいは1,000万円超なのか、不等号に気をつけましょう。

また、「納税義務なし」と判定された課税期間は免税事業者となりますので、この期間の課税売上高を納税義務の判定で使うときは税抜処理しない点に注意しましょう。

次は、前年等の課税売上高による特例を絡めた納税義務の全体系を意識させる問題です。相続があった場合の納税義務の判定方法について、確認してみましょう。

例題

相続があった場合の納税義務の判定方法②

問題

被相続人乙（国内事業者である。以下「乙」という。）は電気機器の小売業を営んでいた。

相続人甲（国内事業者である。以下「甲」という。）は、令和７年５月25日に乙が死亡したことによりその事業を承継することとなった。なお、甲は以前から雑貨店を営んでいる。

次の資料により甲の令和７年〜令和10年の各課税期間における納税義務の有無を判定しなさい。

なお、甲、乙、ともに消費税課税事業者選択届出書は提出していない。

1　甲の各年の課税売上高（税抜き）は次のとおりである。←相続人

〔令和５年〕	〔令和６年〕	〔令和７年〕	〔令和８年〕
650万円	830万円（注1）	1,470万円（注2）	1,695万円（注3）

（注1）令和６年１月１日から同年６月30日までの期間の金額は、430万円であり、同期間における給与等の支払額は234万円である。

（注2）令和７年１月１日から同年５月25日までの期間の金額は、400万円である。

令和７年１月１日から同年６月30日までの期間の金額は、500万円であり、同期間における給与等の支払額は246万円である。

（注3）令和８年１月１日から同年６月30日までの期間の金額は、600万円であり、同期間における給与等の支払額は258万円である。

2　乙の各年の課税売上高（税抜き）は次のとおりである。←被相続人

〔令和５年〕	〔令和６年〕	〔令和７年〕
1,100万円	950万円	350万円（注4）

（注4）令和７年１月１日から同年５月25日までの期間の金額である。

解答

- **納税義務の全体系を意識して「基準期間における課税売上高」→「特定期間における課税売上高」→「相続があった場合の特例」の順に納税義務の判定を行う。**
- **相続があった年（令和７年）の納税義務の判定**

まず、「相続人（自分）の基準期間における課税売上高」で判定し、1,000万円以下の場合には「相続人（自分）の特定期間における課税売上高または給与等」で判定し1,000万円以下であるか確認します。

次に、「特定期間における課税売上高または給与等」の判定で1,000万円以下である場合、「被相続人（相手）の基準期間における課税売上高」で判定します。

①「相続人（自分）の基準期間における課税売上高」で判定
　650万円≦1,000万円
②「相続人（自分）の特定期間における課税売上高または給与等」で判定
　イ　売上高
　　430万円≦1,000万円
　ロ　給与等
　　234万円≦1,000万円
③「被相続人（相手）の基準期間における課税売上高」で判定
　1,100万円＞1,000万円

相続前→　令和７年１月１日から同年５月25日までの間　∴納税義務なし
相続後→　令和７年５月26日から同年12月31日までの間　∴納税義務あり

- **相続があった年の翌年（令和８年）の納税義務の判定**

まず、「相続人（自分）の基準期間における課税売上高」で判定し、1,000万円以下の場合には「相続人（自分）の特定期間における課税売上高または給与等の金額」で判定し、1,000万円以下であるか確認します。

次に、「特定期間における課税売上高または給与等」の判定で1,000万円以下である場合、「相続人（自分）の基準期間における課税売上高」と「被相続人（相手）の基準期間における課税売上高」との合計額で判定します。

①「相続人（自分）の基準期間における課税売上高」で判定

830万円≦1,000万円

②「相続人（自分）の特定期間における課税売上高または給与等の金額」で判定

イ　売上高

500万円≦1,000万円

ロ　給与等

246万円≦1,000万円

③「相続人（自分）の基準期間における課税売上高」と「被相続人（相手）の基準期間における課税売上高」との合計額で判定

830万円＋950万円＝1,780万円＞1,000万円

∴ 納税義務あり

● **相続があった年の翌々年（令和９年）の納税義務の判定**

基本的には、相続があった年の翌年（令和８年）の納税義務の判定と同じ考え方で計算式を作ります。本問の場合、「相続人（自分）の基準期間における課税売上高」が1,000万円を超えるため「納税義務あり」として判定終了となります。

1,470万円＞1,000万円　∴ 納税義務あり

● **相続があった年の翌々々年（令和10年）の納税義務の判定**

1,695万円＞1,000万円　∴ 納税義務あり

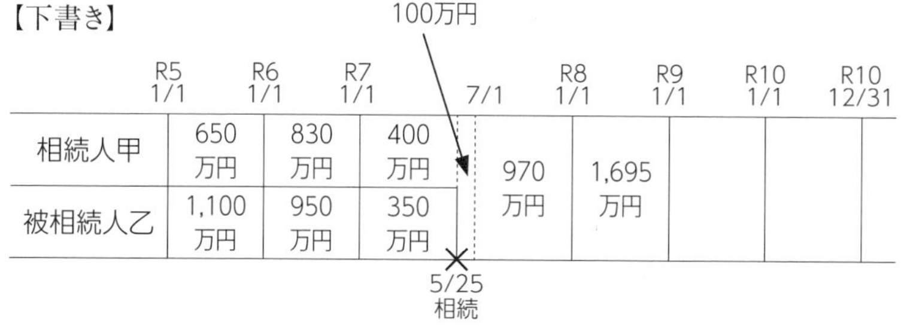

納税義務の全体系をイメージしながら条文の適用順序に従い計算式を作りましょう。いきなり相続等があった場合の特例による納税義務の判定を行わないように注意しましょう。

課税売上高の金額はいくらなのか、基準期間、特定期間がどの期間なのかしっかり見極めて、慎重に下書きのボックスを描きましょう。

また、納税義務の判定については、相続のみならず、他の事業承継（法人の合併・分割等）についても基本的な考え方は同様になりますので、常に納税義務の全体系を意識して適用順序に従って判定を行いましょう。

事業場を分割して承継した場合

相続があった場合には、課税の公平を図るため、相続人の納税義務の判定の際に被相続人の課税売上高を含めます。2人以上の相続人がいた場合に、2以上の事業場がある被相続人の事業を、事業場ごとに分割して事業を承継することがあります。このような場合には、それぞれの相続人が相続した事業場に係る部分の被相続人の課税売上高を納税義務の判定の際に含めることとなります。

図解　事業場を分割して承継した場合

（例）被相続人Bはブティックを経営し東京と大阪に店舗を有していた。相続により長男Aが東京の店舗を、次男Cが大阪の店舗を引き継いだ。

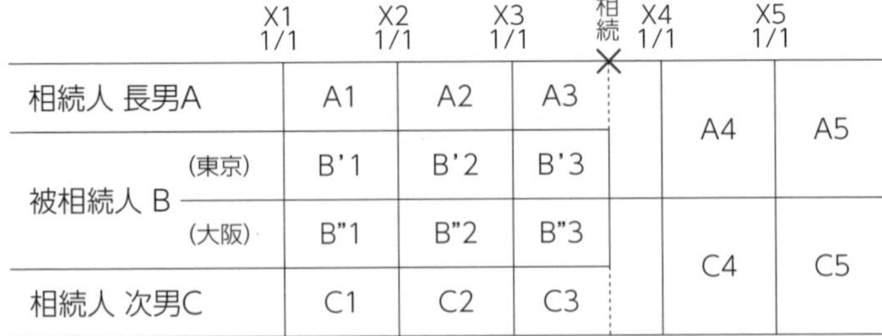

X1 1/1
X2 1/1
X3 1/1
相続
X4 1/1
X5 1/1
相続人 長男A
A1
A2
A3
A4
A5
被相続人 B
(東京)
B'1
B'2
B'3
(大阪)
B"1
B"2
B"3
相続人 次男C
C1
C2
C3
C4
C5

〈相続人 長男A〉

(1) A3の納税義務の判定　① A1で判定　② B'1で判定

(2) A4の納税義務の判定　① A2で判定　② A2+B'2で判定

(3) A5の納税義務の判定　① A3で判定　② A3+B'3で判定

〈相続人 次男C〉

(1) C3の納税義務の判定　① C1で判定　② B"1で判定

(2) C4の納税義務の判定　① C2で判定　② C2+B"2で判定

(3) C5の納税義務の判定　① C3で判定　② C3+B"3で判定

1人の相続人がすべて相続したときには、課税売上高が1,000万円を超えて課税事業者となる場合でも、2人以上の相続人が分割して相続したときには、それぞれの課税売上高が1,000万円以下となって、事業場ごとに免税事業者となることがあります。

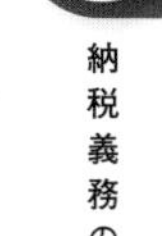

相続があった場合の納税義務の免除の特例について、条文では次のように規定されています。

条文

相続があった場合の納税義務の免除の特例

◆ 1　相続年（法10①）

その年に相続があった場合において、その年の**基準期間における課税売上高が1,000万円**以下である相続人が、次の要件を満たすときは、その相続人(注)のその相続のあった日の翌日からその年の12月31日までの間における**課税資産の譲渡等**(特定資産の譲渡等を除く。)及び**特定課税仕入れ**については、納税義務は免除されない。

〈要　件〉

基準期間における課税売上高が**1,000万円**を超える被相続人の事業を承継したこと

◆ 2　相続年の翌年、翌々年（法10②）

その年の前年又は前々年に相続により被相続人の事業を承継した相続人のその年の**基準期間における課税売上高**が**1,000万円**以下である場合において、次の要件を満たすときは、その相続人(注)のその年における**課税資産の譲渡等**(特定資産の譲渡等を除く。)及び**特定課税仕入れ**については、納税義務は免除されない。
〈要　件〉
相続人の**基準期間における課税売上高**と被相続人の**基準期間における課税売上高**との合計額が1,000万円を超えること

◆ 3　事業場を分割して承継した場合（法10③、令21）

相続により、２以上の事業場を有する被相続人の事業を２以上の相続人が事業場ごとに分割して承継した場合の、被相続人の基準期間における課税売上高は、その相続人が相続した事業場に係る部分の金額とする。

(注)課税事業者の選択又は前年等の課税売上高による特例により課税事業者となるものを除く。

問題 >>> 問題編の**問題7～問題8**に挑戦しましょう！

個人事業者の「事業として」

ここからは、個人事業者の事業について、少し掘り下げて説明をします。

ここまで学習してきたように、相続に関する論点は個人事業者が前提となります。個人事業者は、一個人である「消費者の立場」と「事業者の立場」の両方の側面を持つことになりますが、消費税法上「事業者の立場」で行う取引のみ、国内取引の課税の対象の要件の１つである「事業として」に該当します。

図解でまとめると、次のとおりです。

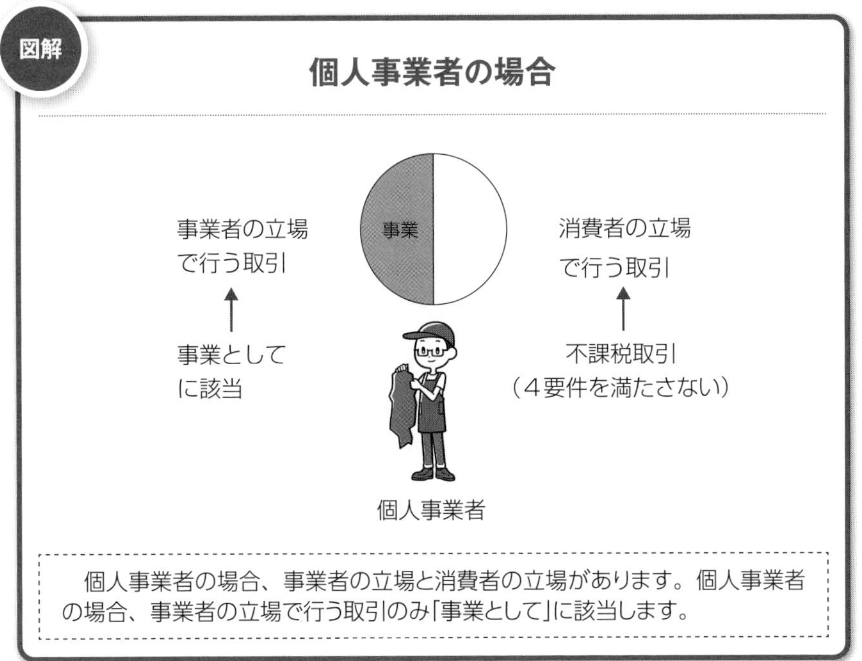

つまり、個人事業者の場合には、「〇〇業を営んでいる」といったときの〇〇業が「事業として」に該当することとなります。

個人事業者の「付随行為」

付随行為とは、事業に付随して行われる取引のことです。この付随行為についても「事業として」行われる取引に含まれることとなります。個人事業者における付随行為には、具体的には次のようなものがあります。

図解

個人事業者の「付随行為」の具体例

(1) 職業運動家、作家、映画・演劇等の出演者等で事業者に該当するものが対価を得て行う他の事業者の広告宣伝のための役務の提供
(2) 職業運動家、作家等で事業者に該当するものが対価を得て行う催物への参加又はラジオ放送若しくはテレビ放送等に係る出演その他これらに類するもののための役務の提供
(3) **事業の用に供している建物、機械等の売却**
(4) **利子を対価とする事業資金の預入れ**
(5) **事業の遂行のための取引先又は使用人に対する利子を対価とする金銭等の貸付けなど**

個人事業者の「事業として」に該当しない取引

個人事業者による有価証券等及びゴルフ会員権、ゴルフ場利用株式等の売買は原則として「事業として」に該当しないため、これらに関する譲渡対価、購入対価は不課税とされます。

図解

個人事業者の「事業として」に該当しない取引

(1) 家事用資産の売買
(2) 個人事業者による**株式・公社債**の売買
(3) 個人事業者によるゴルフ会員権、ゴルフ場利用株式等の売買

したがって、個人事業者が有価証券等を譲渡して譲渡対価を受け取ったり、有価証券等を購入して購入対価を支払ったり、証券会社等に売買手数料などを支払ったりする取引についても、消費税法上は不課税取引に該当します。

個人事業者が行う有価証券などに関する取引は、不課税というイメージですね。

個人事業者の「不動産取引」

不動産取引とは、不動産の譲渡、譲受け、貸付け、借受けに係わる取引のことをいいます。個人事業者が行う不動産取引のうち譲渡、譲受け、借受けについては、その対象資産が事業の用に供されていたか否かで「事業として」行われたかどうかの判断を行います。

例えば、個人事業者が不動産を譲渡した場合、「家事用資産」であれば「事業として」に該当しませんが、「事業用資産」であれば「事業として」に該当します。

一方、個人事業者が行う不動産取引のうち貸付けについては、反復・継続・独立して行うものであれば、すべて「事業として」行われた取引に該当します。

個人事業者の不動産取引について、「事業として」行われたかどうかの判断基準をまとめると、次のとおりです。

図解

個人事業者の「不動産取引」

取引の種類	判断基準
譲渡 譲受け 借受け	取引の対象となる資産が事業の用に供されていたか否かにより判断
貸付け	反復・継続・独立して行うものであれば、すべて事業として行われた取引と判断

合併があった場合の納税義務の免除の特例

合併とは

合併とは、2つ以上の会社が契約により1つの会社になることをいいます。会社が行う合併の形態には、**吸収合併**と**新設合併**の2つがあります。

合併も事業承継の1つです。基本的な考え方は相続があった場合の納税義務の免除の特例と同じです。合併は企業のスケールメリットを追求するためなどの目的で行われる企業組織再編の手法の1つです。

吸収合併とは、合併の当事者となる会社のうち1つの会社（存続会社）が他の会社（消滅会社）を吸収し、他の会社の権利義務の全部を承継させることをいいます。

新設合併とは、合併の当事者となる会社がすべて消滅し、これらの消滅する会社の権利義務の全部を新設会社に承継させることをいいます。

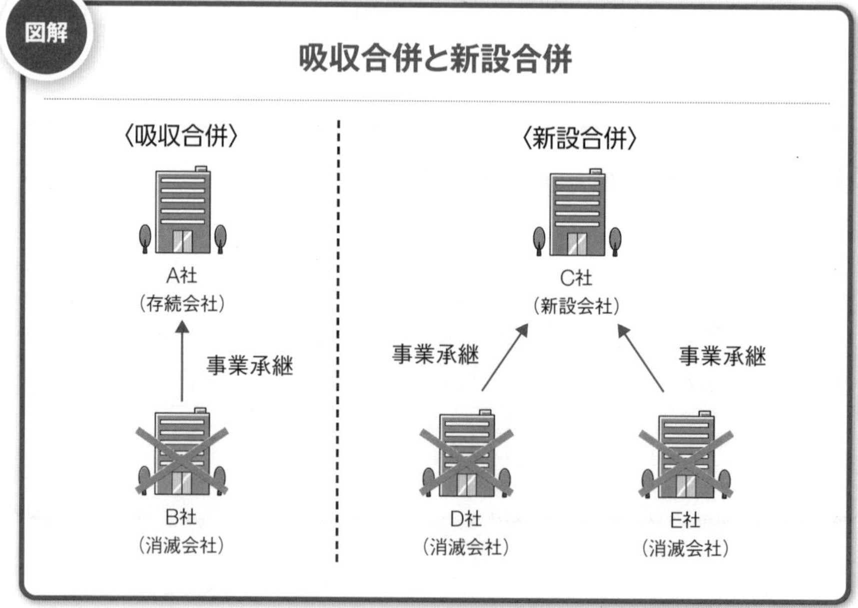

合併があった場合

合併があった場合、消滅した法人を**被合併法人**といい、合併後に存続する法人又は合併により設立された法人を**合併法人**といいます。

消滅した被合併法人から事業を承継した場合には、合併法人が自社の売上高のみで納税義務の判定を行うのは不合理であるため、被合併法人の売上高も含めて納税義務の判定を行うこととなります。

具体例を示すと、次のとおりです。

合併があった場合

(例) 合併法人A社が消滅した被合併法人B社の事業を承継した。

被合併法人B社の事業を合併法人A社が承継した場合には、被合併法人B社の課税売上高を合併法人A社の納税義務の判定の際に含めます。

合併があった場合の納税義務の免除の特例の概要

消費税法では、合併法人が合併により被合併法人の事業を承継した場合には、合併法人の納税義務の判定について特例が設けられています。

納税義務の判定は、原則として基準期間における課税売上高により行います。また、令和5年10月1日からはインボイス制度により、適格請求書発行事業者は消費税を納める義務があります。

ただし、適格請求書発行事業者ではない事業者の場合、基準期間における課税売上高が1,000万円以下の事業者については、小規模事業者に係る納税義務

の免除の規定により消費税の納税義務が免除されています。

しかし、合併があった場合には、合併法人の基準期間における課税売上高のみで納税義務の判定を行うことは課税の公平を図る上で不合理となります。

したがって、合併法人の基準期間における課税売上高が1,000万円以下の場合には、被合併法人の課税売上高も含めて納税義務の判定を行うこととなります。

基本的には相続があった場合と同じ考え方になりますが、相続と合併の大きな違いは、その主体が「個人」か「法人」かという点です。

たとえば、合併法人が免税事業者である場合に、消滅した被合併法人から基準期間における課税売上高が1,000万円超の事業を承継したにもかかわらず、小規模事業者に係る納税義務の免除の規定により、合併法人の消費税の納税義務が免除されてしまうのは適当ではありません。

そこで、合併法人の納税義務の判定に特例を設け、合併法人のみならず、被合併法人の課税売上高も含めて納税義務を判定することとなります。

また、納税義務の判定の際には、納税義務の全体系を意識して適用順序に従って計算式を作る点に注意しましょう。

ここで改めて納税義務の全体系を示すと、次のとおりです。

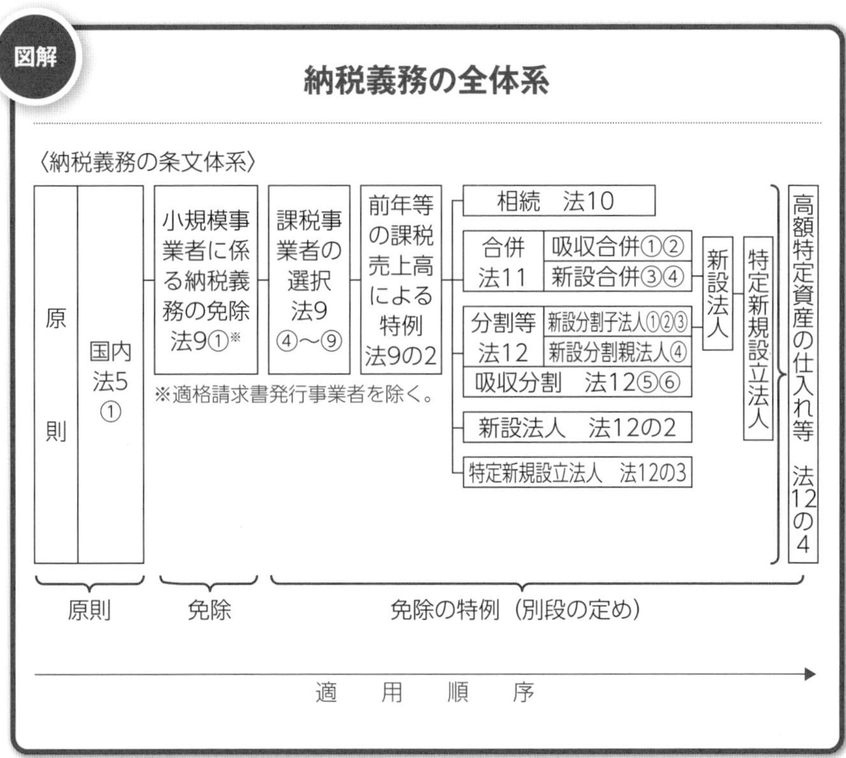

合併があった場合の納税義務の判定方法

まず、基準期間における課税売上高が1,000万円以下であることを判定した上で、次に課税事業者選択届出書を提出していないことを確認します。さらに、特定期間における課税売上高、特定期間における支払った給与等の金額がともに1,000万円以下であり、合併により被合併法人の事業を承継した場合には、合併があった場合の納税義務の判定を行います。

合併があった場合の納税義務の判定方法の学習のポイントは、次のとおりです。

図解 合併があった場合の納税義務の判定方法の学習のポイント

合併法人

● 納税義務の判定手順は？

基準期間における課税売上高
- 1,000万円超・・・・当期は **課税事業者**
- 1,000万円以下・・・当期は免税事業者※ → **合併があった場合の納税義務の免除の特例** による判定へ

※ 適格請求書発行事業者でなく、課税事業者の選択なし、かつ、特定期間における課税売上高1,000万円以下

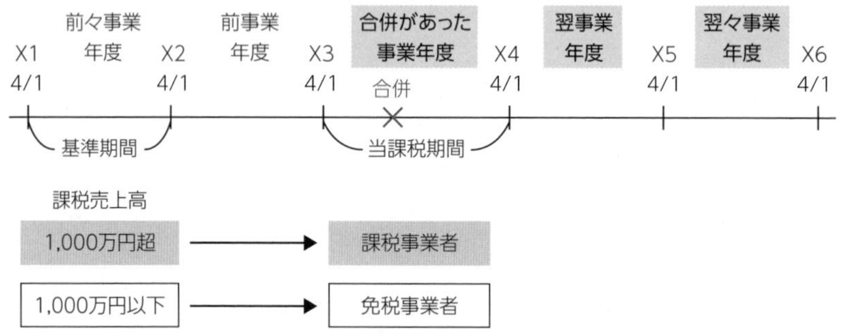

●「合併事業年度」の納税義務の判定方法は？

●「合併事業年度後の事業年度」の納税義務の判定方法は？

● 納税義務の判定の際に使用する「基準期間」・「基準期間に対応する期間」は、どの期間か？

● 納税義務の判定の際に使用する「基準期間における課税売上高」・「基準期間に対応する期間における課税売上高」の計算方法は？

納税義務の判定を行うのが「合併事業年度」なのか「合併事業年度後の事業年度」なのかによって、それぞれの基準期間が異なります。また、法人の場合は定款により原則一年以内であれば事業年度を自由に決められるため、基準期間がどの期間になるのか、しっかりと把握しましょう。

合併事業年度（吸収合併）

吸収合併があった場合の納税義務の判定について説明します。

(1) 納税義務者の判定方法

合併事業年度の納税義務の判定は、「合併法人（自社）の基準期間における課税売上高」が1,000万円以下の場合、「合併法人の基準期間に対応する期間における被合併法人（他社）の課税売上高」で判定します。

図解　合併があった場合の納税義務の判定方法（合併事業年度）

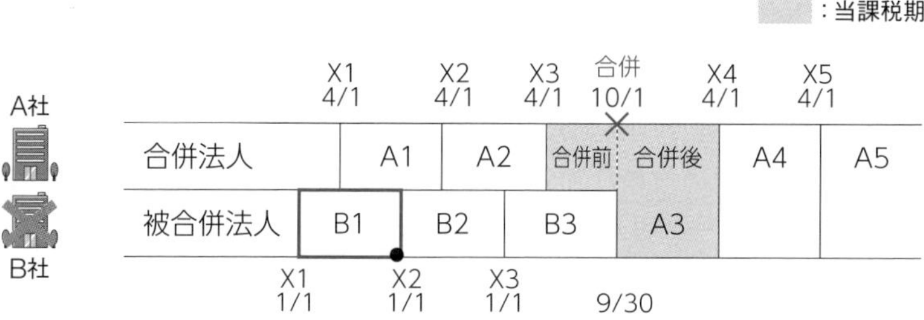

(1) 合併法人の基準期間における課税売上高で判定

A1　≦　1,000万円

(2) 合併法人（自社）の基準期間に対応する期間における被合併法人（他社）の課税売上高で判定

$B1 \times \frac{12}{12}$　≦　1,000万円　∴ 納税義務なし

$B1 \times \frac{12}{12}$　＞　1,000万円　∴ X3. 4/1～9/30　納税義務なし

X3. 10/1～X4. 3/31　納税義務あり

合併法人のA1の課税売上高が1,000万円以下の場合、被合併法人のB1の課税売上高で判定します。被合併法人のB1の課税売上高が1,000万円超であるときは、合併前が免税事業者で合併後が課税事業者となります。

つまり、合併前と合併後を別々に判定することになります。
図解のボックスでは、計算で使用する期間に●印を付け□で囲んでいます。
合併前は自社の基準期間の課税売上高で納税義務を判定しますが、合併後は、被合併法人の基準期間に対応する期間における、被合併法人の課税売上高を含めて納税義務を判定します。

法人の場合、事業年度が1年未満であることもあるので、判定の際は被合併法人の課税売上高を年換算します。年換算を算式で表した部分が$\frac{12}{12}$です。

(2) 基準期間に対応する期間

消費税法においては、法人の課税期間を原則として「事業年度」としています。また、法人の場合は、定款により原則一年以内であれば事業年度を自由に決めることができます。

そのため、課税期間は合併法人と被合併法人とでズレが生ずることが考えられます。したがって、納税義務の判定の計算の際には、合併法人の基準期間をベースに、その「**基準期間に対応する期間**」は、「合併法人の合併のあった日の属する事業年度開始の日の2年前の日の前日から1年を経過する日までの間に終了した被合併法人の各事業年度」となります。

課税期間については、Chapter19（4分冊目）で説明します。

「基準期間に対応する期間」について図解で示すと、次のとおりです。

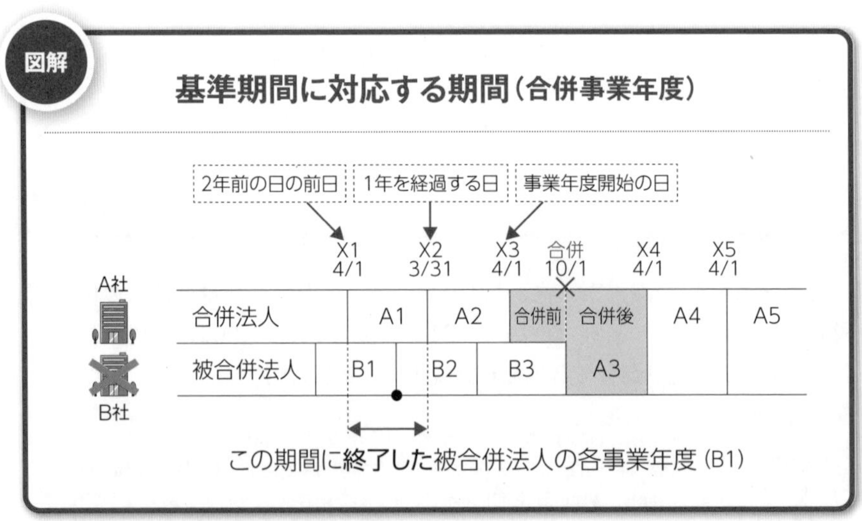

合併の場合、基準期間に対応する期間は、その期間に「終了した」被合併法人の各事業年度となります。
あとで説明する分割等の場合との違いに注意しましょう。

合併事業年度の翌事業年度（吸収合併）

(1) 納税義務の判定方法

合併事業年度の翌事業年度の納税義務の判定は、「合併法人（自社）の基準期間における課税売上高」が1,000万円以下の場合、「合併法人（自社）の基準期間における課税売上高」と「合併法人の基準期間に対応する期間における被合併法人（他社）の課税売上高」との合計額により判定します。

図解

合併があった場合の納税義務の判定方法（合併事業年度の翌事業年度）

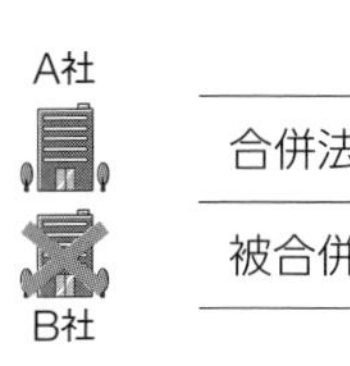

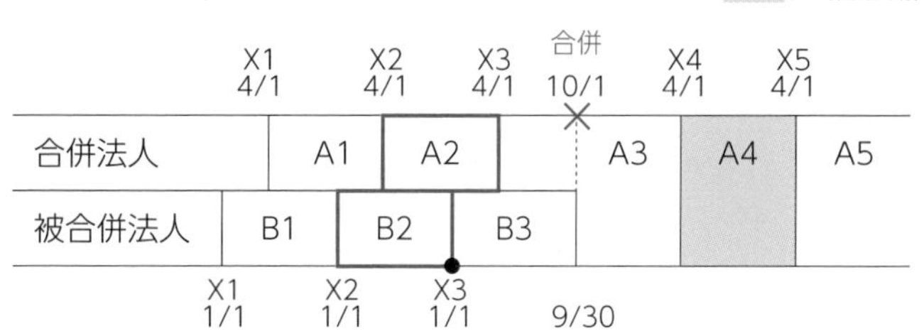

(1) 合併法人の基準期間における課税売上高で判定

A2 ≦ 1,000万円

(2) 合併法人（自社）の基準期間における課税売上高と合併法人の基準期間に対応する期間における被合併法人（他社）の課税売上高との合計額で判定

$A2+B2\times\frac{12}{12}$ ≦ 1,000万円 ∴ 納税義務なし

$A2+B2\times\frac{12}{12}$ ＞ 1,000万円 ∴ 納税義務あり

合併法人のA2の課税売上高が1,000万円以下の場合、合併法人のA2の課税売上高と被合併法人のB2の課税売上高との合計額が1,000万円超であるときは、課税事業者となります。

(2) 基準期間に対応する期間

納税義務の判定の計算の際には、合併法人の基準期間をベースに、その「**基準期間に対応する期間**」は、「合併法人のその事業年度の基準期間の初日から1年を経過する日までの間に終了した被合併法人の各事業年度」となります。

「基準期間に対応する期間」について図解で示すと、次のとおりです。

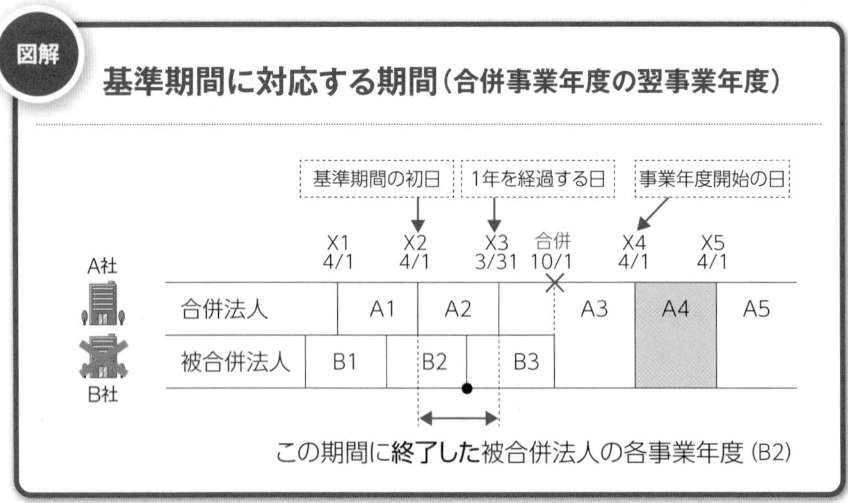

どの期間の被合併法人の課税売上高を含めるのか、慎重に探しましょう。

吸収合併があった場合、合併事業年度については、起算日を「2年前の日の前日」としていますが、合併事業年度の翌事業年度、翌々事業年度については、起算日は「基準期間の初日」となる点に注意しましょう。

合併事業年度の翌々事業年度（吸収合併）

(1) 納税義務の判定方法

合併事業年度の翌々事業年度の納税義務の判定は、「合併法人（自社）の基準期間における課税売上高」が1,000万円以下の場合、「合併法人（自社）の基準期間における課税売上高」と「合併法人の基準期間に対応する期間における被合併法人（他社）の課税売上高の一部」との合計額により判定します。

図解 合併があった場合の納税義務の判定方法（合併事業年度の翌々事業年度）

：当課税期間

		X1 4/1	X2 4/1	X3 4/1 合併 10/1	X4 4/1	X5 4/1
A社	合併法人	A1	A2	A3	A4	A5
B社	被合併法人	B1	B2	B3		
		X1 1/1	X2 1/1	X3 1/1 9/30（6ヶ月、9ヶ月）		

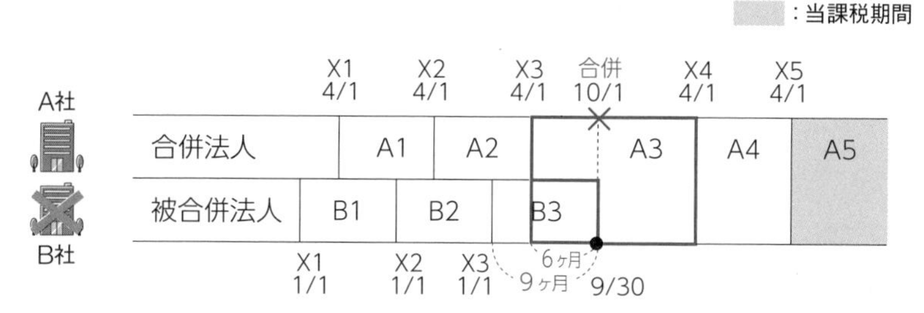

(1) 合併法人の基準期間における課税売上高で判定

A3 ≦ 1,000万円

(2) 合併法人（自社）の基準期間における課税売上高と
合併法人の基準期間に対応する期間における
被合併法人（他社）の課税売上高の一部との合計額で判定

$$A3+B3\times\underbrace{\frac{12}{9}\times\frac{6}{12}}_{\text{年換算後、月数調整}} \leqq 1{,}000万円$$ ∴ 納税義務なし

$$A3+B3\times\underbrace{\frac{12}{9}\times\frac{6}{12}}_{\text{年換算後、月数調整}} > 1{,}000万円$$ ∴ 納税義務あり

合併法人のA3の課税売上高が1,000万円以下の場合、合併法人のA3の課税売上高と被合併法人のB3の課税売上高の一部との合計額が1,000万円超であるときは、課税事業者となります。

B3の課税売上高の一部を求めるときは、まず年換算をしてから、合併法人の基準期間に合わせて月数調整します。

(2) 基準期間に対応する期間

納税義務の判定の計算の際には、合併法人の基準期間をベースに、その「**基準期間に対応する期間**」は、「合併法人のその事業年度の基準期間の初日から1年を経過する日までの間に終了した被合併法人の各事業年度」となります。

「基準期間に対応する期間」について図解で示すと、次のとおりです。

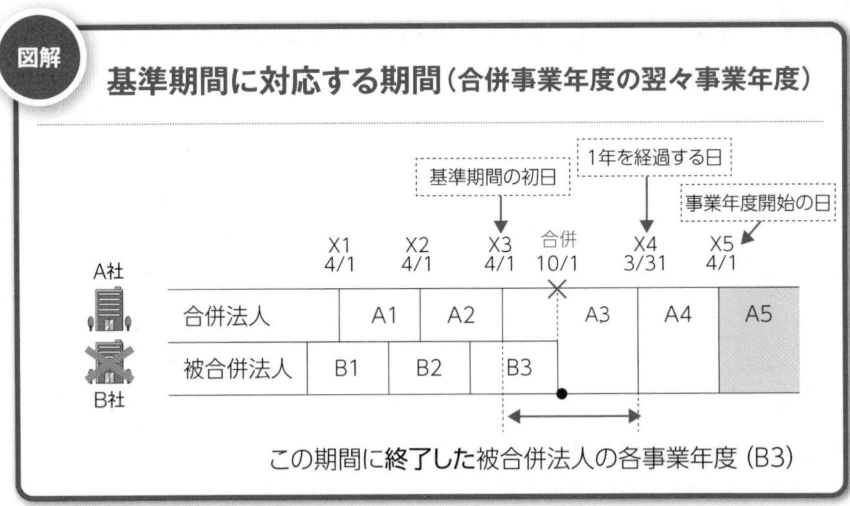

合併の場合、基準期間に対応する期間は、その期間に「終了した」被合併法人の各事業年度となります。

合併事業年度の翌事業年度と同じ考え方ですが、被合併法人の課税売上高を年換算後に月数調整をする点に注意しましょう。

次の例題で、吸収合併があった場合の納税義務の判定方法を確認してみましょう。

例題

吸収合併があった場合の納税義務の判定方法

問題

X4年1月1日にA社はB社を吸収合併した。

A社のA3年度からA5年度までの各課税期間における納税義務の有無を判定しなさい。

なお、「課税事業者の選択」及び「前年等の課税売上高による納税義務の免除の特例」について考慮する必要はない。

A、B両社の各課税期間における課税売上高（税抜金額）は次のとおりである。

合併法人 A社	
課　税　期　間	課税売上高
A1年度　X1年4月1日～X2年3月31日	10,000千円
A2年度　X2年4月1日～X3年3月31日	9,400千円
A3年度　X3年4月1日～X3年12月31日　合併前	5,000千円
A3年度　X4年1月1日～X4年3月31日　合併後	3,000千円
A4年度　X4年4月1日～X5年3月31日	―――
A5年度　X5年4月1日～X6年3月31日	―――

被合併法人 B社	
課　税　期　間	課税売上高
B1年度　X0年7月1日～X1年6月30日	10,500千円
B2年度　X1年7月1日～X2年6月30日	10,200千円
B3年度　X2年7月1日～X3年6月30日	10,000千円
B4年度　X3年7月1日～X3年12月31日	8,000千円

解答

● 合併事業年度（A3年度）の納税義務の判定

「合併法人（自社）の基準期間における課税売上高」で判定し、1,000万円以下の場合には「基準期間に対応する期間における被合併法人（他社）の課税売上高」で判定します。

① 「合併法人（自社）の基準期間における課税売上高」で判定

$$\overset{A1}{10{,}000}\text{千円} \leqq 10{,}000\text{千円}$$

② 「基準期間に対応する期間における被合併法人（他社）の課税売上高」で判定

$$\overset{B1}{10{,}500}\text{千円} \times \frac{12}{12} = 10{,}500\text{千円} > 10{,}000\text{千円}$$

∴　X3年4月1日から同年12月31日までの間　納税義務なし

　　X4年1月1日から同年3月31日までの間　納税義務あり

● **合併事業年度の翌事業年度（A4年度）の納税義務の判定**

「合併法人（自社）の基準期間における課税売上高」で判定し、1,000万円以下の場合には「合併法人（自社）の基準期間における課税売上高」と「合併法人の基準期間に対応する期間における被合併法人（他社）の課税売上高」との合計額で判定します。

① 「合併法人（自社）の基準期間における課税売上高」で判定

$$\overset{A2}{9{,}400}\text{千円} \leqq 10{,}000\text{千円}$$

② 「合併法人（自社）の基準期間における課税売上高」と「合併法人の基準期間に対応する期間における被合併法人（他社）の課税売上高」との合計額で判定

$$\overset{A2}{9{,}400}\text{千円} + \overset{B2}{10{,}200}\text{千円} \times \frac{12}{12} = 19{,}600\text{千円} > 10{,}000\text{千円}$$

∴ 納税義務あり

● **合併事業年度の翌々事業年度（A5年度）の納税義務の判定**

合併事業年度の翌事業年度（A4年度）の納税義務の判定と基本的には同じ考え方で計算式を作ります。被合併法人の課税売上高の一部を求めるときに年換算後月数調整します。

① 「合併法人（自社）の基準期間における課税売上高」で判定

$$\overset{\text{合併前}A3}{5{,}000}\text{千円} + \overset{\text{合併後}A3}{3{,}000}\text{千円} = 8{,}000\text{千円} \leqq 10{,}000\text{千円}$$

② 「合併法人（自社）の基準期間における課税売上高」と「合併法人の基準期間に対応する期間における被合併法人（他社）の課税売上高の一部」との合計額で判定

$$\overset{A3}{8{,}000}\text{千円} + (\overset{B3}{10{,}000}\text{千円} + \overset{B4}{8{,}000}\text{千円}) \times \frac{12}{18} \times \frac{9}{12}$$

$$= 17{,}000\text{千円} > 10{,}000\text{千円}$$

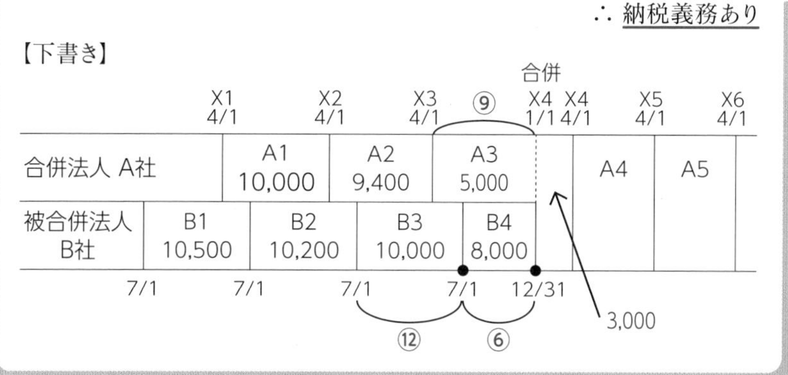

合併事業年度の翌々事業年度（A5）の納税義務の判定では、合併法人の基準期間に対応する「被合併法人の事業年度」がB3とB4の２つあります。このような場合には、被合併法人の課税売上高の一部としてB3とB4の合計額を年換算後、月数調整します。

合併があった場合の納税義務の免除の特例（吸収合併の場合）について、条文では次のように規定されています。

合併があった場合の納税義務の免除の特例（吸収合併の場合）

◆１　合併事業年度（法11①）

吸収合併があった場合において、次の要件を満たすときは、合併法人(注1)のその事業年度(注2)の合併があった日からその事業年度終了の日までの間における**課税資産の譲渡等**(特定資産の譲渡等を除く。)及び**特定課税仕入れ**については、納税義務は免除されない。

〈要　件〉

被合併法人の**基準期間に対応する期間における課税売上高**として一定の金額(注3)が**1,000万円**を超えること

(注1) 課税事業者の選択又は前年等の課税売上高による特例により課税事業者となるものを除く。

(注2) 基準期間における課税売上高が**1,000万円**以下である事業年度に限る。

(注3) 被合併法人が２以上ある場合には、いずれかの被合併法人に係るその金額。

◆ 2　合併事業年度後の事業年度（法11②）

その事業年度の基準期間の初日の翌日からその事業年度開始の日の前日までの間に吸収合併があった場合において、次の要件を満たすときは、合併法人(注1)のその事業年度(注2)における**課税資産の譲渡等**(特定資産の譲渡等を除く。)及び**特定課税仕入れ**については、納税義務は免除されない。

〈要　件〉

合併法人の**基準期間における課税売上高**と被合併法人の**基準期間に対応する期間における課税売上高**として一定の金額(注4)との合計額が**1,000万円を超えること**。

(注4)被合併法人が２以上ある場合には、各被合併法人に係るその金額の合計額

条文上、「合併事業年度後の事業年度」(法11②)で、いつ吸収合併があったかの期間を特定するときに「基準期間の初日の翌日」という表現が用いられていますが、これは合併法人の基準期間に対応する被合併法人の期間が存在するのが、「基準期間の初日の翌日」からであるためです。次のボックス図で整理してみるとわかりやすいでしょう。

「基準期間の初日の翌日」について、ボックスの形で説明すると次のとおりです。

「基準期間の初日の翌日」について

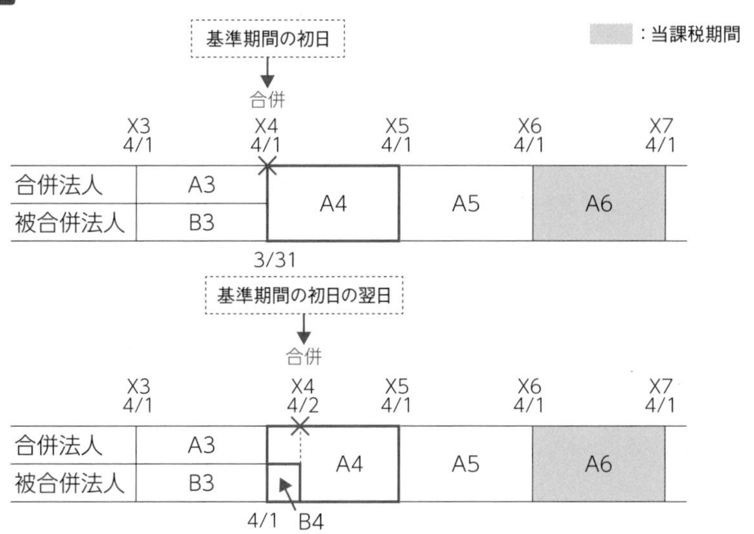

A6の基準期間を考えてみると、その事業年度の基準期間（A4）の初日（X4.4.1）に合併した場合は、合併法人の基準期間に対応する被合併法人の期間は存在しなくなります。

一方、その事業年度の基準期間（A4）の初日の翌日（X4.4.2）に合併した場合は、合併法人の基準期間に対応する被合併法人の期間が存在します。

問題 >>> 問題編の**問題9**に挑戦しましょう！

合併事業年度（新設合併）

新設合併があった場合の納税義務の判定について説明します。

(1) 納税義務の判定方法

合併事業年度の納税義務の判定は、設立された合併法人（自社）の基準期間が存在しないため、「合併法人の基準期間に対応する期間における被合併法人（他社）の課税売上高」のいずれかで判定します。

合併があった場合の納税義務の判定方法（合併事業年度）

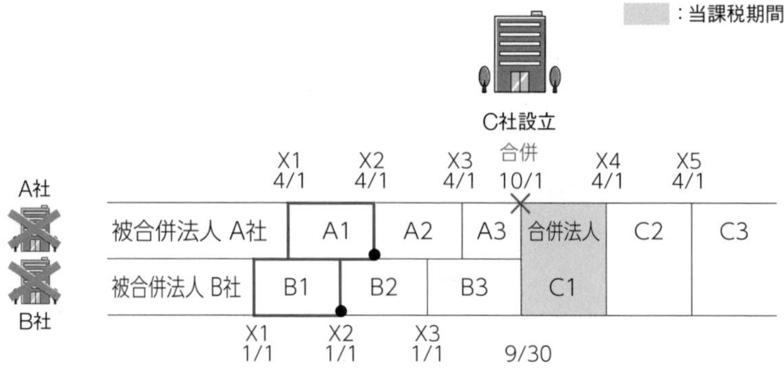

(1) 合併法人の基準期間なし

(2) 合併法人の基準期間に対応する期間における被合併法人の課税売上高のいずれかで判定

$A1 \times \frac{12}{12} \leqq$ 1,000万円、$B1 \times \frac{12}{12} \leqq$ 1,000万円

∴ 納税義務なし

$A1 \times \frac{12}{12} >$ 1,000万円 or $B1 \times \frac{12}{12} >$ 1,000万円

∴ 納税義務あり

新設合併の場合、合併法人であるC社の合併事業年度C1には基準期間が存在しません。そのため、被合併法人のA1又はB1のいずれかの課税売上高が1,000

万円超であるときは、合併事業年度C1は課税事業者となります。

(2) 基準期間に対応する期間

納税義務の判定の計算の際には、合併法人の基準期間を想定した期間をベースに、その「**基準期間に対応する期間**」は、「合併法人の合併のあった日の属する事業年度開始の日の２年前の日の前日から１年を経過する日までの間に終了した各被合併法人の各事業年度」となります。

「基準期間に対応する期間」について図解で示すと、次のとおりです。

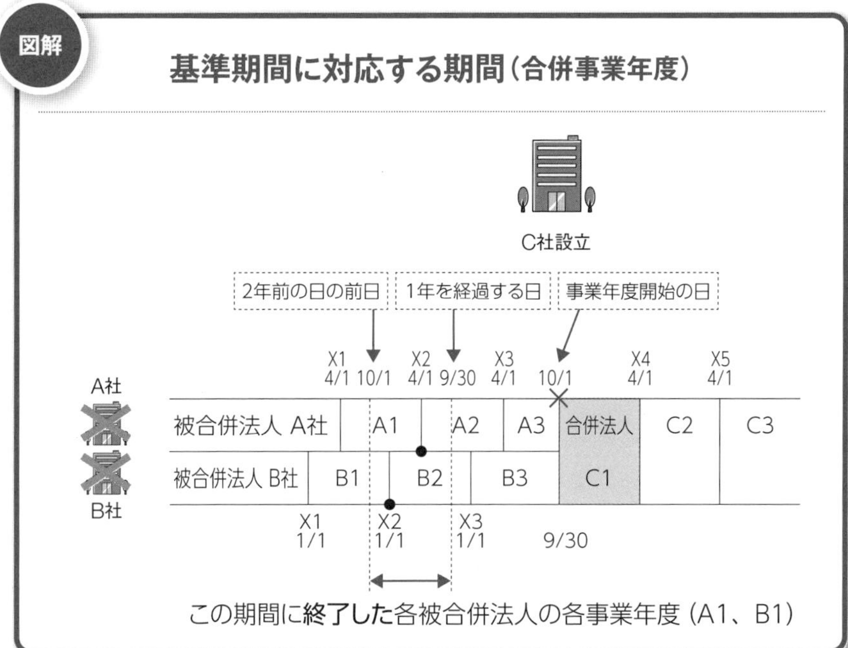

合併の場合、基準期間に対応する期間は、その期間に「終了した」各被合併法人の各事業年度となります。

新設合併の場合は、消滅する被合併法人は２つ以上ありますので、「終了した」各被合併法人の各事業年度を２つ以上探す必要があります。

合併事業年度の翌事業年度（新設合併）

(1) 納税義務の判定方法

合併事業年度の翌事業年度の納税義務の判定は、設立された合併法人（自社）の基準期間が存在しないため、「合併法人の基準期間に対応する期間における各被合併法人（他社）の課税売上高」の合計額で判定します。

図解

合併があった場合の納税義務の判定方法（合併事業年度の翌事業年度）

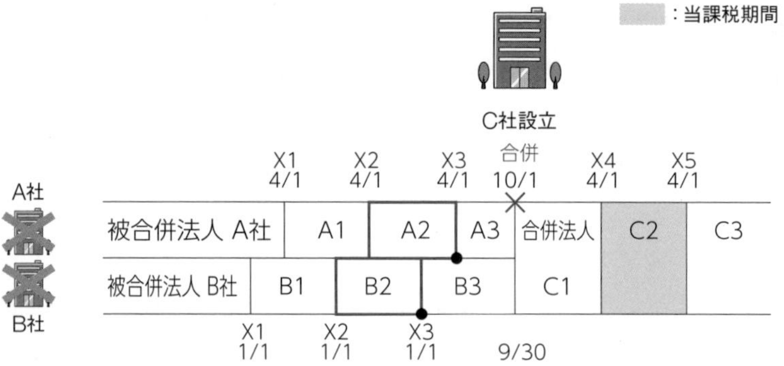

(1) 合併法人の基準期間なし

(2) 合併法人の基準期間に対応する期間における
被合併法人の課税売上高の合計額で判定

$$A2\times\frac{12}{12}+B2\times\frac{12}{12}\leqq 1{,}000\text{万円}\quad\therefore\ \text{納税義務なし}$$

$$A2\times\frac{12}{12}+B2\times\frac{12}{12}> 1{,}000\text{万円}\quad\therefore\ \text{納税義務あり}$$

新設合併の場合、合併法人C社の合併事業年度の翌事業年度C2には基準期間が存在しません。そのため、被合併法人のA2とB2の課税売上高の合計額で判定し、その金額が1,000万円超であるときは、合併事業年度の翌事業年度C2は課税事業者となります。

(2) 基準期間に対応する期間

納税義務の判定の計算の際には、合併法人の基準期間を想定した期間をベースに、その「**基準期間に対応する期間**」は、「合併法人のその事業年度開始の日の２年前の日の前日から１年を経過する日までの間に終了した各被合併法人の各事業年度」となります。

「基準期間に対応する期間」について図解で示すと、次のとおりです。

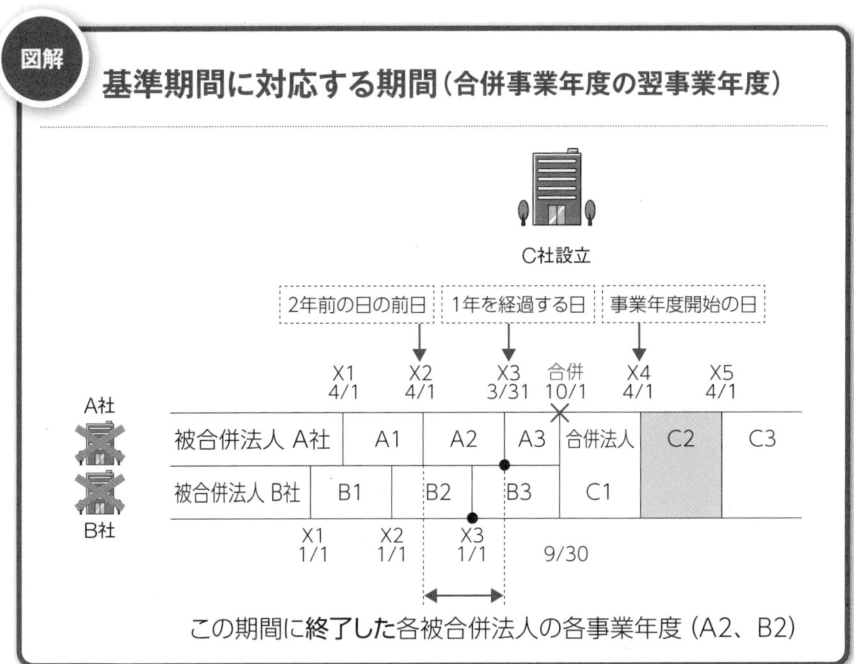

合併事業年度の翌々事業年度（新設合併）

(1) 納税義務の判定方法

合併事業年度の翌々事業年度の納税義務の判定は、設立された合併法人（自社）の基準期間が設立後はじめて存在するため、まず、「合併法人の基準期間における課税売上高」で判定します。その金額が1,000万円以下の場合、「合併法人の基準期間における課税売上高（実額）」と「合併法人の基準期間に対応する期間における各被合併法人（他社）の課税売上高」との合計額により判定します。

図解
合併があった場合の納税義務の判定方法（合併事業年度の翌々事業年度）

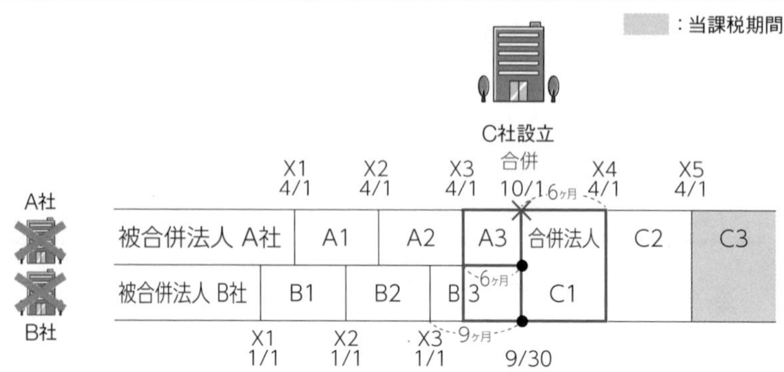

(1) 合併法人の基準期間における課税売上高で判定

$$C1 \times \frac{12}{6} \leqq 1{,}000\text{万円}$$

(2) 合併法人の基準期間における課税売上高（実額）と
合併法人の基準期間に対応する期間における
各被合併法人の課税売上高との合計額で判定

$$\underbrace{C1}_{\text{実額}} + \underbrace{A3 \times \frac{6}{6} + B3 \times \frac{6}{9}}_{\text{月数調整のみ}} \leqq 1{,}000\text{万円}$$

∴ 納税義務なし

$$\underbrace{C1}_{\text{実額}} + \underbrace{A3 \times \frac{6}{6} + B3 \times \frac{6}{9}}_{\text{月数調整のみ}} > 1{,}000\text{万円}$$

∴ 納税義務あり

合併事業年度の翌々事業年度になって、合併法人においてはじめて基準期間が存在することになります。この基準期間における課税売上高を求める際は、ボックス（基準期間）の面積を意識しましょう。

まず、合併法人の基準期間における課税売上高のみで判定する際のC1は1年未満のため年換算します。次にその金額が1,000万円以下の場合、合併法人の基準期間における課税売上高の実額とその基準期間に対応する被合併法人の課税売上高の合計額により判定しますが、C1は実額を使い、A3とB3は月数調整のみとなります。

年換算せずに、ボックスの面積を求めるイメージです。

(2) 基準期間に対応する期間

納税義務の判定の計算の際には、合併法人のその「**基準期間に対応する期間**」は、「合併法人のその事業年度開始の日の2年前の日の前日から1年を経過する日までの間に終了した各被合併法人の各事業年度」となります。

「基準期間に対応する期間」について図解で示すと、次のとおりです。

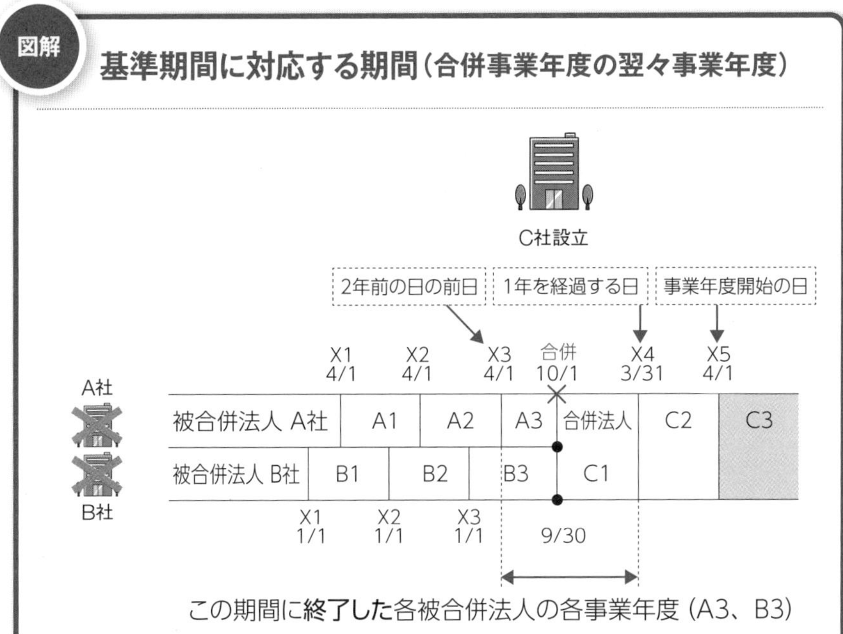

合併の場合、基準期間に対応する期間は「終了した」各被合併法人の各事業年度となります。

合併事業年度の翌事業年度と同じ考え方ですが、被合併法人の課税売上高は年換算せず月数調整のみの計算をする点が特徴です。

次の例題で、新設合併があった場合の納税義務の判定方法を確認してみましょう。

新設合併があった場合の納税義務の判定方法

問題

X3年12月1日にA社とB社は合併し、C社を設立した。

C社のC1年度からC3年度までの各課税期間における納税義務の有無を判定しなさい。

なお、「課税事業者の選択」及び「前年等の課税売上高による納税義務の免除の特例」について考慮する必要はない。

A社、B社、C社の各課税期間における課税売上高（税抜金額）は次のとおりである。

被合併法人 A社	
課　税　期　間	課税売上高
A1年度　X1年4月1日～X2年3月31日	8,400千円
A2年度　X2年4月1日～X3年3月31日	8,100千円
A3年度　X3年4月1日～X3年11月30日	4,600千円

被合併法人 B社	
課　税　期　間	課税売上高
B1年度　X1年1月1日～X1年12月31日	10,500千円
B2年度　X2年1月1日～X2年12月31日	9,600千円
B3年度　X3年1月1日～X3年11月30日	7,700千円

合併法人 C社	
課　税　期　間	課税売上高
C1年度　X3年12月1日～X4年3月31日	3,200千円
C2年度　X4年4月1日～X5年3月31日	―――
C3年度　X5年4月1日～X6年3月31日	―――

解答

● 合併事業年度（C1年度）の納税義務の判定

合併法人（C社）の基準期間が存在しないことを確認してから、「基準期間に対応する期間における各被合併法人（A社・B社）の課税売上高」で判定します。

① 合併法人（C社）の基準期間なし

② 「被合併法人（A社）」又は「被合併法人（B社）」の「合併法人の基準期間に対応する期間における課税売上高」のいずれかで判定

イ　8,400千円（A1）$\times \frac{12}{12}$ ＝8,400千円≦10,000千円

ロ　10,500千円（B1）$\times \frac{12}{12}$ ＝10,500千円＞10,000千円

∴ 納税義務あり

● 合併事業年度の翌事業年度（C2年度）の納税義務の判定

合併法人（C社）の基準期間が存在しないことを確認してから、「基準期間に対応する期間における各被合併法人（A社・B社）の課税売上高」の合計額で判定します。

① 合併法人（C社）の基準期間なし

② 被合併法人（A社）と被合併法人（B社）の「合併法人の基準期間に対応する期間における課税売上高」の合計額で判定

8,100千円（A2）$\times \frac{12}{12}$ ＋ 9,600千円（B2）$\times \frac{12}{12}$ ＝17,700千円＞10,000千円

∴ 納税義務あり

● 合併事業年度の翌々事業年度（C3年度）の納税義務の判定

まず、「合併法人（C社）の基準期間における課税売上高」で判定します。基準期間が設立事業年度にあたるため1年未満の場合には年換算します。次に、その金額が1,000万円以下の場合、「合併法人の基準期間における課税売上高（実額）」と「基準期間に対応する期間における各被合併法人（A社・B社）の課税売上高」との合計額で判定します。その際、各被合併法人の課税売上高は月数調整のみ行います。

①「合併法人（C社）の基準期間における課税売上高」で判定

$$\overset{\text{C1}}{3{,}200\text{千円}}\times\frac{12}{4}=9{,}600\text{千円}\leqq 10{,}000\text{千円}$$

②「合併法人の基準期間における課税売上高（実額）」と「被合併法人（A社）」と「被合併法人（B社）」の「合併法人の基準期間に対応する期間における課税売上高」との合計額で判定

$$\underset{\text{実額}}{\overset{\text{C1}}{3{,}200\text{千円}}}+\overset{\text{A3}}{4{,}600\text{千円}}\times\frac{8}{8}+\overset{\text{B3}}{7{,}700\text{千円}}\times\frac{8}{11}$$

$$=13{,}400\text{千円}>10{,}000\text{千円}$$

∴ 納税義務あり

【下書き】

⑧（X3 4/1～合併 12/1）　④（合併 12/1～X4 4/1）

	X1 4/1～	X2 4/1～	X3 4/1～12/1	12/1～X4 4/1	X4 4/1～X5 4/1	X5 4/1～X6 4/1
被合併法人 A社	A1 8,400	A2 8,100	A3 4,600	合併法人 C1 3,200	C2	C3
被合併法人 B社	B1 10,500	B2 9,600	B3 7,700			

B社：1/1　1/1　1/1　11/30（⑪：B3 1/1～11/30）

合併事業年度の翌々事業年度では、新設された合併法人の基準期間が設立後はじめて存在することになるため、まず「合併法人の基準期間における課税売上高」で判定します。基準期間であるC1の期間が４ヶ月となり１年未満であるため売上高を年換算します。

この金額が1,000万円以下である場合には、「合併法人の基準期間における課税売上高(実額)」C1と「合併法人の基準期間に対応する各被合併法人(他社)の課税売上高」A3とB3の合計額により判定します。この際にA3とB3は月数調整のみとなります。年換算しないことに注意しましょう。

合併があった場合の納税義務の免除の特例（新設合併の場合）について、条文では次のように規定されています。

条文 合併があった場合の納税義務の免除の特例（新設合併の場合）

◆1　合併事業年度（法11③）

新設合併があった場合において、次の要件を満たすときは、合併法人(注1)のその事業年度における**課税資産の譲渡等**(特定資産の譲渡等を除く。)及び**特定課税仕入れ**については、納税義務は免除されない。

〈要　件〉

被合併法人の**基準期間に対応する期間における課税売上高**として一定の金額の**いずれか**が**1,000万円**を超えること

(注1)課税事業者の選択により課税事業者となるものを除く。

◆2　合併事業年度後の事業年度（法11④）

その事業年度開始の日の2年前の日からその事業年度開始の日の前日までの間に新設合併があった場合において、次の要件を満たすときは、合併法人(注2)のその事業年度(注3)における**課税資産の譲渡等**(特定資産の譲渡等を除く。)及び**特定課税仕入れ**については、納税義務は免除されない。

〈要　件〉

合併法人の**基準期間における課税売上高**(基準期間中に国内において行った課税資産の譲渡等の対価の額の合計額から、売上げに係る税抜対価の返還等の金額の合計額を控除した残額)と各被合併法人の**基準期間に対応する期間における課税売上高**として一定の金額の合計額との合計額(その合併法人のその事業年度の基準期間における課税売上高がない場合等には一定の金額)が**1,000万円**を超えること

(注2)課税事業者の選択又は前年等の課税売上高による特例により課税事業者となるものを除く。

(注3)基準期間における課税売上高が**1,000万円**以下である事業年度に限る。

「納税義務は免除されない」という条文の用語の意味は、免税事業者とされない、つまり、課税事業者とするということです。

条文の適用順序に従って判定を行うことに注意しましょう。

問題 >>> 問題編の**問題10**に挑戦しましょう！

納税義務の免除の特例②
（会社分割・新設法人・高額特定資産ほか）

Chapter 18

超重要 重要

納税義務の免除の特例②（会社分割・新設法人・高額特定資産ほか）

Section

分割等により事業承継があった場合や新しく法人を設立した場合、大企業が新しく法人を設立して事業の一部を引き継がせた場合、高額特定資産を取得した場合などは、誰が消費税を納めなければならないのでしょうか。

Point Check

①分割等があった場合	分割法人・分割承継法人の納税義務の判定の際に、分割前の法人の課税売上高を考慮	②新設法人の場合	基準期間がない法人が期首資本金1,000万円以上の場合に納税義務が生じる
③特定新規設立法人の場合	特定新規設立法人とは ①基準期間がない ②期首資本金が1,000万円未満 ③その発行済株式等の50％超が他の者に保有されている ④他の者の基準期間に相当する期間における課税売上高5億円超 である法人⇒納税義務が生じる	④高額特定資産を取得した場合	高額特定資産とは、棚卸資産と調整対象固定資産のうち、税抜1,000万円以上のものをいい、高額特定資産の取得をした場合には、その資産の仕入れ等の課税期間から3年間は納税義務が生じる

会社分割があった場合の納税義務の免除の特例

会社分割とは

会社分割とは、事業分離の１つの手法であり、会社を構成するある事業を他の会社に移転することをいいます。会社分割には、**新設分割**と**吸収分割**の２つがあります。

会社分割は俗に分社とも呼ばれ、企業の不採算部門の切り離しや、異なる企業の同種部門をそれぞれ分離したのち、スケールメリットを求めるために改めて統合するなど企業組織再編の手法の１つとして用いられます。

新設分割とは、ある会社（分離元企業）がその事業を新しく設立する会社（新設会社）に承継させることをいいます。

吸収分割とは、ある会社（分離元企業）がその事業を他の会社（分離先企業）に承継させることをいいます。

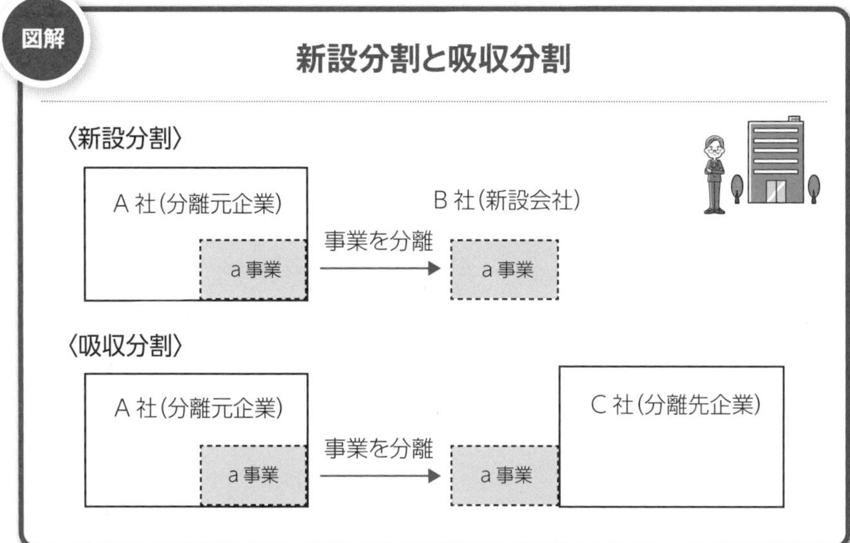

新設会社Ｂ社や分離先企業Ｃ社にとっては、分離元企業Ａ社の事業を承継したことになります。

会社分割があった場合

(1) 新設分割があった場合

新設分割があった場合、分離元企業を**新設分割親法人**といい、新設分割により設立された法人を**新設分割子法人**といいます。

新設分割により、事業を分離し、あるいは事業を承継した場合には、自社の売上高のみで納税義務の判定を行うのは不合理であるため、事業を分離した新設分割親法人及び事業を承継した新設分割子法人の双方の納税義務の判定について特例が設けられています。

具体例を示すと、次のとおりです。

図解

新設分割があった場合

（例）Ａ社は新たにＢ社を設立し、販売部門の事業を引き継がせた。

新設分割により、Ａ社が新たにＢ社を設立し、販売部門の事業を引き継がせた場合には、新設分割親法人Ａ社及び新設分割子法人Ｂ社の双方の課税売上高をそれぞれの法人の納税義務の判定の際に含めます。

(2) 吸収分割があった場合

吸収分割があった場合、分離元企業を**分割法人**といい、分離先企業を**分割承継法人**といいます。

吸収分割により、事業を承継した場合には、分割承継法人が自社の売上高のみで納税義務の判定を行うのは不合理であるため、一定期間、承継した事業の売上高も含めて納税義務の判定を行うこととなります。

具体例を示すと、次のとおりです。

図解

吸収分割があった場合

（例）A社は既存法人であるB社に、販売部門の事業を引き継がせた。

吸収分割により、A社が既存法人B社に販売部門の事業を引き継がせた場合には、分割法人A社の課税売上高を分割承継法人B社の納税義務の判定の際に含めます。

吸収分割の場合、分割法人については通常どおり納税義務の判定を行い、免除の特例はありません。

また、受験上は、新設分割のほうが出題可能性は高いでしょう。

会社分割があった場合の納税義務の免除の特例の概要

消費税法では、会社分割があった場合には、新設分割子法人、新設分割親法人、分割承継法人の納税義務の判定について特例が設けられています。

納税義務の判定は、最初に適格請求書発行事業者かどうかチェックし、適格請求書発行事業者でないときは原則として基準期間における課税売上高により行います。

基準期間における課税売上高が1,000万円以下である場合には、適格請求書発行事業者の登録を受けている場合を除き、小規模事業者に係る納税義務の免除の規定により消費税の納税義務が免除されています。

しかし、会社分割があった場合には、事業を承継した法人のみで納税義務の判定を行うと、これを利用した租税回避が行われる可能性があり不合理となります。そこで、これらの行為を防止するため、会社分割があった場合、一定の者に対して、納税義務の判定に特例が設けられています。

ここで、納税義務の全体系をもう一度確認してみましょう。

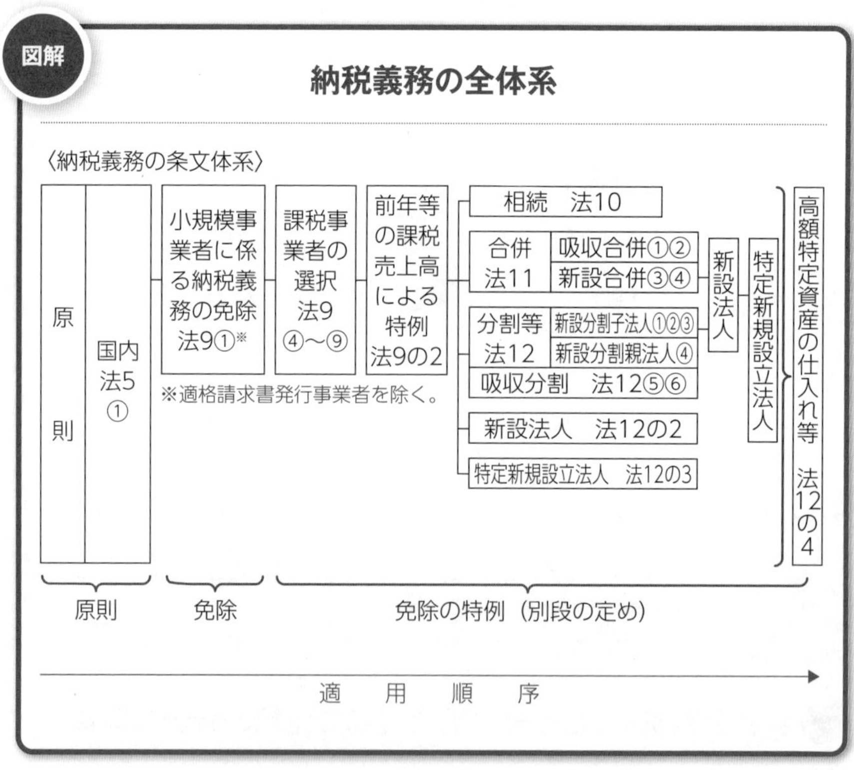

合併や分割等は法人の組織再編のひとつの手法です。合併は、事業規模の拡大や国際競争力の強化等の目的から、また、分割等は、特定の事業部門を独立させることによる経営の効率化を図るなどの目的から行われます。

消費税法において「分割等」があった場合、「新設分割親法人」「新設分割子法人」の取扱いがポイントになります。

「分割等」とは、①新設分割、②一定の現物出資、③一定の事後設立のことをいいます。ここでは、重要度の観点から、「①新設分割」を中心に説明します。

これから、いろいろな納税義務の判定の計算式が出てきますが、わからなくなったときには、組織再編の目的に立ち返って知識を整理するとよいでしょう。

新設分割があった場合の納税義務の判定方法

まず、基準期間における課税売上高が1,000万円以下であることを判定した上で、次に課税事業者選択届出書を提出していないことを確認します。さらに、特定期間における課税売上高、特定期間における支払った給与等の金額がともに1,000万円以下であり、新設分割により事業を分離し、あるいは事業を承継した場合には、新設分割があった場合の納税義務の判定を行います。

新設分割があった場合の納税義務の判定方法の学習のポイントは、次のとおりです。

図解

新設分割があった場合の納税義務の判定方法の学習のポイント

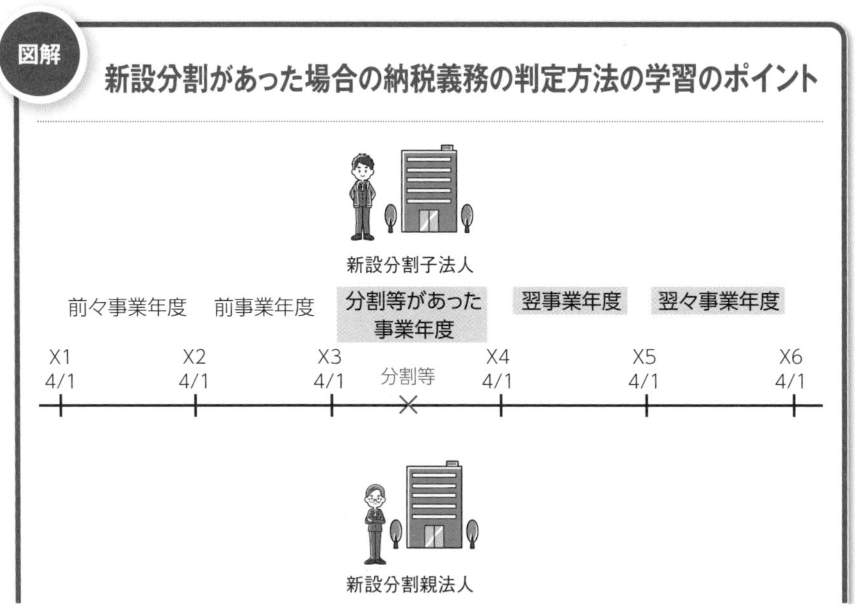

〈新設分割子法人〉

- 「分割事業年度」「翌事業年度」の納税義務の判定方法は？
- 「翌々事業年度」以後の納税義務の判定方法は？
- 納税義務の判定の際に使用する「基準期間」「基準期間に対応する期間」は、どの期間か？
- 納税義務の判定の際に使用する「基準期間における課税売上高」「基準期間に対応する期間における課税売上高」の計算方法は？

〈新設分割親法人〉

- 「翌々事業年度」以後の納税義務の判定方法は？
- 納税義務の判定の際に使用する「基準期間」「基準期間に対応する期間」は、どの期間か？
- 納税義務の判定の際に使用する「基準期間における課税売上高」「基準期間に対応する期間における課税売上高」の計算方法は？

新設分割があった場合には、主体と期間に注意して納税義務の判定を行いましょう。

具体的には、「新設分割子法人」なのか「新設分割親法人」なのか、また、「分割事業年度」「翌事業年度」なのか、あるいは、「翌々事業年度」以後なのかを、きちんと意識して計算します。

また、新設分割親法人は、「分割事業年度」「翌事業年度」については、通常どおり納税義務の判定を行うため、免除の特例はありません。

分割事業年度（新設分割子法人）

まずは、新設分割があった場合の新設分割子法人の納税義務の判定について説明します。

(1) 納税義務の判定方法

分割事業年度の納税義務の判定は、新設分割子法人（自社）の基準期間が存在しないため、「新設分割子法人の基準期間に対応する期間における新設分割親法人（他社）の課税売上高」で判定します。

新設分割があった場合の納税義務の判定方法（分割事業年度）

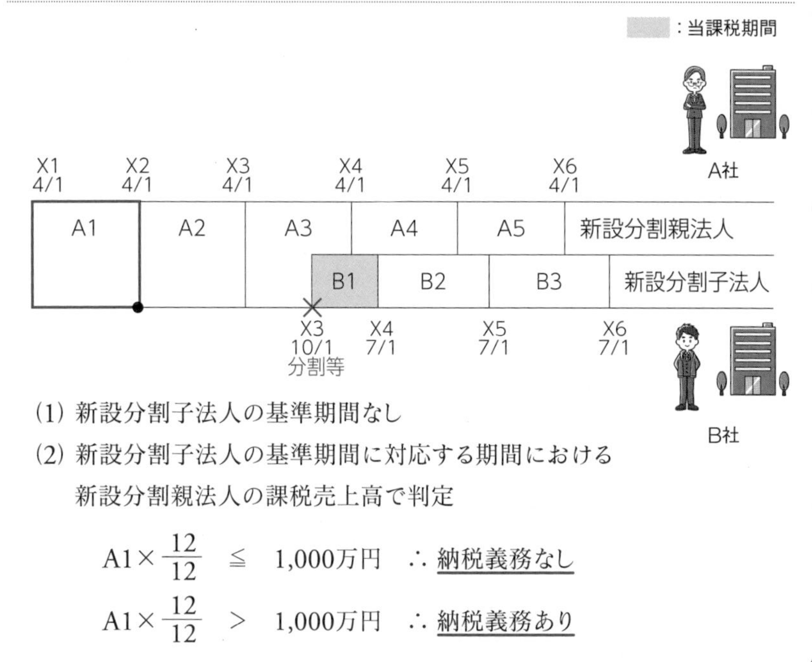

(1) 新設分割子法人の基準期間なし

(2) 新設分割子法人の基準期間に対応する期間における新設分割親法人の課税売上高で判定

$A1 \times \frac{12}{12} \leqq$ 1,000万円 ∴ 納税義務なし

$A1 \times \frac{12}{12} >$ 1,000万円 ∴ 納税義務あり

新設分割の場合、新設分割子法人B社の設立事業年度B1には基準期間が存在しません。そのため、新設分割親法人のA1における課税売上高が1,000万円超であるときは、分割事業年度B1は課税事業者となります。

法人の場合、事業年度が1年未満であることもあるので、判定の際は新設分割親法人の課税売上高に$\frac{12}{12}$を乗じて年換算します。

(2) 基準期間に対応する期間

納税義務の判定の計算の際には、新設分割子法人の基準期間を想定した期間をベースに、その「**基準期間に対応する期間**」は、「新設分割子法人の分割等があった日の属する事業年度開始の日の2年前の日の前日から1年を経過する日までの間に終了した新設分割親法人の各事業年度」となります。

「基準期間に対応する期間」について図解で示すと、次のとおりです。

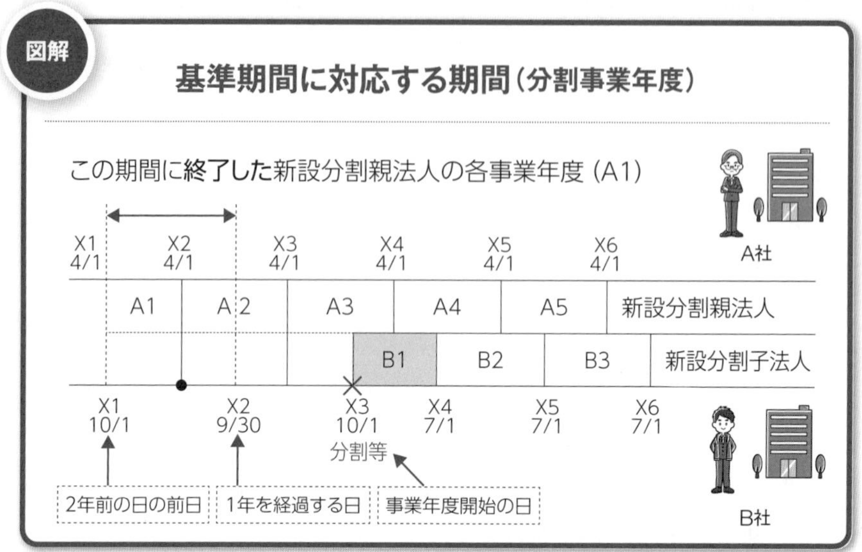

新設分割子法人の分割事業年度の基準期間に対応する期間は、新設分割親法人の「終了した」各事業年度となります。

後で説明する分割事業年度の翌々事業年度以後との違いに注意しましょう。

分割事業年度の翌事業年度（新設分割子法人）

(1) 納税義務の判定方法

分割事業年度の翌事業年度の納税義務の判定は、新設分割子法人（自社）の基準期間が存在しないため、「新設分割子法人の基準期間に対応する期間における新設分割親法人（他社）の課税売上高」で判定します。

新設分割があった場合の納税義務の判定方法（分割事業年度の翌事業年度）

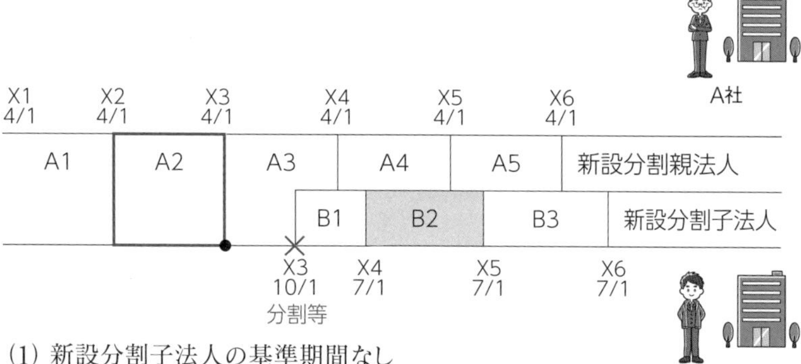

(1) 新設分割子法人の基準期間なし

(2) 新設分割子法人の基準期間に対応する期間における新設分割親法人の課税売上高で判定

$$A2 \times \frac{12}{12} \leqq 1{,}000\text{万円} \quad \therefore \text{納税義務なし}$$

$$A2 \times \frac{12}{12} > 1{,}000\text{万円} \quad \therefore \text{納税義務あり}$$

新設分割の場合、新設分割子法人B社の設立事業年度の翌事業年度B2には、まだ基準期間が存在しません。そのため、新設分割親法人のA2における課税売上高が1,000万円超であるときは、分割事業年度の翌事業年度B2は課税事業者となります。

新設分割子法人の分割事業年度の考え方と同じになります。

(2) 基準期間に対応する期間

納税義務の判定の計算の際には、新設分割子法人の基準期間を想定した期間をベースに、その「**基準期間に対応する期間**」は、「新設分割子法人のその事業年度開始の日の２年前の日の前日から１年を経過する日までの間に終了した新設分割親法人の各事業年度」となります。

「基準期間に対応する期間」について図解で示すと、次のとおりです。

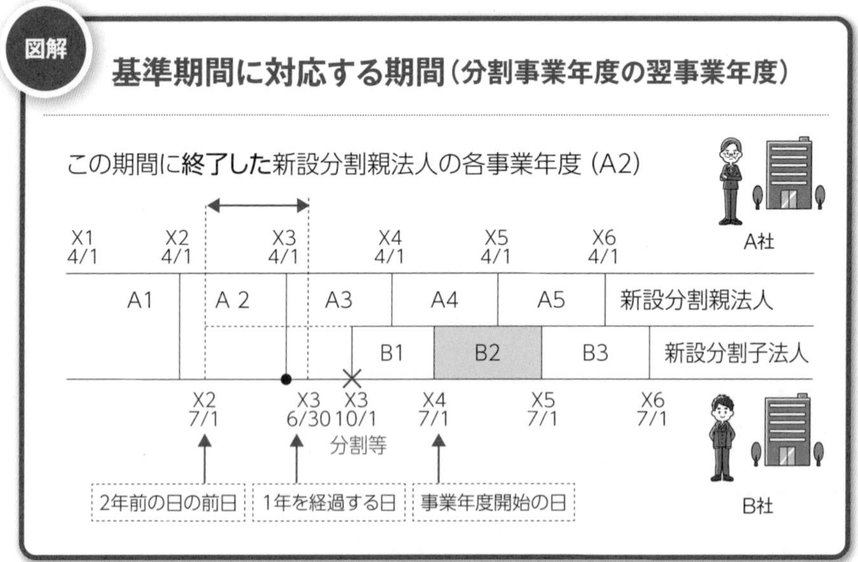

新設分割子法人の分割事業年度の翌事業年度の基準期間に対応する期間は、新設分割親法人の「終了した」各事業年度となります。つまり、新設分割子法人の分割事業年度の考え方と同じになります。

後で説明する分割事業年度の翌々事業年度以後との違いに注意しましょう。

分割事業年度の翌々事業年度以後（新設分割子法人）

(1) 特定要件

分割事業年度の翌々事業年度以後の納税義務の判定は、まず、新設分割子法人の基準期間の末日において、新設分割子法人の発行済株式の総数の**50%超**が新設分割親法人の所有に属するなど**特定要件**を満たしていることを確認します。

特定要件のイメージは、次のとおりです。

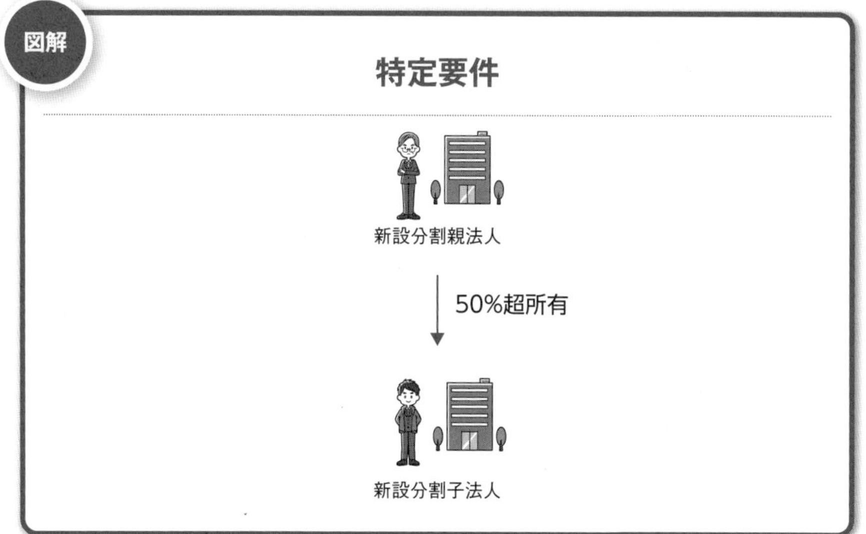

特定要件を満たす場合、新設分割子法人は新設分割親法人に支配されています。つまり、新設分割親法人は新設分割子法人に対して影響力を持つことになります。

(2) 納税義務の判定方法

特定要件を満たしている場合、免除の特例の適用対象となり、納税義務の判定方法は次のとおりです。

「新設分割子法人（自社）の基準期間における課税売上高」が1,000万円以下の場合、「新設分割子法人（自社）の基準期間における課税売上高」と「新設分割子法人の基準期間に対応する期間における新設分割親法人（他社）の課税売上高」との合計額により判定します。

図解

新設分割があった場合の納税義務の判定方法（分割事業年度の翌々事業年度）

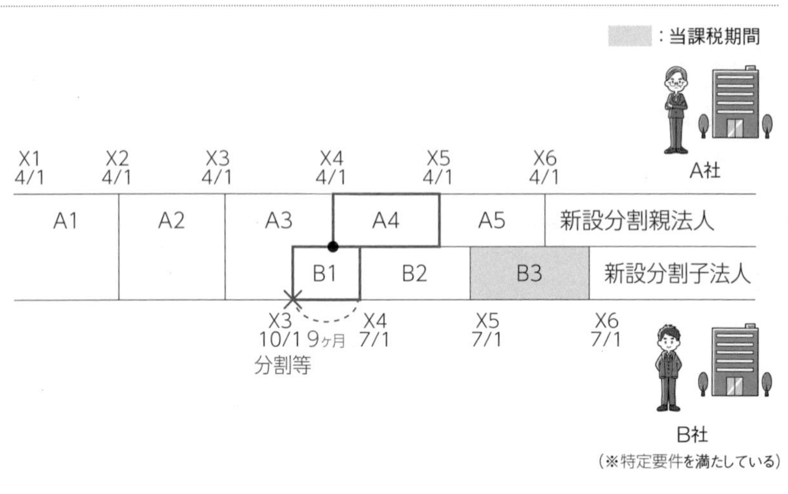

(1) 新設分割子法人の基準期間における課税売上高で判定

$$B1 \times \frac{12}{9} \leqq 1{,}000\text{万円}$$

(2) 新設分割子法人の基準期間における課税売上高と新設分割子法人の基準期間に対応する期間における新設分割親法人の課税売上高との合計額で判定

$$B1 \times \frac{12}{9} + A4 \times \frac{12}{12} \leqq 1{,}000\text{万円}$$ ∴ 納税義務なし

$$B1 \times \frac{12}{9} + A4 \times \frac{12}{12} > 1{,}000\text{万円}$$ ∴ 納税義務あり

分割事業年度の翌々事業年度以後になって、はじめて新設分割子法人の基準期間が存在します。まず、新設分割子法人の基準期間における課税売上高のみで判定する際、B1の課税売上高を年換算します。次に、その金額が1,000万円以下の場合、新設分割子法人の基準期間における課税売上高B1とその基準期間に対応する期間の新設分割親法人の課税売上高A4の合計額により判定します。

事業を分離し事業規模を小さくして租税回避させないために、新設分割親法人が仮に事業を分離しなかったら、どのくらいの課税売上高があるのか、といった観点から納税義務の有無を判定するためB1とA4を合計します。

(3) 基準期間に対応する期間

納税義務の判定の計算の際には、新設分割子法人の基準期間をベースに、その「**基準期間に対応する期間**」は、「新設分割子法人のその事業年度開始の日の2年前の日の前日から1年を経過する日までの間に開始した新設分割親法人の各事業年度」となります。

「基準期間に対応する期間」について図解で示すと、次のとおりです。

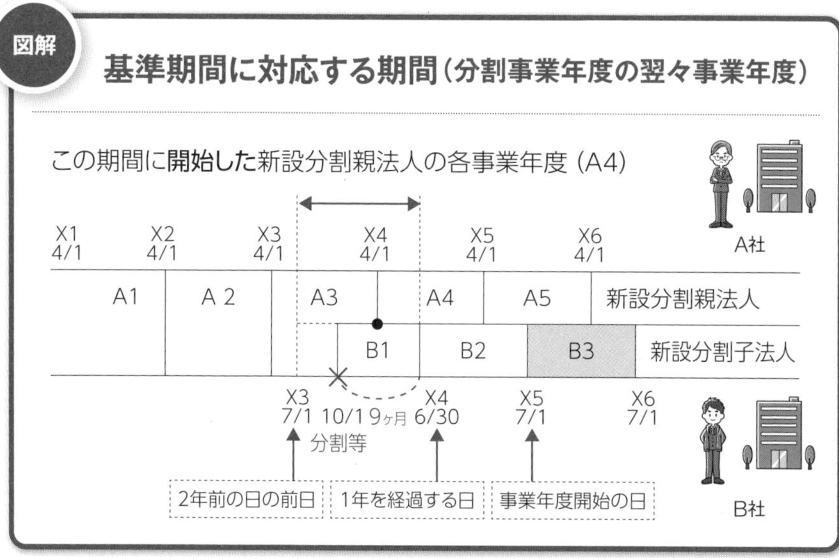

新設分割子法人の分割事業年度の翌々事業年度以後の基準期間に対応する期間は、新設分割親法人の「開始した」各事業年度となります。

(4) 特定事業年度中に分割等があった場合

新設分割子法人の分割事業年度の翌々事業年度の基準期間に対応する期間を新設分割親法人の**特定事業年度**といいますが、この特定事業年度中に分割等があった場合には、新設分割子法人の課税売上高を計算する際に、さらに月数調整を行います。

特定事業年度中に分割等があった場合

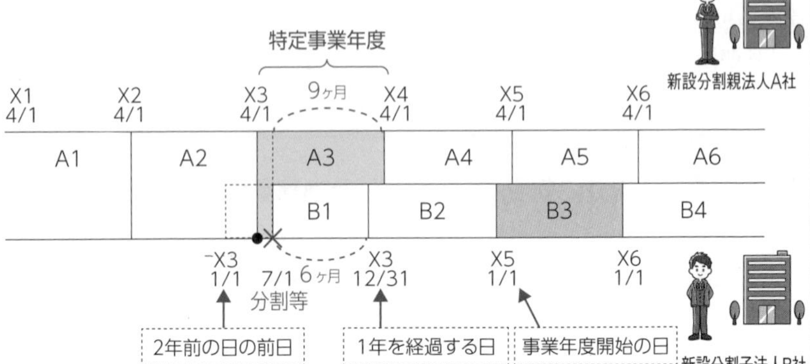

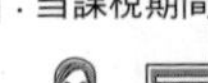

(1) 新設分割子法人の基準期間における課税売上高で判定

$$B1 \times \frac{12}{6} \leqq 1{,}000\text{万円}$$

(2) 新設分割子法人の基準期間における課税売上高と
新設分割子法人の基準期間に対応する期間における
新設分割親法人の課税売上高の合計額で判定

$$\underbrace{B1 \times \frac{12}{6} \times \frac{9}{12}}_{\text{年換算後、月数調整}} + A3 \times \frac{12}{12} \leqq 1{,}000\text{万円} \quad \therefore \text{納税義務なし}$$

$$\underbrace{B1 \times \frac{12}{6} \times \frac{9}{12}}_{\text{年換算後、月数調整}} + A3 \times \frac{12}{12} > 1{,}000\text{万円} \quad \therefore \text{納税義務あり}$$

新設分割子法人の課税売上高B1を計算する際に、新設分割親法人の特定事業年度の期間に合わせるため、さらにB1を月数調整することがポイントです。

この処理は、特定事業年度中に分割等があった場合、つまり分割事業年度の翌々事業年度の場合にのみ出てくることがありますので注意しましょう。

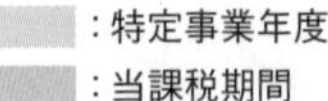

分割事業年度の翌々事業年度以後（新設分割親法人）

次に、新設分割があった場合の新設分割親法人の納税義務の判定について説明します。

(1) 納税義務の判定方法

新設分割親法人は、分割事業年度及び翌事業年度については、通常どおり納税義務の判定を行います。

翌々事業年度以後については、免除の特例規定が設けられており、その処理については次のとおりです。

分割事業年度の翌々事業年度の納税義務の判定は、まず、新設分割親法人の基準期間の末日において新設分割子法人が**特定要件**に該当していることを確認します。次に「新設分割親法人（自社）の基準期間における課税売上高」が1,000万円以下の場合、「新設分割親法人（自社）の基準期間における課税売上高」と「新設分割親法人の基準期間に対応する期間における新設分割子法人（他社）の課税売上高」との合計額により判定します。

図解　新設分割があった場合の納税義務の判定方法（分割事業年度の翌々事業年度以後）

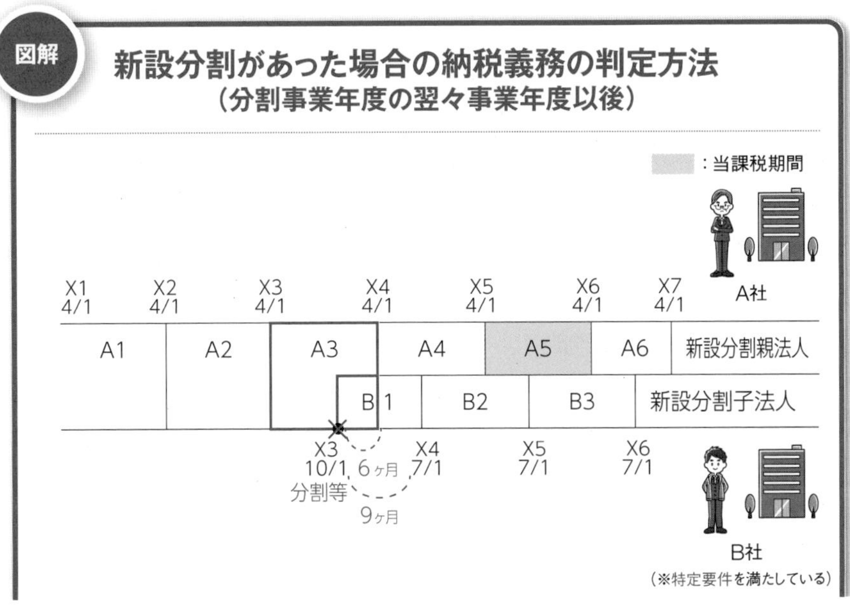

(1) 新設分割親法人の基準期間における課税売上高で判定

A3　≦　1,000万円

(2) 新設分割親法人の基準期間における課税売上高と新設分割親法人の基準期間に対応する期間における新設分割子法人の課税売上高との合計額で判定

$$A3 + B1 \times \underbrace{\frac{12}{9} \times \frac{6}{12}}_{\text{年換算後、月数調整}} \leqq 1{,}000\text{万円} \quad \therefore \text{納税義務なし}$$

$$A3 + B1 \times \underbrace{\frac{12}{9} \times \frac{6}{12}}_{\text{年換算後、月数調整}} > 1{,}000\text{万円} \quad \therefore \text{納税義務あり}$$

まず、新設分割親法人の基準期間における課税売上高のみで判定する際、A3の金額は自社のものなので基準期間であるA3が１年であれば、年換算せずそのまま使用します。次にその金額が1,000万円以下の場合、新設分割親法人の基準期間における課税売上高A3と、その基準期間に対応する新設分割子法人の課税売上高B1を年換算後、月数調整した金額との合計額により判定します。

新設分割親法人が仮に事業を分離しなかったら、どのくらいの課税売上高があるのか、といった観点から納税義務の有無を判定するためA3とB1を合計します。

ただし、A6以降の新設分割親法人の納税義務の判定については、新設分割子法人の課税売上高について月数調整を行いませんので注意しましょう。

(2) 基準期間に対応する期間

納税義務の判定の計算の際には、新設分割親法人の基準期間をベースに、その「**基準期間に対応する期間**」は、「新設分割親法人のその事業年度開始の日の２年前の日の前日から１年を経過する日までの間に開始した新設分割子法人の各事業年度」となります。

「基準期間に対応する期間」について図解で示すと、次のとおりです。

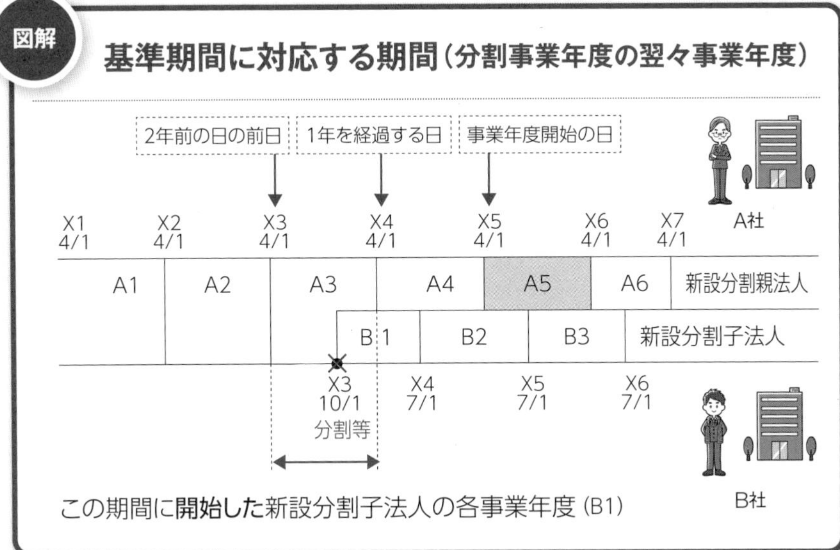

新設分割親法人の分割事業年度の翌々事業年度以後の基準期間に対応する期間は、新設分割子法人の「開始した」各事業年度となります。

次の例題で、新設分割があった場合の納税義務の判定方法を確認してみましょう。

例題

新設分割があった場合の納税義務の判定方法

問題

A社はX3年10月１日に、新設分割（消費税法第12条第７項第１号に規定する新設分割をいう。）によりB社を設立した。

この場合において、A社のA3年度からA6年度までの各課税期間及びB社のB1年度からB4年度までの各課税期間における納税義務の有無を判定しなさい。

なお、「課税事業者の選択」及び「前年等の課税売上高による納税義務の免除の特例」について考慮する必要はない。

A、B両社の各課税期間における課税売上高（税抜金額）は次のとおりである。

新設分割親法人 A社	
課　税　期　間	課税売上高
A1年度　X1年４月１日～X2年３月31日	11,100千円
A2年度　X2年４月１日～X3年３月31日	10,500千円
A3年度　X3年４月１日～X4年３月31日	7,000千円
A4年度　X4年４月１日～X5年３月31日	7,200千円
A5年度　X5年４月１日～X6年３月31日	7,500千円
A6年度　X6年４月１日～X7年３月31日	―――

新設分割子法人 B社	
課　税　期　間	課税売上高
B1年度　X3年10月１日～X4年９月30日	2,100千円
B2年度　X4年10月１日～X5年９月30日	4,500千円
B3年度　X5年10月１日～X6年９月30日	―――
B4年度　X6年10月１日～X7年９月30日	―――

※　B社は特定要件を満たしているものとする。

解答

● **新設分割子法人の分割事業年度（B1年度）の納税義務の判定**

新設分割子法人（自社）の基準期間が存在しないことを確認してから、「基準期間に対応する期間における新設分割親法人（他社）の課税売上高」で判定します。

① 新設分割子法人（B社）の基準期間なし

② 新設分割親法人の「新設分割子法人の基準期間に対応する期間における課税売上高」で判定

$$\overset{\text{A1}}{11{,}100\text{千円}} \times \frac{12}{12} = 11{,}100\text{千円} > 10{,}000\text{千円} \qquad \therefore \underline{\text{納税義務あり}}$$

● 新設分割子法人の分割事業年度の翌事業年度（B2年度）の納税義務の判定

新設分割子法人（自社）の基準期間が存在しないことを確認してから、「基準期間に対応する期間における新設分割親法人（他社）の課税売上高」で判定します。

① 新設分割子法人（B社）の基準期間なし

② 新設分割親法人の「新設分割子法人の基準期間に対応する期間における課税売上高」で判定

$$\overset{A2}{10{,}500\text{千円}}\times\frac{12}{12}=10{,}500\text{千円}>10{,}000\text{千円}\qquad\therefore\ \underline{\text{納税義務あり}}$$

● 新設分割子法人の分割事業年度の翌々事業年度（B3年度）の納税義務の判定

「新設分割子法人（自社）の基準期間における課税売上高」で判定し、1,000万円以下の場合には、「新設分割子法人（自社）の基準期間における課税売上高」と「新設分割子法人の基準期間に対応する期間における新設分割親法人（他社）の課税売上高」との合計額で判定します。

①「新設分割子法人（自社）の基準期間における課税売上高」で判定

$$\overset{B1}{2{,}100\text{千円}}\leqq 10{,}000\text{千円}$$

②「新設分割子法人（自社）の基準期間における課税売上高」と「新設分割子法人の基準期間に対応する期間における新設分割親法人（他社）の課税売上高」との合計額で判定

$$\overset{B1}{2{,}100\text{千円}}+\overset{A4}{7{,}200\text{千円}}\times\frac{12}{12}=9{,}300\text{千円}\leqq 10{,}000\text{千円}$$

$\therefore$ <u>納税義務なし</u>

● 新設分割子法人の分割事業年度の翌々々事業年度（B4年度）の納税義務の判定

分割事業年度の翌々事業年度（B3年度）の納税義務の判定と同じ考え方で判定します。

①「新設分割子法人（自社）の基準期間における課税売上高」で判定

$$\overset{B2}{4{,}500\text{千円}}\leqq 10{,}000\text{千円}$$

②「新設分割子法人（自社）の基準期間における課税売上高」と「新設分割子法人の基準期間に対応する期間における新設分割親法人（他社）の課税売上高」との合計額で判定

B2　　　　A5
4,500千円＋7,500千円×$\frac{12}{12}$＝12,000千円＞10,000千円

∴ 納税義務あり

● 新設分割親法人の分割事業年度（A3年度）の納税義務の判定

通常どおり、新設分割親法人（自社）の基準期間における課税売上高で判定します。

A1
11,100千円＞10,000千円　∴ 納税義務あり

● 新設分割親法人の分割事業年度の翌事業年度（A4年度）の納税義務の判定

A2
10,500千円＞10,000千円　∴ 納税義務あり

● 新設分割親法人の分割事業年度の翌々事業年度（A5年度）の納税義務の判定

「新設分割親法人（自社）の基準期間における課税売上高」で判定し1,000万円以下の場合には、「新設分割親法人（自社）の基準期間における課税売上高」と「新設分割親法人の基準期間に対応する期間における新設分割子法人（他社）の課税売上高」との合計額で判定します。その際、新設分割子法人の課税売上高は年換算してさらに月数調整を行います。

①「新設分割親法人（自社）の基準期間における課税売上高」で判定

A3
7,000千円≦10,000千円

②「新設分割親法人（自社）の基準期間における課税売上高」と「新設分割親法人の基準期間に対応する期間における新設分割子法人（他社）の課税売上高」との合計額で判定

A3　　　　B1
7,000千円＋2,100千円×$\frac{12}{12}$×$\frac{6}{12}$＝8,050千円≦10,000千円

∴ 納税義務なし

● 新設分割親法人の分割事業年度の翌々事業年度（A6年度）の納税義務の判定

基本的には、分割事業年度の翌々事業年度（A5年度）の納税義務の判定と同じ考え方で判定します。その際、新設分割子法人の課税売上高を年換算します。月数調整は行いません。

①「新設分割親法人（自社）の基準期間における課税売上高」で判定

A4
7,200千円≦10,000千円

②「新設分割親法人（自社）の基準期間における課税売上高」と「新設分割親法人の基準期間に対応する期間における新設分割子法人（他社）の課税売上高」との**合計額**で判定

A4　　　　B2

$$7{,}200\text{千円}+4{,}500\text{千円}\times\frac{12}{12}=11{,}700\text{千円}>10{,}000\text{千円}$$

∴ <u>納税義務あり</u>

【下書き】

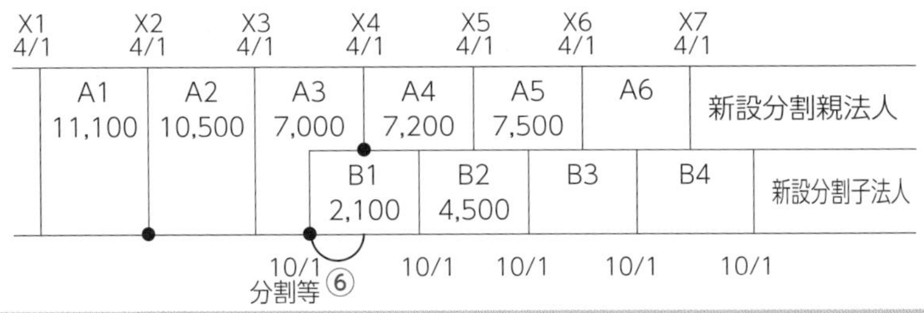

会社分割があった場合については、新設分割親法人と新設分割子法人で「基準期間に対応する期間」の考え方が異なりますので注意が必要です。ボックスを描いて資料を丁寧に整理して問題を解く練習をしましょう。

会社分割があった場合の納税義務の免除の特例（分割等の場合）の新設分割子法人について、条文では次のように規定されています。

条文

会社分割があった場合の納税義務の免除の特例（分割等の場合）～新設分割子法人～

◆1　分割事業年度（法12①）

分割等があった場合において、次の要件を満たすときは、新設分割子法人（注1）の分割等があった日からその事業年度終了の日までの間における**課税資産の譲渡等**（特定資産の譲渡等を除く。）及び**特定課税仕入れ**については、納税義務は免除されない。

〈要　件〉

新設分割親法人の**基準期間に対応する期間における課税売上高**として一定の金額（注2）が**1,000万円**を超えること

（注1）課税事業者の選択により課税事業者となるものを除く。

（注2）新設分割親法人が2以上ある場合には、いずれかの新設分割親法人に係るその金額。

◆2　分割事業年度の翌事業年度（法12②）

その事業年度開始の日の1年前の日の前日からその事業年度開始の日の前日までの間に分割等があった場合において、次の要件を満たすときは、新設分割子法人（注3）のその事業年度における**課税資産の譲渡等**（特定資産の譲渡等を除く。）及び**特定課税仕入れ**については、納税義務は免除されない。

〈要　件〉

新設分割親法人の**基準期間に対応する期間における課税売上高**として一定の金額（注2）が**1,000万円**を超えること

（注3）課税事業者の選択又は前年等の課税売上高による特例により課税事業者となるものを除く。

◆3　分割事業年度の翌々事業年度以後（法12③）

その事業年度開始の日の1年前の日の前々日以前に分割等（注4）があった場合において、次の要件を満たすときは、新設分割子法人（注3）のその事業年度（注5）における**課税資産の譲渡等**（特定資産の譲渡等を除く。）及び**特定課税仕入れ**については、納税義務は免除されない。

〈要　件〉

イ　その事業年度の基準期間の末日において新設分割子法人が**特定要件**に該当すること

ロ　新設分割子法人の**基準期間における課税売上高**として一定の金額と新設分割親法人の**基準期間に対応する期間における課税売上高**として一定の金額との合計額が**1,000万円**を超えること

（注4）新設分割親法人が2以上ある場合を除く。

（注5）基準期間における課税売上高が**1,000万円**以下である事業年度に限る。

◆ 4　分割等（法12⑦）

分割等とは、次のものをいう。
① **新設分割**
② 一定の**現物出資**
③ 一定の**事後設立**

◆ 5　特定要件（法12③）

新設分割子法人の発行済株式又は出資（自己の株式又は出資を除く。）の総数又は総額の**50%超**が新設分割親法人及びその特殊関係者の所有に属する場合等であることをいう。

新設分割子法人の翌々事業年度以後の判定のときに「特定要件」を確認することを忘れないようにしましょう。「特定要件」を満たさない場合は、通常どおりの判定となります。

また、会社分割があった場合の納税義務の免除の特例（分割等の場合）の新設分割親法人について、条文では次のように規定されています。

条文

会社分割があった場合の納税義務の免除の特例（分割等の場合）～新設分割親法人～

◆　新設分割親法人（法12④）

その事業年度開始の日の1年前の日の前々日以前に分割等（注4）があった場合において、次の要件を満たすときは、新設分割親法人（注3）のその事業年度（注5）における**課税資産の譲渡等**（特定資産の譲渡等を除く。）及び**特定課税仕入れ**については、納税義務は免除されない。

〈要　件〉

イ　その事業年度の基準期間の末日に新設分割子法人が**特定要件**に該当すること

ロ　新設分割親法人の**基準期間における課税売上高**と新設分割子法人の**基準期間に対応する期間における課税売上高**として一定の金額との合計額が**1,000万円**を超えること

問題 >>> 問題編の**問題1**に挑戦しましょう！

吸収分割があった場合の納税義務の判定方法

次に、吸収分割があった場合の納税義務の判定方法について説明します。

吸収分割とは、ある会社がその事業を他の会社に承継させることをいいましたね。Section①で新設分割と吸収分割について、学習しました。

吸収分割があった場合の納税義務の判定方法の学習のポイントは、次のとおりです。

まず、基準期間における課税売上高が1,000万円以下であることを判定した上で、次に課税事業者選択届出書を提出していないことを確認します。さらに、特定期間における課税売上高、特定期間における支払った給与等の金額がともに1,000万円以下であり、吸収分割により分割法人の事業の一部を承継した場合には、吸収分割があった場合の納税義務の判定を行います。

図解 吸収分割があった場合の納税義務の判定方法の学習のポイント

〈分割承継法人〉

分割承継法人

前々事業年度	前事業年度	吸収分割があった事業年度	翌事業年度	翌々事業年度

X1 4/1　X2 4/1　X3 4/1　吸収分割　X4 4/1　X5 4/1　X6 4/1

- 「吸収分割事業年度」の納税義務の判定方法は？
- 「翌事業年度」の納税義務の判定方法は？
- 「翌々事業年度」の納税義務の判定方法は？
- 納税義務の判定の際に使用する「基準期間」・「基準期間に対応する期間」は、どの期間か？
- 納税義務の判定の際に使用する「基準期間における課税売上高」・「基準期間に対応する期間における課税売上高」の計算方法は？

吸収分割があった場合は、分割承継法人のみ免除の特例が設けられています。分割法人については免除の特例はありません。

吸収分割事業年度（分割承継法人）

(1) 納税義務の判定方法

吸収分割事業年度の納税義務の判定は、分割承継法人（自社）の基準期間における課税売上高が1,000万円以下の場合、「分割承継法人の基準期間に対応する期間における分割法人（他社）の課税売上高」で判定します。

図解

吸収分割があった場合の納税義務の判定方法（吸収分割事業年度）

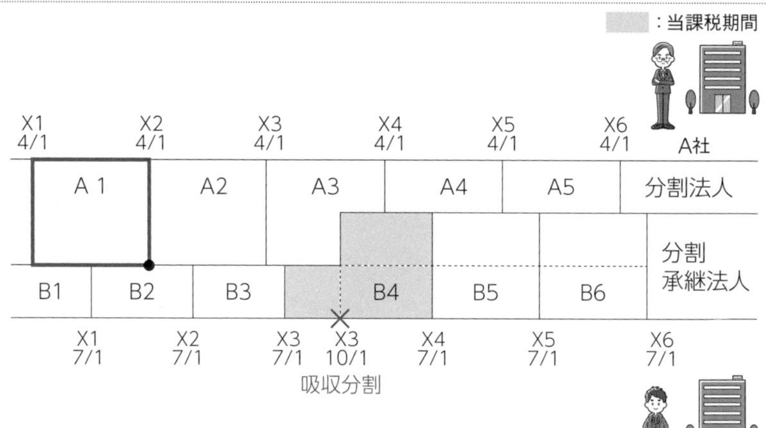

(1) 分割承継法人の基準期間における課税売上高

B2　≦　1,000万円

(2) 分割承継法人の基準期間に対応する期間における分割法人の課税売上高で判定

$$A1 \times \frac{12}{12} \leqq 1{,}000\text{万円}$$ ∴ 納税義務なし

$$A1 \times \frac{12}{12} > 1{,}000\text{万円}$$ ∴ X3. 7/1～9/30　納税義務なし

X3. 10/1～X4. 6/30

納税義務あり

分割承継法人のB2の課税売上高が1,000万円以下の場合、分割法人のA1の課税売上高で判定します。分割法人のA1の課税売上高が1,000万円超であるときは、吸収分割前が免税事業者で吸収分割後が課税事業者となります。

法人の場合、事業年度が1年未満であることもあるので、判定の際は分割法人（他社）の課税売上高を年換算することも忘れないようにしましょう。
図解のボックスでは、計算で使用する期間に●を付け□で囲んでいます。

(2) 基準期間に対応する期間

納税義務の判定の計算の際には、分割承継法人の基準期間をベースに、その**「基準期間に対応する期間」**は、「分割承継法人の吸収分割があった日の属する事業年度開始の日の2年前の日の前日から1年を経過する日までの間に終了した分割法人の各事業年度」となります。

「基準期間に対応する期間」について図解で示すと、次のとおりです。

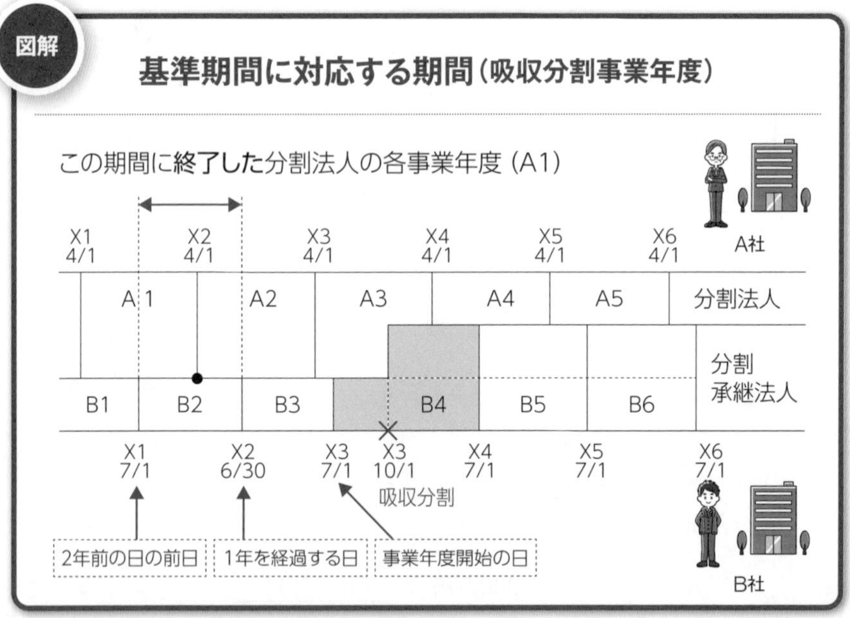

分割承継法人の吸収分割事業年度の基準期間に対応する期間は、分割法人の「終了した」各事業年度となります。

吸収分割事業年度の翌事業年度（分割承継法人）

(1) 納税義務の判定方法

吸収分割事業年度の翌事業年度の納税義務の判定は、分割承継法人（自社）の基準期間における課税売上高が1,000万円以下の場合、「分割承継法人の基準期間に対応する期間における分割法人（他社）の課税売上高」で判定します。

吸収分割があった場合の納税義務の判定方法
（吸収分割事業年度の翌事業年度）

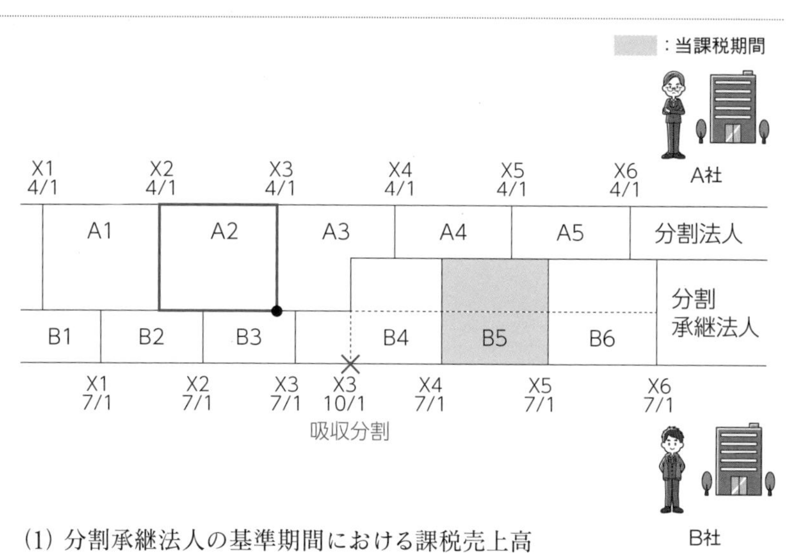

(1) 分割承継法人の基準期間における課税売上高

B3 ≦ 1,000万円

(2) 分割承継法人の基準期間に対応する期間における分割法人の課税売上高で判定

$A2 \times \frac{12}{12}$ ≦ 1,000万円 ∴ 納税義務なし

$A2 \times \frac{12}{12}$ ＞ 1,000万円 ∴ 納税義務あり

分割承継法人のB3の課税売上高が1,000万円以下の場合、分割法人のA2の課税売上高で判定します。分割法人のA2の課税売上高が1,000万円超であるときは、吸収分割事業年度の翌事業年度B5は課税事業者となります。

ここでは、分割承継法人の課税売上高と分割法人の課税売上高を合計しないことがポイントです。

(2) 基準期間に対応する期間

納税義務の判定の計算の際には、分割承継法人の基準期間をベースに、その「**基準期間に対応する期間**」は、「分割承継法人のその事業年度開始の日の２年前の日の前日から１年を経過する日までの間に終了した分割法人の各事業年度」となります。

図解 基準期間に対応する期間（吸収分割事業年度の翌事業年度）

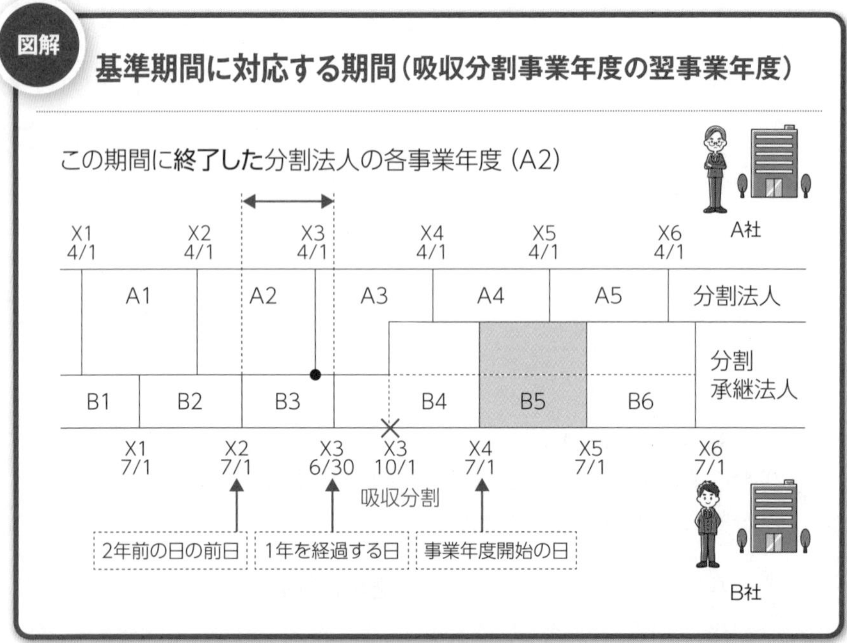

分割承継法人の吸収分割事業年度の翌事業年度の基準期間に対応する期間は、分割法人の「終了した」各事業年度となります。

吸収分割事業年度の翌々事業年度（分割承継法人）

分割承継法人の納税義務の免除の特例は、吸収分割事業年度及び翌事業年度まで適用され、翌々事業年度には適用されません。

吸収分割があったために、途中から規模が大きくなった「分割承継法人」の納税義務の判定については、一定期間の特例が設けられています。
なお、受験上は、分割等の論点に関しては新設分割の方が重要です。

吸収分割があった場合の分割法人の取扱い

分割法人については、納税義務の免除の特例の規定はありません。

会社分割があった場合の納税義務の免除の特例（吸収分割の場合）について、条文では次のように規定されています。

条文

会社分割があった場合の納税義務の免除の特例（吸収分割の場合）

◆ 1　吸収分割事業年度（法12⑤）

吸収分割があった場合において、次の要件を満たすときは、分割承継法人（注1）のその事業年度（注2）のその吸収分割があった日からその事業年度終了の日までの間における**課税資産の譲渡等**（特定資産の譲渡等を除く。）及び**特定課税仕入れ**については、納税義務は免除されない。

〈要　件〉

分割法人の**基準期間に対応する期間における課税売上高**として一定の金額（注3）が**1,000万円**を超えること

（注1）課税事業者の選択又は前年等の課税売上高による特例により課税事業者となるものを除く。

（注2）基準期間における課税売上高が**1,000万円**以下である事業年度に限る。

（注3）分割法人が2以上ある場合には、いずれかの分割法人に係るその金額。

◆ 2　吸収分割事業年度の翌事業年度（法12⑥）

その事業年度開始の日の1年前の日の前日からその事業年度開始の日の前日までの間に吸収分割があった場合において、次の要件を満たすときは、分割承継法人（注1）のその事業年度（注2）における**課税資産の譲渡等**（特定資産の譲渡等を除く。）及び**特定課税仕入れ**については、納税義務は免除されない。
〈要　件〉
分割法人の**基準期間に対応する期間における課税売上高**として一定の金額（注3）が**1,000万円を超えること**

問題 >>> 問題編の**問題2**に挑戦しましょう！

事業承継があった場合の税額控除と納税義務の関係

相続、合併、分割等の事業承継があった場合の税額控除と納税義務の関係について、相続があった場合を例に挙げてまとめると、次のとおりです。

プラスα　相続、合併、分割等の事業承継があった場合の注意点

● 売上げに係る対価の返還等に係る消費税額の控除

被相続人により行われた課税売上げにつき、相続人が売上げに係る対価の返還等をした場合には、相続人において税額控除を行う。

【具体例】

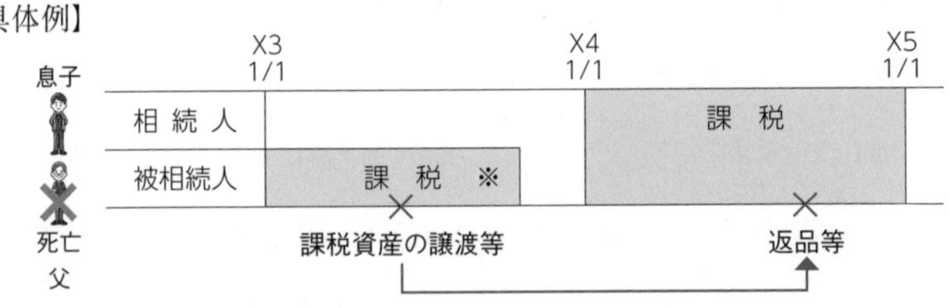

相続人が行った課税資産の譲渡等について返品等を受けたものとみなして税額控除を行う。

※　納税義務との関係

＜ケース１＞被相続人が課税事業者→税額控除等を行う。

＜ケース２＞被相続人が免税事業者→税額控除を行わない。(注)

(注) 課税売上割合の計算では、課税売上対価の返還等を控除する際に考慮する。ただし、課税資産の譲渡等を行ったときに免税事業者であるため税抜き修正は不要。

● 貸倒れに係る消費税額の控除等

① 被相続人が行った課税売上げにつき、相続後に貸倒れの事実が生じた場合には、相続人において税額控除を行う。

【具体例】　貸倒れ

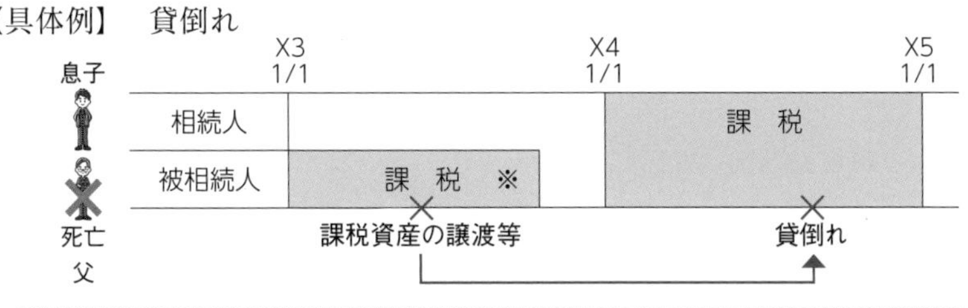

相続人が課税資産の譲渡等を行ったものとみなして税額控除を行う。

※　納税義務との関係

＜ケース１＞被相続人が課税事業者→税額控除を行う。

＜ケース２＞被相続人が免税事業者→税額控除を行わない。

② 被相続人が貸倒れの規定の適用を受けた債権につき、相続人が回収した場合には、相続人において貸倒回収の処理を行う。

【具体例】　貸倒回収

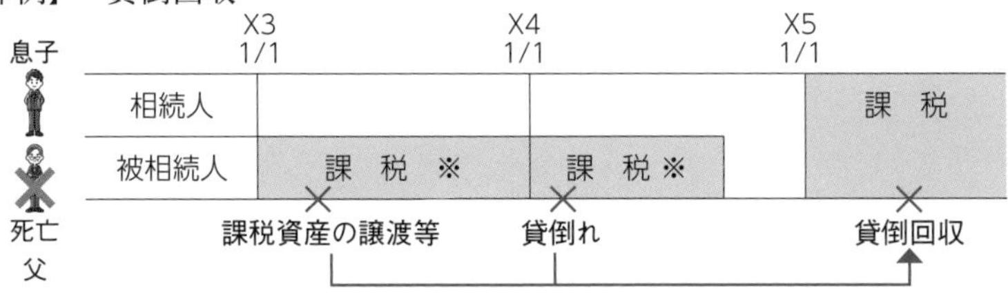

相続人が貸倒れの規定の適用を受けたものとみなして貸倒回収の処理をする。

※　納税義務との関係

＜ケース１＞被相続人が課税事業者→貸倒回収の処理を行う。

＜ケース２＞被相続人が免税事業者→貸倒回収の処理を行わない。

● 調整対象固定資産の調整

① 著しい変動

下記の具体例について次の４要件を満たした場合には、相続人の当期（X4.1.1からX4.12.31まで）において著しい変動の規定が適用される。

なお、相続があった日はX2.5.31とする。

イ　被相続人が調整対象固定資産を購入
ロ　X2.1.1からX2.5.31までの期間において、比例配分法により税額計算
ハ　第3年度の課税期間（X4.1.1～X4.12.31）の末日において相続人が保有
ニ　課税売上割合が著しく変動

【具体例１】　相続人が従前から課税事業者の場合

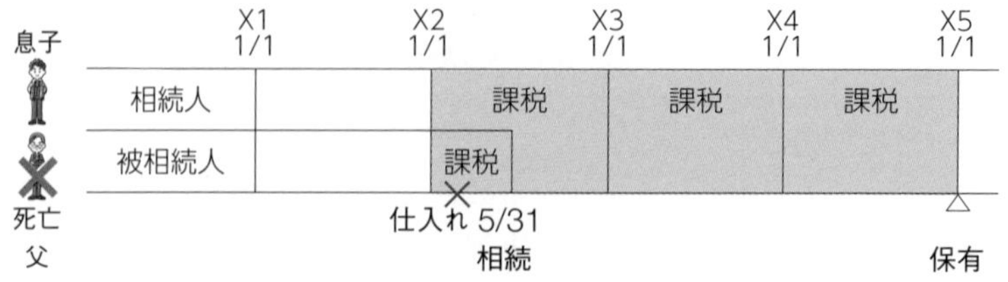

【具体例２】　相続人が相続により課税事業者となった場合

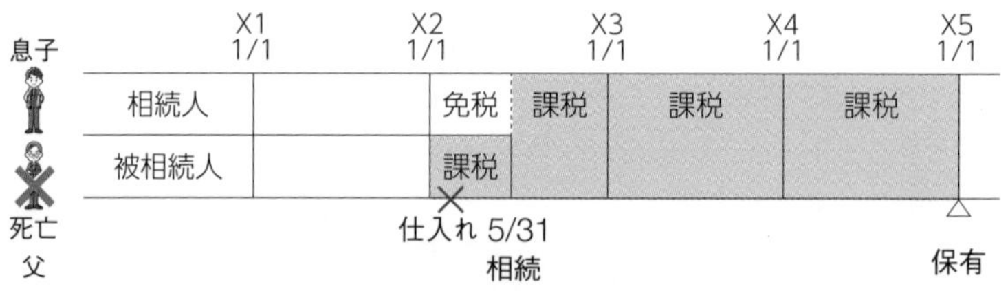

② 転　用

下記の具体例について次の３要件を満たした場合には、相続人の当期（X4.1.1からX4.12.31まで）において転用の規定が適用される。

なお、相続があった日はX3.5.31とする。

イ　被相続人が調整対象固定資産を購入
ロ　個別対応方式のＡ対応又はＢ対応により税額計算
ハ　課税仕入れの日又は保税地域からの引取りの日から３年以内に相続人がＢ対応又はＡ対応に転用

【具体例】

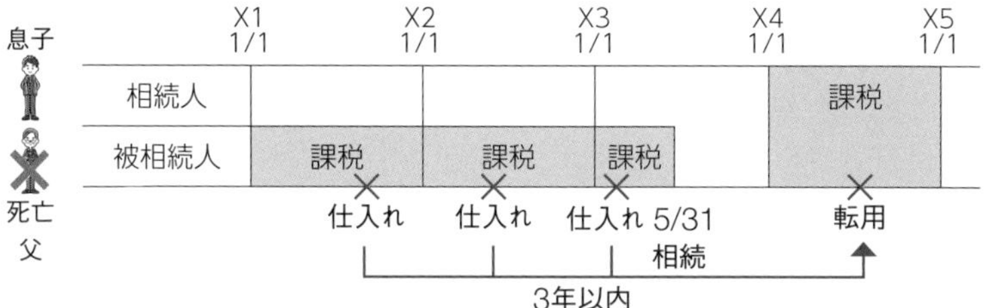

● **棚卸資産の調整**

① 課税事業者が免税事業者の事業を承継した場合

事業承継により、**引き継いだ被相続人の棚卸資産**について調整を行う。

【具体例】

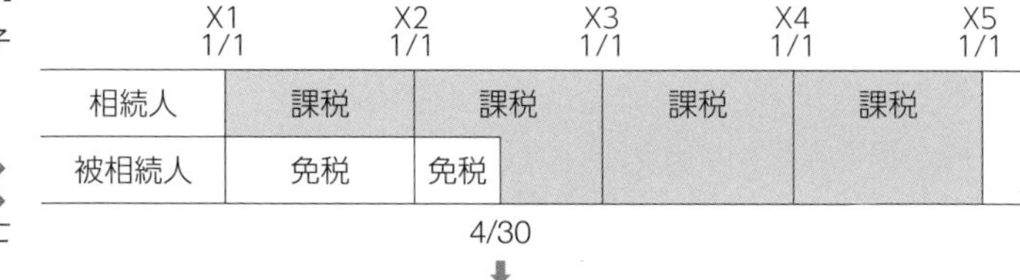

※ 調整の対象となるのは、**引き継いだ棚卸資産**のみである。

② 免税事業者が事業承継により課税事業者となる場合

事業承継により、課税事業者となる日の前日に有していた**相続人の棚卸資産**について調整を行う。

【具体例】

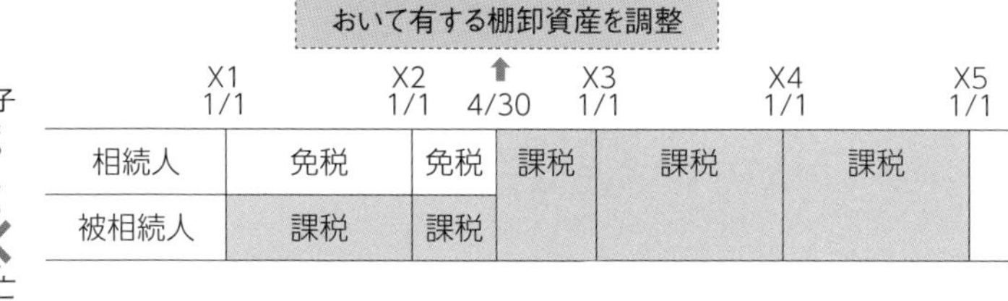

※ 調整の対象となるのは、**自己が相続開始の直前に有していた棚卸資産**のみである。

● 仕入れに係る対価の返還等

被相続人が行った課税仕入れ又は特定課税仕入れにつき、相続人が仕入れに係る対価の返還等を受けた場合には、原則として相続人において仕入れに係る対価の返還等の処理を行う。

【具体例】

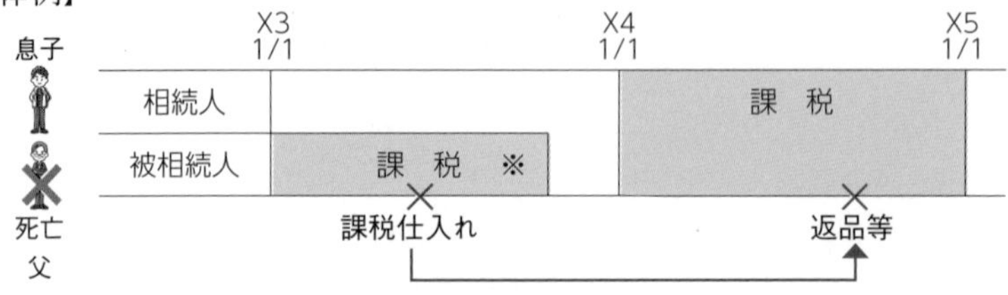

相続人が行った課税仕入れ等について返品をしたものとみなして仕入れに係る対価の返還等の処理を行う。

※　納税義務との関係

＜ケース１＞被相続人が課税事業者→仕入れに係る対価の返還等の処理を行う。

＜ケース２＞被相続人が免税事業者→仕入れに係る対価の返還等の処理は行わない。(注)

(注) ただし、前期の免税事業者であったときに仕入れた棚卸資産につき期首棚卸資産の調整を行い、当期の課税事業者のときに、その資産につき返品等があった場合には、当期において仕入れに係る対価の返還等の処理を行う。

上の具体例は、相続があった場合を前提に説明していますが、他の事業承継についても、基本的には同じ考え方となります。

新設法人の納税義務の免除の特例

趣　旨

消費税の納税義務は、原則として基準期間における課税売上高により判定します。法人の場合、基準期間はその事業年度の前々事業年度となりますので、新たに設立された法人の設立第１期及び第２期については、基準期間が存在しないため、納税義務が免除されることになっています。

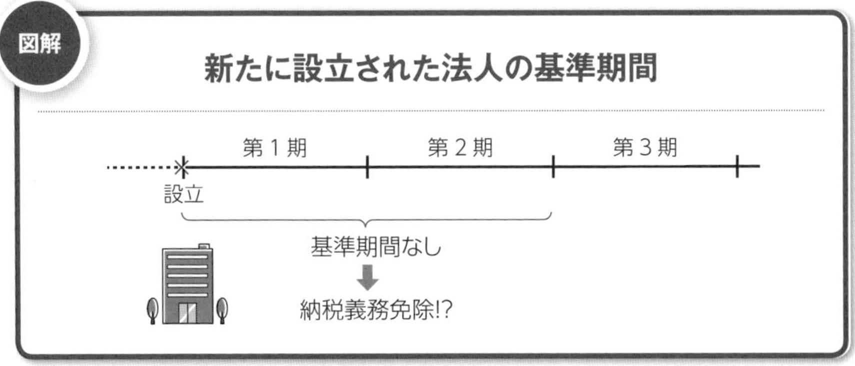

しかしながら、設立当初から相当の事業規模を有する法人の場合に、基準期間がない事業年度について基準期間における課税売上高がないことを理由に納税義務を免除することは課税の公平を図る上で不合理となります。

そこで、基準期間における課税売上高以外で納税義務を判定する新たな特例が設けられました。

この特例を**新設法人の納税義務の免除の特例**といい、その事業規模を表わす尺度として**資本金の額**又は出資の金額により納税義務の判定を行うことになります。

この規定は、法人にのみ適用され、個人事業者については適用されていません。

なお、近年では、外国法人が日本国内に進出し、事業活動を行うことも珍しくありません。

このような場合、外国法人の日本国内での事業開始時における資本金の額または出資の金額により納税義務の判定を行います。まとめると次のとおりです。

プラスα 基準期間を有する外国法人の場合

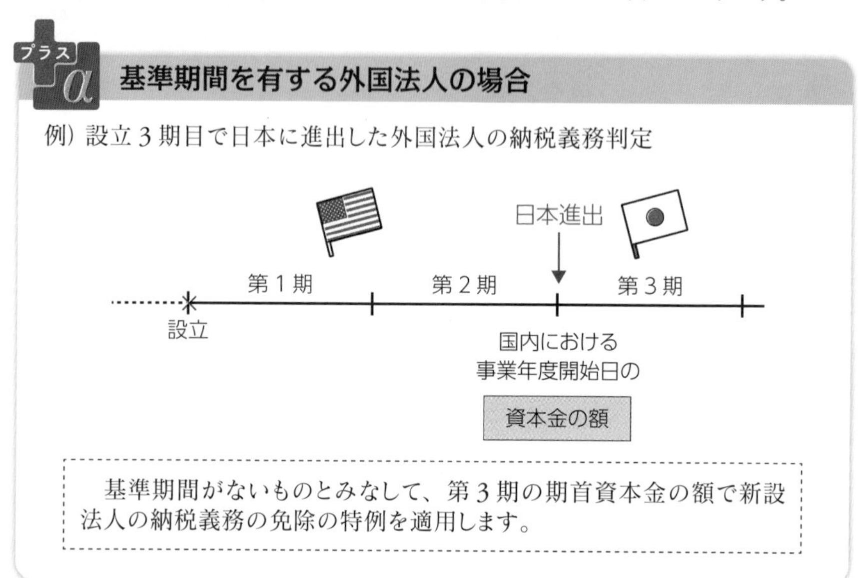

例）設立３期目で日本に進出した外国法人の納税義務判定
日本進出
第１期
第２期
第３期
設立
国内における
事業年度開始日の
資本金の額
基準期間がないものとみなして、第３期の期首資本金の額で新設法人の納税義務の免除の特例を適用します。

図解 納税義務の全体系

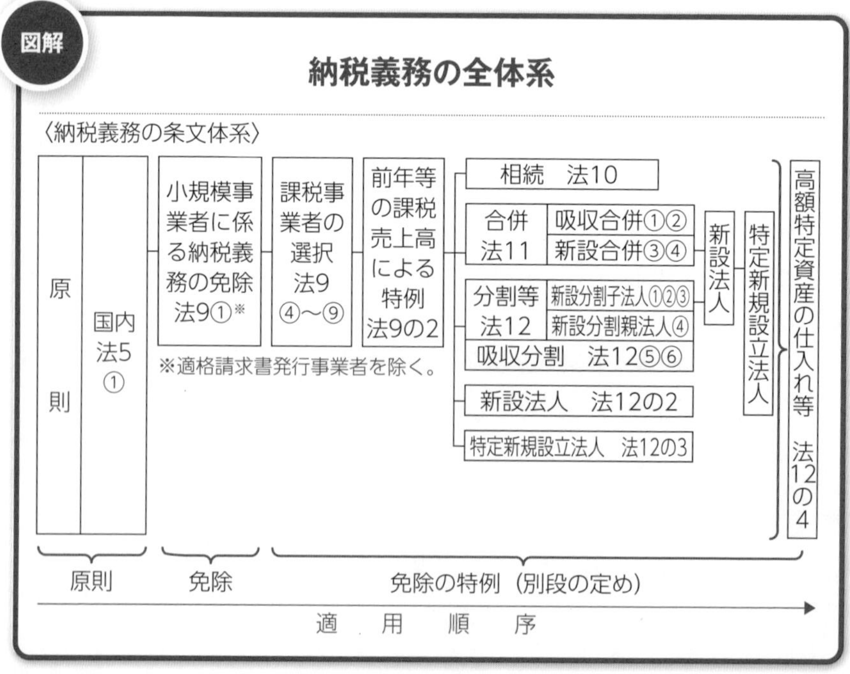

「基準期間がない場合」とは、「設立第１期、第２期」の法人です。
今まで学習してきた範囲内では「新設合併により設立された合併法人の第１期、第２期」と「分割等により設立された新設分割子法人の第１期、第２期」が「基準期間がない場合」となります。
また、納税義務の免除の特例を解説するにあたり、本書においては、事業者が適格請求書発行事業者ではないことを前提としています。

新設法人の意義

新設法人とは、その事業年度の**基準期間がなく**、かつ、その事業年度開始の日における**資本金の額**又は出資の金額が**1,000万円以上である法人**のことをいいます。

なお、非課税資産の譲渡等を行うことを目的として設立された社会福祉法人等については、この規定は適用されません。

新設法人について、条文では次のように規定されています。

条文

新設法人（法12の2①）

その事業年度の**基準期間**がない法人(注1)のうち、その**事業年度開始の日**における**資本金の額**又は出資の金額が**1,000万円**以上である法人をいう。
(注1) 社会福祉法人等を除く。

社会福祉法人とは、社会福祉事業を行うことを目的として設立される法人です。具体的には、特別養護老人ホーム、障害者支援施設、保育所などを運営する事業や訪問介護サービスなどを提供する事業を行う法人のことです。

新設法人の納税義務の免除の特例

新しく設立された法人であり、基準期間がないことを確認し、期首資本金により納税義務の判定を行います。

図解

新設法人の納税義務の有無の判定

(1) 基準期間なし

(2) 期首資本金　○○○　≧　1,000万円　　∴ 納税義務あり

　　　　　　　　○○○　＜　1,000万円　　∴ 納税義務なし

(1) 第１期から新設法人に該当する場合

新設法人の納税義務の判定については、具体的には以下のような順序で行います。第１期から新設法人に該当する場合については、次のとおりです。

図解

第１期から新設法人に該当する場合

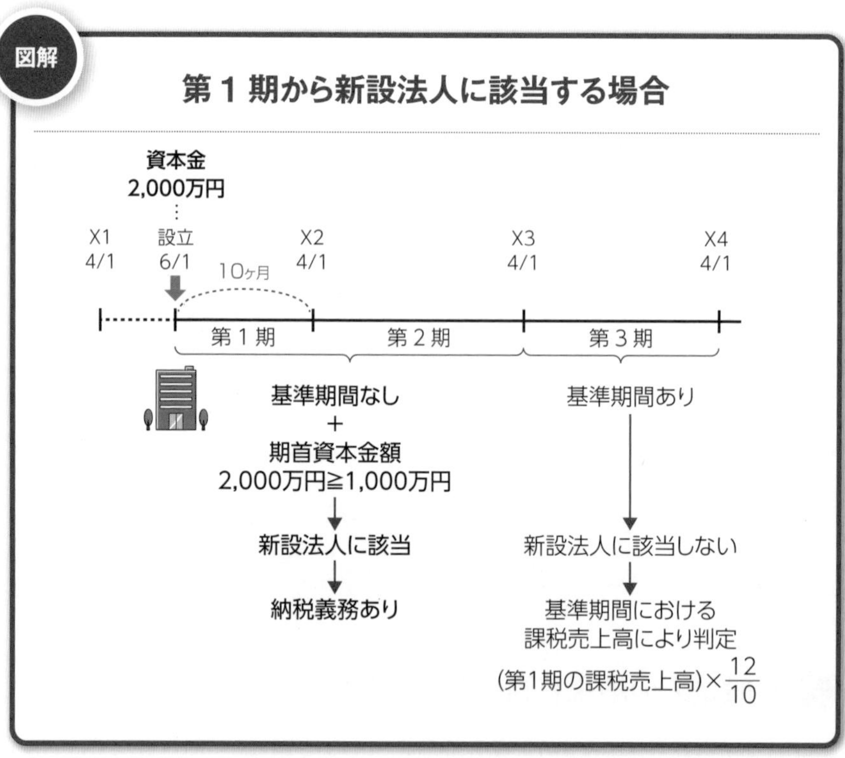

郵便はがき

料金受取人払郵便

神田局
承認
5767

差出有効期間
2026年7月31
日まで

切手不要

101-8739

108

東京都千代田区神田三崎町3-2-18
資格の学校TAC
カスタマーセンター
資料請求係 行

このハガキで「最新資料」の資料請求ができます

住所	□□□-□□□□ 都道府県			
名前	フリガナ	電話番号 ( )		
E-mail	@ ※メールで資格や講座に関する情報を希望される方はご記入ください。	性別 男・女	生年月日（西暦） 年 月 日	
職業	19.会社員 50.学生 90.その他（ ）			
ご希望の項目に✓印をご記入ください。	□ TAC税理士講座案内 資料請求			
現在の学習状況について該当する項目に✓印をご記入ください。	□ TACで学習している			
	□ 独学で学習している			
	□ 他のスクールで学習している			

※必要事項を記入のうえ、ご投函ください。

2025年版 TAC出版

第１期・第２期においては基準期間がなく、期首資本金が2,000万円であり1,000万円以上であるため、第１期・第２期において新設法人に該当し、第１期・第２期ともに納税義務があります。

第３期は新設法人に該当しないため、原則どおり、基準期間における課税売上高により納税義務を判定します。

(2) 第２期から新設法人に該当する場合

続いて、第２期から新設法人に該当する場合については、次のとおりです。

図解

第２期から新設法人に該当する場合

	X1 4/1	設立 6/1（資本金700万円）	11/20 増資300万円	X2 4/1（資本金1,000万円）	X3 4/1	X4 4/1

第１期	第２期	第３期
基準期間なし ＋ 期首資本金額 700万円<1,000万円 ↓ 新設法人に該当しない ↓ 納税義務なし	**基準期間なし** ＋ **期首資本金額** **1,000万円≧1,000万円** ↓ **新設法人に該当** ↓ **納税義務あり**	基準期間あり ↓ 新設法人に該当しない ↓ 基準期間における 課税売上高により判定 (第１期の課税売上高)×$\frac{12}{10}$

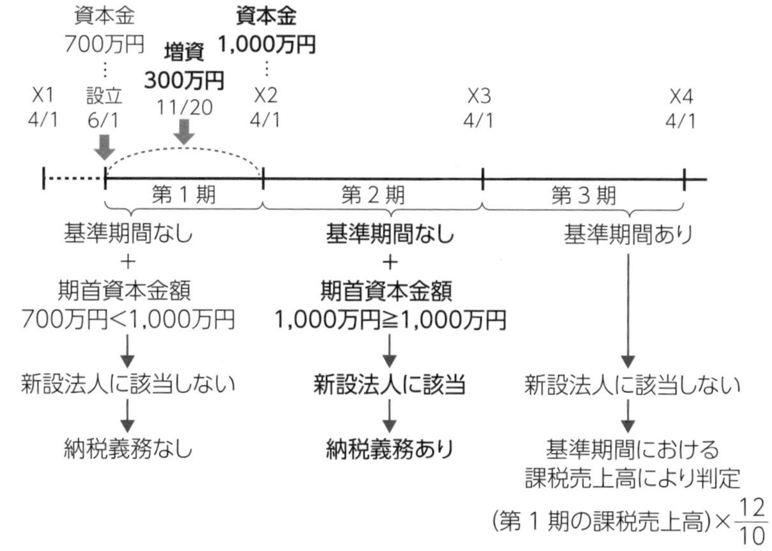

第１期においては基準期間がなく、期首資本金が700万円であり1,000万円未満であるため、第１期は新設法人に該当せず納税義務はありません。

また、第２期においては基準期間がなく、X1年11/20に300万円増資したため、期首であるX2年4/1における資本金額が1,000万円となり1,000万円以上であるため、第２期は新設法人に該当し納税義務があります。

第３期は新設法人に該当しないため、原則どおり、基準期間における課税売上高により納税義務を判定します。

その際、基準期間である第１期が納税義務のない免税事業者であれば、基準期間における課税売上高の計算において税抜処理する必要はありません。納税義務の判定の根拠となる期間が課税事業者なのか、免税事業者なのかをチェックするようにしましょう。

(3) 新たに法人を設立した場合の納税義務の判定のまとめ

納税義務の判定は、条文の適用順序に従って行います。最初に適格請求書発行事業者かどうかチェックし、適格請求書発行事業者でないときは、基準期間における課税売上高が1,000万円以下であることを判定した上で、次に課税事業者選択届出書を提出していないことを確認します。さらに前年等の課税売上高による特例、新設合併、分割等の特例を適用しない場合、新設法人の納税義務の免除の特例により納税義務の判定を行います。まとめると、次のとおりです。

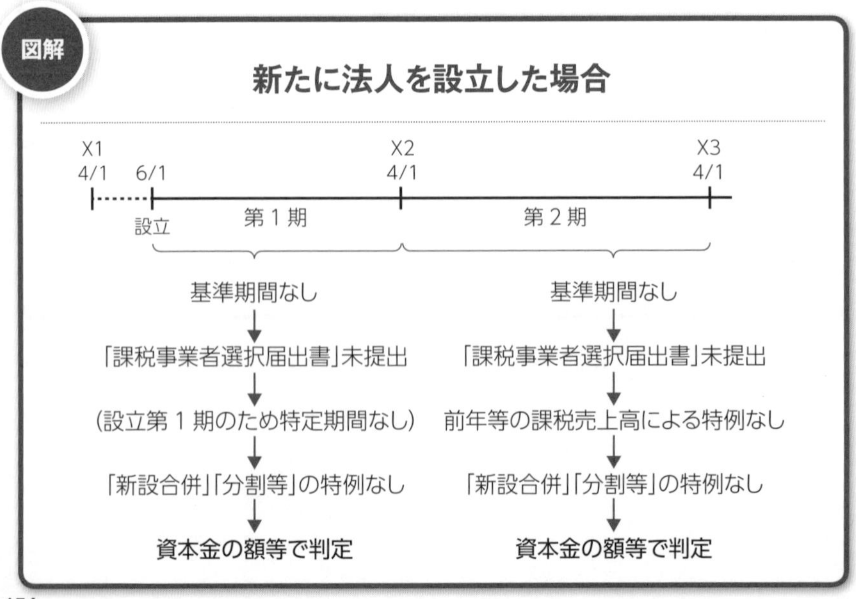

納税義務の判定の際は、条文の適用順序に気をつけましょう。
なお、個人事業者の法人成りにより、新たに設立された法人の場合、その「個人事業者」の基準期間における課税売上高又は特定期間における課税売上高は、その「法人」の基準期間における課税売上高又は特定期間における課税売上高とはなりませんので注意しましょう。

新設法人の納税義務の免除の特例について、条文では次のように規定されています。

条文

新設法人の納税義務の免除の特例（法12の2①）

新設法人の**基準期間**がない事業年度に含まれる各課税期間(注1)における**課税資産の譲渡等**(特定資産の譲渡等を除く。)及び**特定課税仕入れ**については、納税義務は免除されない。

(注1) 課税事業者の選択、前年等の課税売上高による特例、新設合併、分割等の特例により課税事業者となる課税期間を除く。

新設法人が調整対象固定資産の仕入れ等を行った場合

(1) 新設法人が調整対象固定資産の仕入れ等を行った場合

新設法人がその基準期間がない課税期間中に調整対象固定資産の仕入れ等を行った場合には、一定の課税期間、課税事業者となります。

新設法人が調整対象固定資産の仕入れ等を行った場合

新設法人が、その基準期間がない事業年度に含まれる各課税期間（注）中に調整対象固定資産の仕入れ等を行った場合には、その仕入れ等の日の属する課税期間からその課税期間の初日から３年を経過する日の属する課税期間までの各課税期間における課税資産の譲渡等及び特定課税仕入れについては、納税義務は免除されません。

（注）簡易課税の適用を受ける課税期間を除く。
（＝原則課税を適用している課税期間に限る。）

〈ケース１〉　設立第１期に調整対象固定資産の仕入れ等をした場合

３年間課税事業者
資本金 1,000万円
設立
X1
4/1
①
X2
4/1
X3
4/1
②
X4
4/1
③
調整対象固定資産の仕入れ等

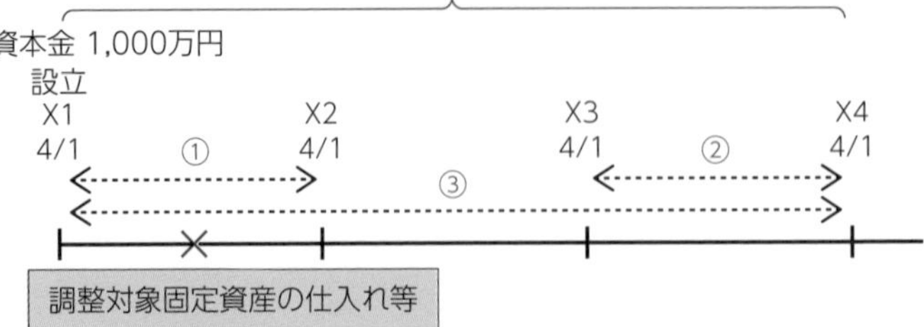

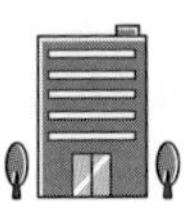

<調整対象固定資産の仕入れ等を行った場合（法12の2②）>

調整対象固定資産の仕入れ等の日の属する課税期間（①X1.4.1～X2.3.31）からその課税期間の初日から３年を経過する日の属する課税期間（②X3.4.1～X4.3.31）までの各課税期間（③X1.4.1～X2.3.31、X2.4.1～X3.3.31、X3.4.1～X4.3.31）……については、納税義務は免除されない。

〈ケース２〉　設立第２期に調整対象固定資産の仕入れ等をした場合

４年間課税事業者
資本金 1,000万円
設立
X1
4/1
法12の2①により課税事業者
X2
4/1
①
X3
4/1
X4
4/1
②
X5
4/1
③
調整対象固定資産の仕入れ等

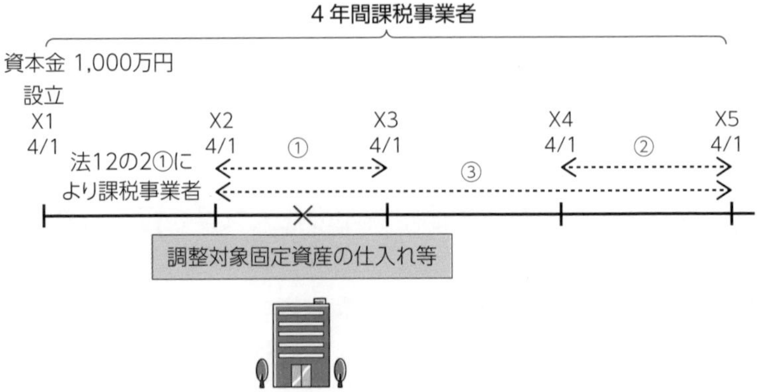

<調整対象固定資産の仕入れ等を行った場合（法12の2②）>

調整対象固定資産の仕入れ等の日の属する課税期間からその課税期間の初日から３年を経過する日の属する課税期間までの各課税期間……については、納税義務は免除されない。

①X2.4.1～X3.3.31
②X4.4.1～X5.3.31
③X2.4.1～X3.3.31、X3.4.1～X4.3.31、X4.4.1～X5.3.31

この規定により、「課税事業者」となった課税期間は、簡易課税により仕入税額控除を受けることはできません。ただし、基準期間がない設立当初から簡易課税を適用していた場合は、そのまま簡易課税の適用を受けられます。

新設法人が調整対象固定資産の仕入れ等を行った場合における納税義務の判定について、まとめると次のとおりです。

図解

新設法人が調整対象固定資産の仕入れ等を行った場合

資本金
2,000万円

X1 4/1	設立 6/1	⑩ 第1期	X2 4/1	第2期	X3 4/1	第3期	X4 4/1

調整対象固定資産の仕入れ等（第1期）

新設法人（第1期・第2期）

基準期間あり（第3期）
↓
(第1期の課税売上高)×$\frac{12}{10}$≦1,000万円
↓
「課税事業者選択届出書」未提出
↓
前年等の課税売上高による特例なし
↓
「新設合併」「分割等」の特例なし
↓
新設法人に係る調整対象固定資産の仕入れ等があるか否かにより判定
(法12の2②)

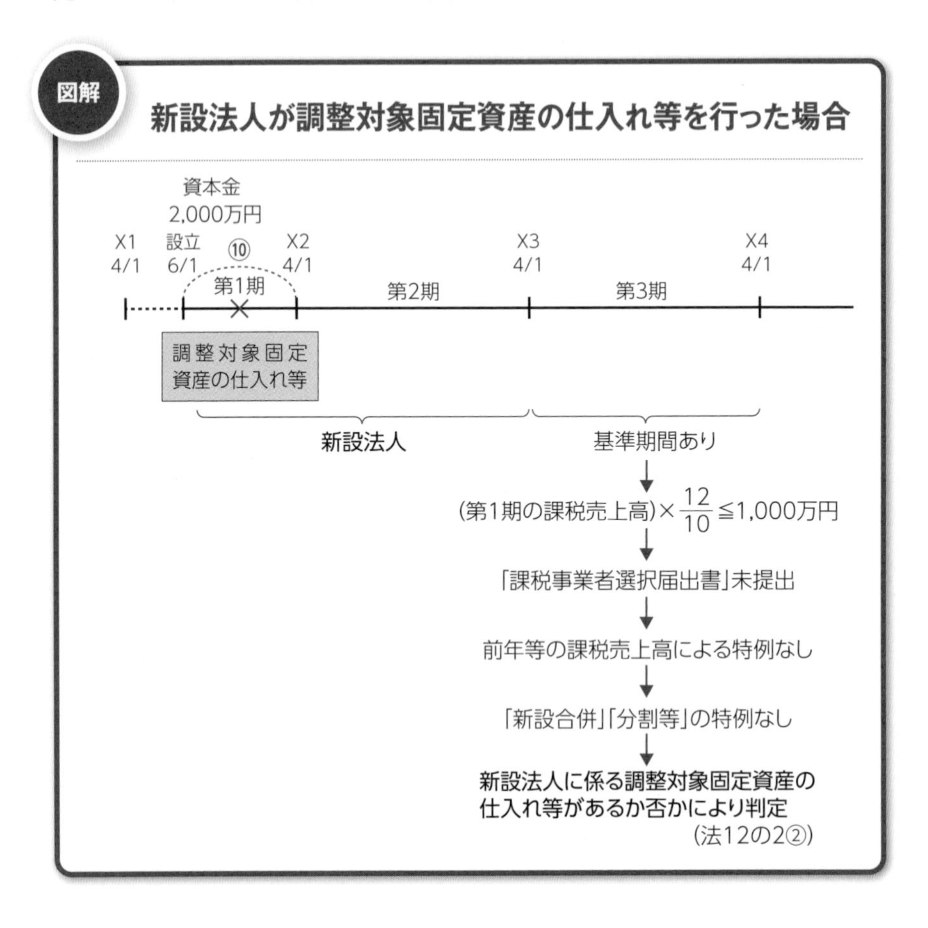

新設法人に該当する第1期において調整対象固定資産の仕入れ等を行ったときは、第3期については、新設法人が調整対象固定資産の仕入れ等を行った場合（法12の2②）の規定を適用し納税義務を判定します。

条文の適用順序を意識して、納税義務の全体系を確認しながら整理してみましょう。

仮に第1期・第2期が、前年等の課税売上高による特例、新設合併・分割等の特例により課税事業者となり、新設法人の納税義務の免除の特例（法12の2①）の適用がない場合であっても、新設法人が調整対象固定資産の仕入れ等を行った場合は、法12の2②の規定を適用し納税義務の判定をします。

(2) 法12の２①と法12の２②の関係

基準期間がない課税期間については「新設法人の納税義務の免除の特例（法12の２①）」が適用され、基準期間がある課税期間については「新設法人が調整対象固定資産の仕入れ等を行った場合（法12の２②）」の規定が適用されます。

法12の２①と法12の２②との関係を示すと、次のとおりです。

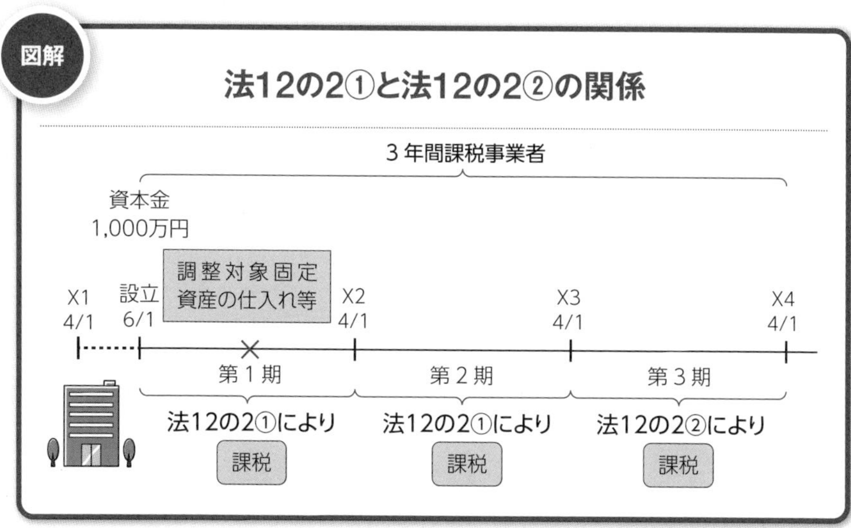

つまり、第１期と第２期は法12の２①（資本金などによる判定）により課税事業者となり、第３期は法12の２②（調整対象固定資産の仕入れ等）により課税事業者となります。

調整対象固定資産の仕入れ等を行った場合について、条文では次のとおり規定されています。

条文

調整対象固定資産の仕入れ等を行った場合（法12の2②）

新設法人が、その**基準期間**がない事業年度に含まれる各課税期間（注1）中に**調整対象固定資産**の仕入れ等を行った場合には、その仕入れ等の日の属する課税期間からその課税期間の初日以後３年を経過する日の属する課税期間までの各課税期間（注2）における**課税資産の譲渡等**（特定資産の譲渡等を除く。）及び**特定課税仕入れ**については、納税義務は免除されない。

（注1）**簡易課税**の適用を受ける課税期間を除く。

（注2）基準期間における課税売上高が**1,000万円**を超える課税期間、課税事業者の選択、前年等の課税売上高による特例、新設合併、分割等の特例、又は新設法人の納税義務の免除の特例の規定により課税事業者となる課税期間を除く。

また、新設法人が、基準期間がない第１期・第２期の期間中に、調整対象固定資産の仕入れ等をした場合には、その仕入れ等をした課税期間から２年間は「簡易課税制度選択届出書」を提出できません。ただし、設立当初から簡易課税を適用していた場合には、調整対象固定資産を仕入れた場合においても、簡易課税が適用されることになります。

この論点は、Chapter15簡易課税制度（２分冊目）の消費税簡易課税制度選択届出書の提出制限のところで説明してありますので、このタイミングで復習しておきましょう。

次の例題で、新設法人の納税義務の免除の特例の判定方法を確認してみましょう。

例題

新設法人の納税義務の免除の特例の判定方法

問題

次の資料から、当社の前々事業年度（X1年10月１日～X2年３月31日）、前事業年度（X2年４月１日～X3年３月31日）、当事業年度（X3年４月１日～X4年３月31日）に係る納税義務の有無を判定しなさい。

<資 料>

(1) 前々事業年度（第１期）の状況

新設法人

① 当社は、X1年10月１日に資本金2,000万円で設立した法人であり、当期までに資本金の増減があった事実はない。

② 当社は、X1年10月２日に車両（調整対象固定資産に該当する。）を取得している。

③ 課税売上高（税抜）は3,000,000円である。

(2) 前事業年度（第２期）の状況

① 課税売上高（税抜）は7,000,000円であり、うち4,000,000円はX2年４月１日からX2年９月30日までの期間における売上高である。

② 給与等の支給額（所得税法施行規則第100条第１項第１号に規定するもの）は2,500,000円であり、うち1,400,000円はX2年４月１日からX2年9月30日までの期間における支給額である。

(3) その他

当社は、設立以来消費税課税事業者選択届出書（消費税法第９条第４項に規定する届出書）及び消費税簡易課税制度選択届出書（消費税法第37条第１項に規定する届出書）を提出したことはない。また、当社は適格請求書発行事業者には該当しない。

解答

● **適用順序に従って納税義務の判定**

(1) 前々事業年度

① 基準期間なし

② 特定期間なし

③ 資本金 20,000,000円≧10,000,000円 ∴ 納税義務あり

(2) 前事業年度

① 基準期間なし

② 特定期間なし

※ 前事業年度が短期事業年度であり、前々事業年度開始の日以後６月の期間で判定されるが、前々事業年度がないことから特定

期間はないこととなる。

③ 資本金　20,000,000円≧10,000,000円　∴ 納税義務あり

(3) 当事業年度

① 基準期間における課税売上高

$$3{,}000{,}000\text{円}\times\frac{12}{6}=6{,}000{,}000\text{円}\leqq 10{,}000{,}000\text{円}$$

② 特定期間における課税売上高

イ　売　上　4,000,000円≦10,000,000円

ロ　給与等　1,400,000円≦10,000,000円

③ 新設法人に該当する第1期（簡易課税の適用はない。）に調整対象固定資産（車両）を取得している。

∴ 法12の2②により納税義務あり

【下書き】

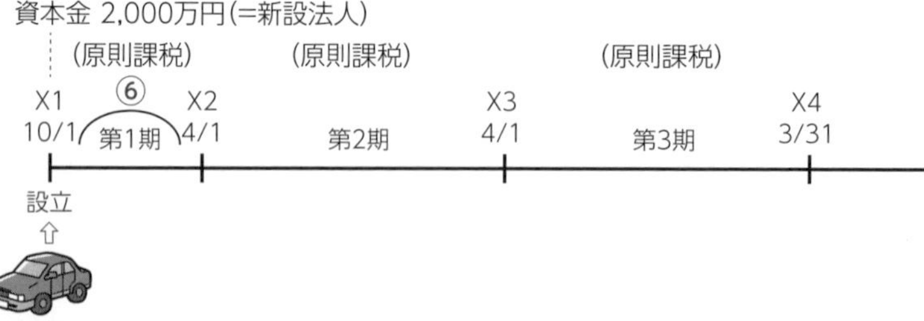

当課税期間の納税義務の判定は、当社が適格請求書発行事業者ではないことを前提として、まず基準期間における課税売上高で判定し、その金額が1,000万円以下の場合は、次に課税事業者選択届出書を提出しているか確認し、提出したことがなければ特定期間における課税売上高等で判定します。その金額が1,000万円以下で、新設法人が基準期間がない課税期間中（原則課税）に調整対象固定資産を取得していることから、「納税義務あり」と判定します。

なお、調整対象固定資産については、計算式を使って判定をする場合がありますので、注意しましょう。

問題 >>> 問題編の**問題3**に挑戦しましょう!

ここで、Chapter15で学習した「消費税簡易課税制度選択届出書」の提出制限との関係を復習しておきましょう。

調整対象固定資産の仕入れ等を行った場合の「消費税簡易課税制度選択届出書」の提出制限

〈新設法人が基準期間がない課税期間中に
調整対象固定資産の仕入れ等を行った場合〉

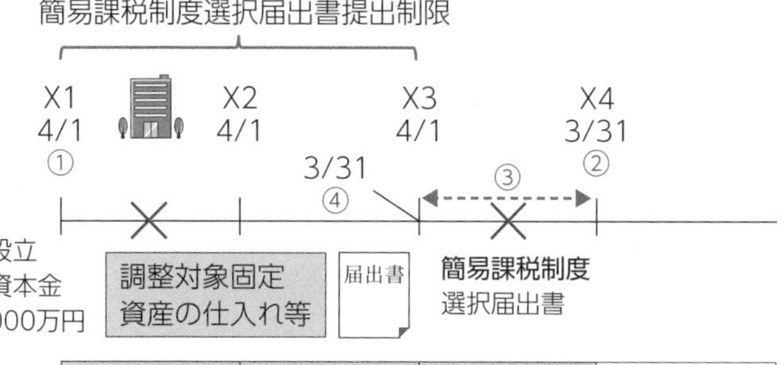

調整対象固定資産の仕入れ等の日の属する課税期間の初日（①X1.4.1）からその初日以後３年を経過する日（②X4.3.31）の属する課税期間（③X3.4.1～X4.3.31）の初日の前日までの期間（④～X3.3.31）は、簡易課税制度選択届出書を提出することができない。

3 特定新規設立法人の納税義務の免除の特例

趣　旨

基準期間がない法人については、資本金の額等により納税義務を判定することとなりますが、資本金の額等が1,000万円未満の場合には納税義務は免除されます。

しかし、個人事業者が法人成りした場合や、大企業が新たに法人を設立し事業を移行した場合など、設立当初から相応の事業規模を有する場合には、納税義務を免除することは課税の公平を図る上で不合理となります。

そこで、ある程度事業規模が大きく、課税売上高が５億円を超える事業者など（他の者）に支配される特定新規設立法人について納税義務の判定に新たな特例が設けられました。

その規定が、**特定新規設立法人の納税義務の免除の特例**です。

例えば、大きなグループ企業が新規事業のために子会社を設立するような場合に、その子会社が新設法人の納税義務の免除の特例（法12の2）を受けなくてもいいように、資本金を小さめにして資本金1,000万円未満の法人を設立して租税回避行為を行う可能性も考えられたのです。

そこで、このような行為を防止するために、特定新規設立法人の納税義務の免除の特例（法12の3）が設けられました。

この特例における他の者と新規設立法人との関係性を示すと、次のとおりです。

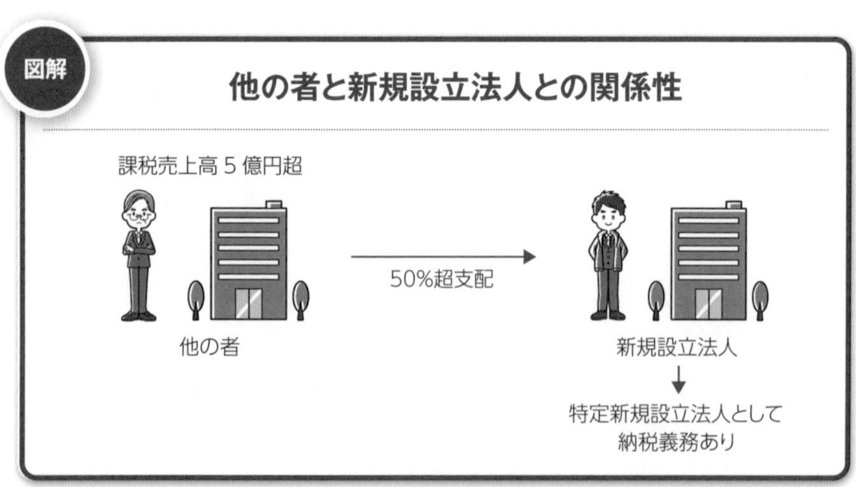

概　要

特定新規設立法人の納税義務の免除の特例は、特定新規設立法人（自社）の基準期間が存在しないため、「特定新規設立法人の基準期間に相当する期間における判定対象者（他の者）の課税売上高」で判定します。

納税義務の判定のイメージを示すと、次のとおりです。

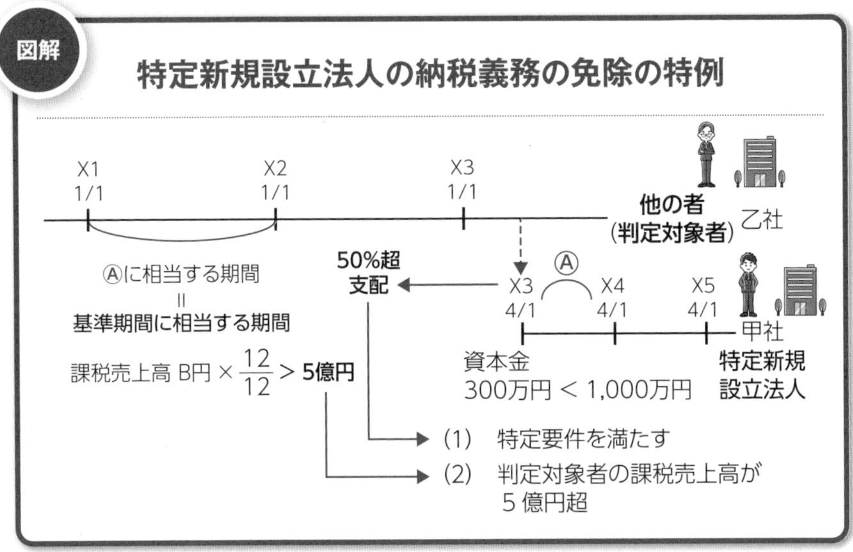

上の図解の例では、資本金が1,000万円未満の新規設立法人甲社について、その発行済株式の50%超が他の者である乙社によって支配されている場合には、甲社の基準期間に相当する期間（Ⓐ）における判定対象者乙社の課税売上高が5億円を超えているかどうかにより納税義務を判定することとなります。

特定新規設立法人の納税義務の判定に使用する判定対象者の課税売上高の「基準期間に相当する期間」の選択については、いくつかの順序があります。

各用語の定義とあわせて、これから説明しますので、ここでは他の者である判定対象者乙社の課税売上高で判定するというイメージをつかんでおきましょう。

特定新規設立法人の意義

(1) 意　義

特定新規設立法人とは、新設開始日において資本金の額が**1,000万円未満の法人**で、**他の者**により**発行済株式の50%超を保有**されることにより**支配**されていて、さらに**他の者**（**判定対象者**）の「基準期間に相当する期間」における課税売上高が**5億円を超えている**又は「基準期間に相当する期間」における国外分を含む収入金額が50億円を超えている状態にある法人のことをいいます。

特定新規設立法人についてまとめると、次のとおりです。

図解

特定新規設立法人の意義

(1) **新規設立法人**であること。
(2) **新設開始日**において、**特定要件**に該当すること。
(3) **他の者**（**判定対象者**）の基準期間に相当する期間における課税売上高として一定の金額が**5億円超**であること又は基準期間に相当する期間における総収入金額が50億円超であること。

特定要件とは、平たく言えば、新規設立法人の発行済株式の50%超が他の者により保有されることにより支配されていることです。

(2) 内　容

ここからは、特定新規設立法人について、さらに詳しく見ていきます。

① 新規設立法人

新規設立法人とは、その事業年度の基準期間がない法人（社会福祉法人等を除く。）で、その事業年度開始の日における資本金の額又は出資の金額が1,000万円未満の法人のことをいいます。さらに、新規設立法人のうち、上記一定の要件を満たすものを**特定新規設立法人**といいます。

新設法人と新規設立法人と特定新規設立法人の違いをまとめると、次のとおりです。

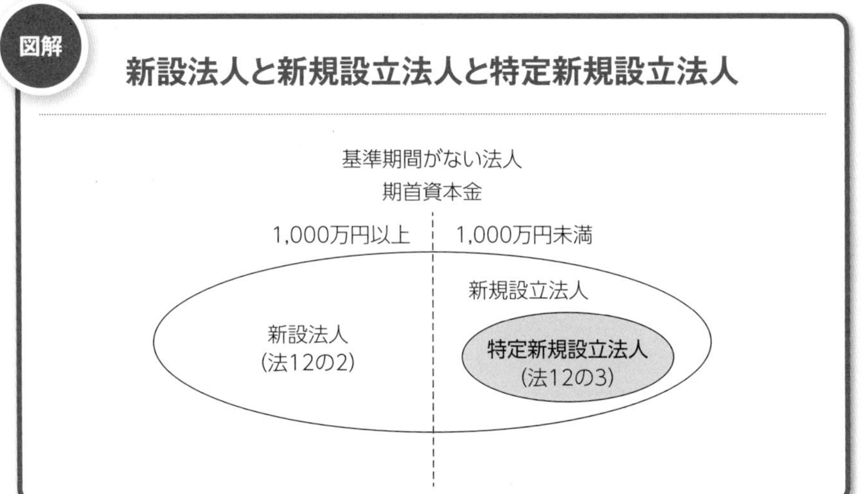

② 新設開始日

新設開始日とは、その基準期間がない事業年度開始の日のことをいいます。

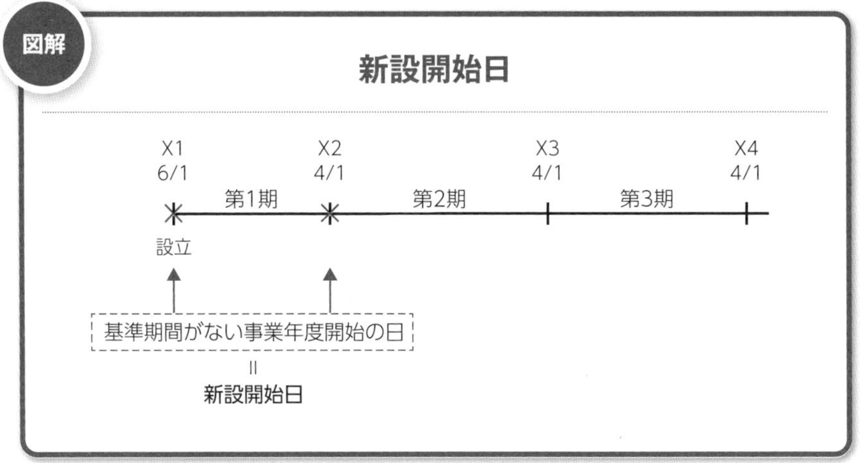

なお、外国法人については、すでに本国において事業を開始し、基準期間がある場合であっても、「基準期間がない」ものとみなして、日本国内における事業開始時に、この特例の適用の判定を行います。

③ 特定要件

特定要件とは、新規設立法人の発行済株式又は出資（自己の株式又は出資を除く。）の総数又は総額の50%超が他の者により直接又は間接に保有される場合等であることをいいます。

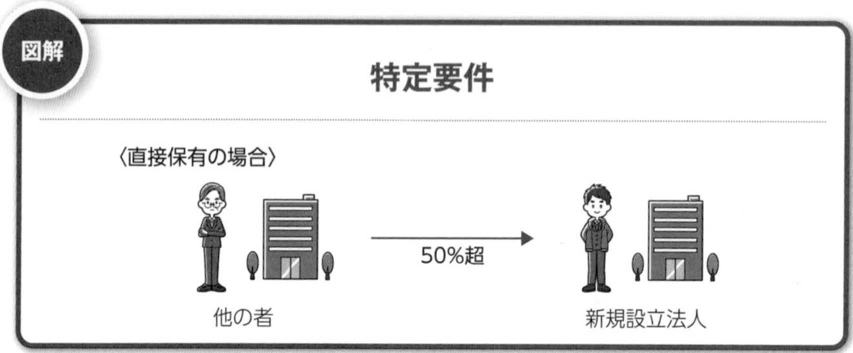

④ 基準期間に相当する期間

基準期間に相当する期間とは、原則的には、特定新規設立法人の新設開始日の２年前に相当する判定対象者の各期間のことをいいます。

基準期間に相当する期間についてまとめると、次のとおりです。

図解

基準期間に相当する期間

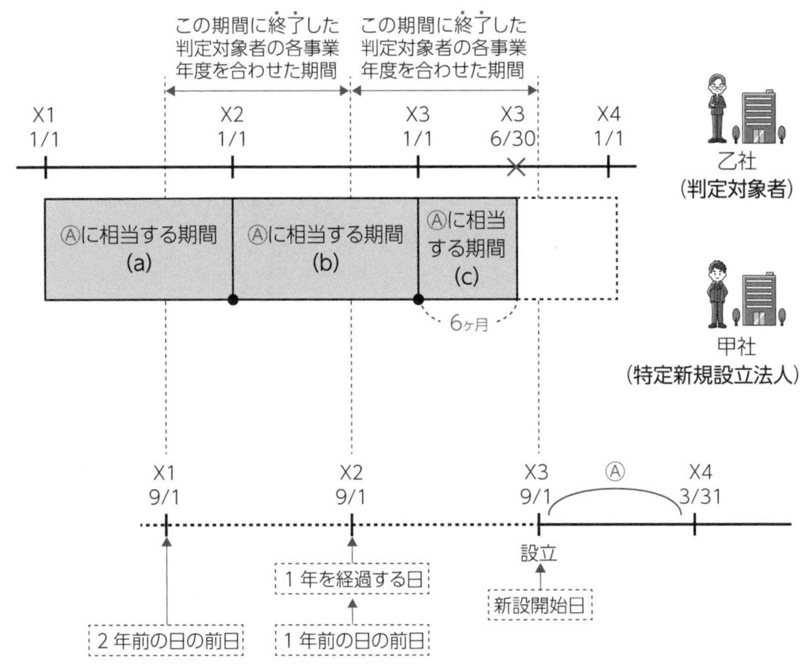

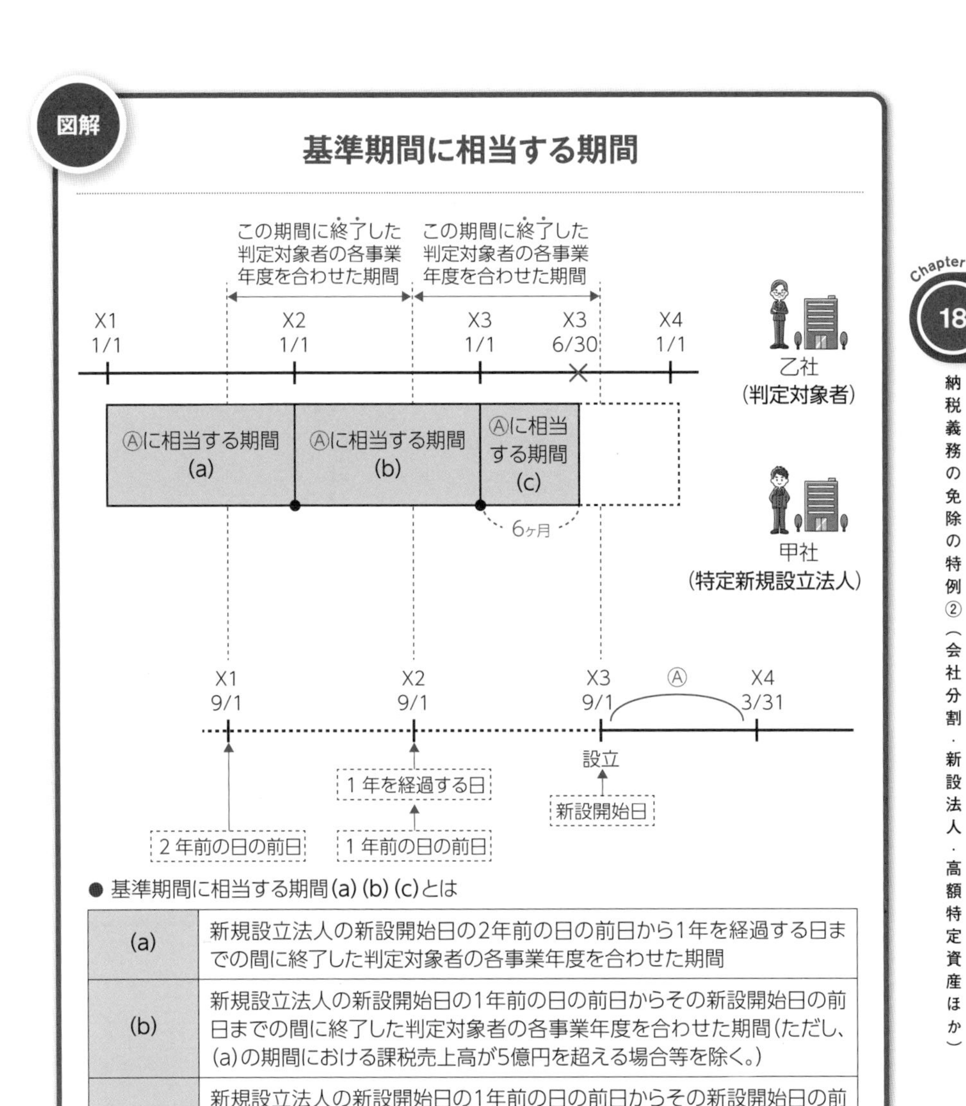

● 基準期間に相当する期間(a) (b) (c)とは

(a)	新規設立法人の新設開始日の2年前の日の前日から1年を経過する日までの間に終了した判定対象者の各事業年度を合わせた期間
(b)	新規設立法人の新設開始日の1年前の日の前日からその新設開始日の前日までの間に終了した判定対象者の各事業年度を合わせた期間(ただし、(a)の期間における課税売上高が5億円を超える場合等を除く。)
(c)	新規設立法人の新設開始日の1年前の日の前日からその新設開始日の前日までの間に当該判定対象者の事業年度開始の日以後6月の期間の末日が到来する場合のその6月の期間(ただし、(a)又は(b)の期間における課税売上高が5億円を超える場合等を除く。)

基準期間に相当する期間は、(a)→(b)→(c)の順序で選択します。

上の図解は、判定対象者が法人の場合を前提に説明しています。判定対象者が個人事業者である場合もありますが、ここでは本試験対策における重要度の観点から割愛させていただきます。

⑤ 基準期間に相当する期間における課税売上高

基準期間に相当する期間における課税売上高とは、「基準期間に相当する期間における税抜の純課税売上高」のことであり、課税資産の譲渡等の対価の額の合計額から売上げに係る対価の返還等の金額（税抜）の合計額を控除して求めます。計算式で示すと、次のとおりです。

図解

基準期間に相当する期間における課税売上高

(1)　課税売上高(税抜)　－　課税売上返還等(税抜)

(2)　(1)の残額　×　$\frac{12}{\text{基準期間に相当する期間の月数}}$

判定対象者が法人である場合には、原則として上記(1)の残額を基準期間に相当する期間の月数で除し、端数処理をせずにそのまま12を乗じて求めます。

また、このときに使用する課税売上げの金額は、7.8％課税売上げ・6.24％課税売上げと免税売上げを合わせた金額になります。

特定新規設立法人について、条文では次のように規定されています。

条文

特定新規設立法人の意義（法12の3①）

新規設立法人のうち、次のいずれの要件も満たすものをいう。

(1) 新設開始日において**特定要件**に該当すること

(2) **特定要件**の判定の基礎となった**他の者**及び当該他の者と一定の特殊な関係にある法人のうちいずれかの者のその新規設立法人の新設開始日の属する事業年度の**基準期間に相当する期間における課税売上高**として一定の金額が**5億円**を超えること又はその基準期間に相当する期間における総収入金額として一定の金額が50億円を超えること

「他の者と一定の特殊な関係にある法人」とは、他の者等が他の法人を直接的に、あるいは間接的に完全に支配している場合のその法人のことをいいます。

特定新規設立法人の納税義務の免除の特例

(1) 納税義務の判定方法

まず、特定新規設立法人に該当することを確認したら、次に、判定対象者である他の者の「基準期間に相当する期間における課税売上高」により納税義務を判定します。

納税義務の判定方法をまとめると、次のとおりです。

図解

特定新規設立法人の納税義務の判定方法

※ 基準期間に相当する期間における総収入金額が50億円以下である場合

乙社 他の者（判定対象者）: X1 1/1 — X2 1/1 — X3 1/1 — X3 6/30 × — X4 1/1

Ⓐの基準期間に相当する期間における課税売上高	Ⓐの基準期間に相当する期間における課税売上高	Ⓐの基準期間に相当する期間における課税売上高
(第1段階) (a)	(第2段階) (b)	(第3段階) (c)
課売 5億円以下	課売 5億円以下	課売 5億円超

甲社を50%超支配
∴ 特定要件満たす

甲社: X1 9/1 … X2 9/1 … X3 9/1 —Ⓐ— X4 3/31
設立
資本金300万円<1,000万円

→ 特定新規設立法人に該当
∴ 納税義務あり

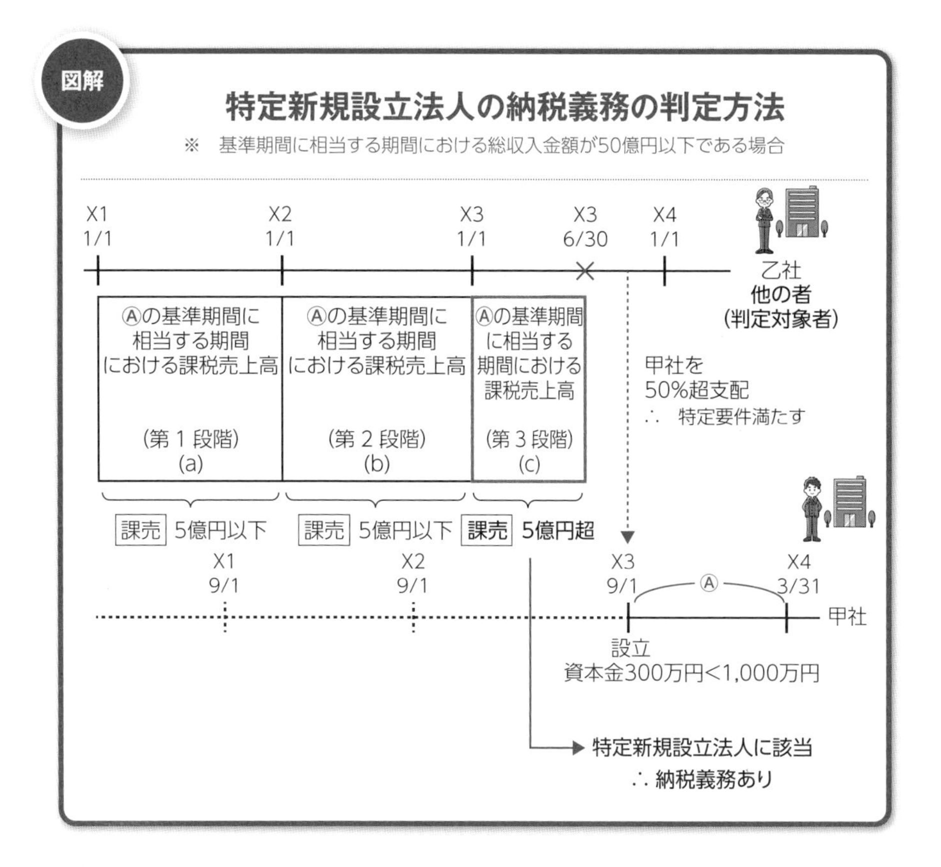

「基準期間に相当する期間」の選択には順序があり、上の図解の (a) → (b) → (c) の順に判定対象者の課税売上高が5億円を超えているかどうかを確認します。

基準期間に相当する期間における課税売上高が5億円を超えていれば、その段階で特定新規設立法人に該当し納税義務あり、と判定します。

Chapter 18 納税義務の免除の特例②（会社分割・新設法人・高額特定資産ほか）

具体的には、第１段階として「基準期間に相当する期間」である(a)における判定対象者の課税売上高が５億円を超えているかどうかを確認します。

課税売上高が５億円以下の場合には、第２段階として「基準期間に相当する期間」である(b)における判定対象者の課税売上高が５億円を超えているかどうかを確認します。

課税売上高が５億円以下の場合には、第３段階として「基準期間に相当する期間」である(c)における判定対象者の課税売上高が５億円を超えているかどうかを確認します。この場合、最後の６ヶ月の期間が「基準期間に相当する期間」となりますが、年換算処理はしません。

特定新規設立法人の設立事業年度における納税義務の判定手順をまとめると、次のとおりです。

図解

特定新規設立法人の納税義務の判定手順

※　基準期間に相当する期間における総収入金額が50億円以下である場合

(1) 第1段階

「基準期間に相当する期間（(a)）における判定対象者の課税売上高」により判定

$$(a) \times \frac{12}{12} \begin{cases} > 5億円 \rightarrow \underline{納税義務あり}（判定終了） \\ \leqq 5億円 \rightarrow (2)へ \end{cases}$$

(2) 第2段階

「基準期間に相当する期間（(b)）における判定対象者の課税売上高」により判定

$$(b) \times \frac{12}{12} \begin{cases} > 5億円 \rightarrow \underline{納税義務あり}（判定終了） \\ \leqq 5億円 \rightarrow (3)へ \end{cases}$$

(3) 第3段階

「基準期間に相当する期間（(c)）における判定対象者の課税売上高」により判定

(c)（注）｛ ＞ 5億円 → 納税義務あり（判定終了）
≦ 5億円 → 納税義務なし（判定終了）

(注) 年換算処理はしない。

次の例題で、特定新規設立法人の納税義務の判定方法を確認してみましょう。

例題

特定新規設立法人の納税義務の判定方法

問題

甲社は、乙社によりX3年9月1日に設立（資本金300万円、甲社株式は乙社が100%保有している。）された株式会社である。なお、乙社の各事業年度における課税売上高（税抜）は次のとおりであり、国外分の収入金額はない。

(単位：円)

乙社の取引状況		X1事業年度	X2事業年度	X3事業年度	
		X1年1月1日 ≀ X1年12月31日	X2年1月1日 ≀ X2年12月31日	X3年1月1日 ≀ X3年12月31日	左記期間のうち1月1日～6月30日の期間に係る金額
Ⅰ 資産の譲渡等の金額		220,000,000	315,000,000	945,000,000	523,000,000
	Ⅰのうち非課税取引に係るもの	10,000,000	15,000,000	45,000,000	13,000,000

この場合の、甲社の設立事業年度（X3年9月1日からX4年3月31日まで）の納税義務の有無を判定しなさい。

なお、甲社は適格請求書発行事業者には該当せず、課税事業者選択届出書を提出する予定はない。

解答

● **特定新規設立法人であることを確認後、納税義務の判定**

(1) 基準期間なし

(2) 特定期間なし

(3) 資本金　3,000,000円＜10,000,000円

(4) ① 特定要件　100％＞50％　∴ 満たしている

② 相当期間

下書き(a)の課税売上高

(a) $(220,000,000円 - 10,000,000円) \times \frac{12}{12}$

$= 210,000,000円 \leqq 500,000,000円$

下書き(b)の課税売上高

(b) $(315,000,000円 - 15,000,000円) \times \frac{12}{12}$

$= 300,000,000円 \leqq 500,000,000円$

下書き(c)の課税売上高

(c) 523,000,000円－13,000,000円

$= 510,000,000円 > 500,000,000円$

∴ <u>納税義務あり</u>

【下書き】

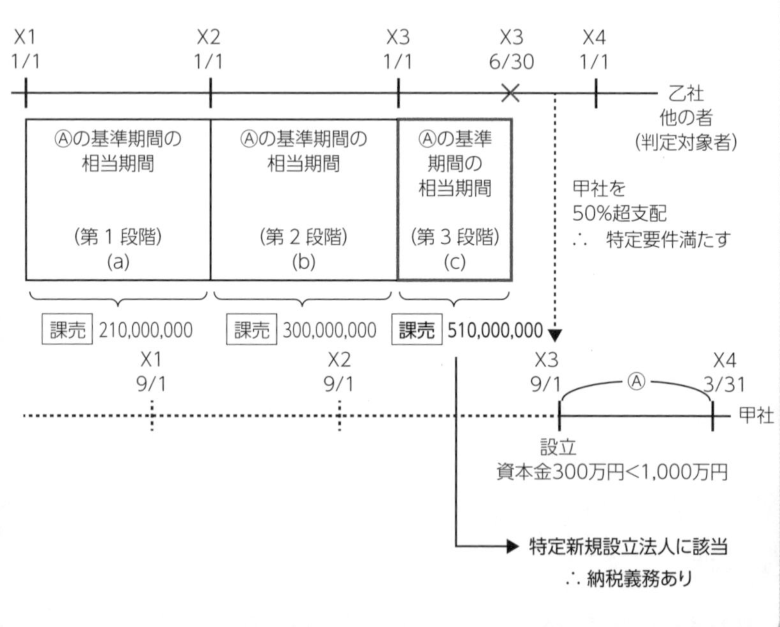

タイムテーブルを書いて資料をまとめるとよいでしょう。

本問では下書きと対応させるため、計算過程の見出し記号を（a）・（b）・（c）としています。

この論点は、特定新規設立法人の意義をしっかりと押さえて、基準期間に相当する期間における判定対象者の課税売上高（a）から判定を行うことがポイントです。

特定新規設立法人の納税義務の免除の特例について、条文では次のように規定されています。

条文

特定新規設立法人の納税義務の免除の特例（法12の3①）

特定新規設立法人の**基準期間**がない事業年度に含まれる各課税期間（注1）における**課税資産の譲渡等**（特定資産の譲渡等を除く。）及び**特定課税仕入れ**については、納税義務は免除されない。

（注1）課税事業者の選択、前年等の課税売上高による特例、新設合併、分割等の特例、又は新設法人が調整対象固定資産の仕入れ等を行った場合の規定により課税事業者となる課税期間を除く。

(2) 他の者と一定の特殊な関係にある法人が解散した場合

特定新規設立法人の納税義務の免除の特例を適用する場合、判定対象者の「基準期間に相当する期間における課税売上高」により納税義務の判定を行いますが、判定対象者には「他の者」のみならず、「他の者と一定の特殊な関係にある法人」も含まれます。「他の者と一定の特殊な関係にある法人」とは、他の者等が他の法人を完全に支配している場合のその法人のことをいいます。

また、判定対象者である「他の者と一定の特殊な関係にある法人」が新規設立法人の設立の日の前1年以内に解散した場合についても、「他の者と一定の特殊な関係にある法人」とみなして特定新規設立法人の納税義務の免除の特例が適用されることとなります。

具体例を示すと、次のとおりです。

他の者と一定の特殊な関係にある法人が解散した場合

(例) 甲社は、乙社によりX3年４月１日に設立(資本金300万円、甲社株式は乙社が50%超保有しており、特定要件は満たしている。)された法人(特定新規設立法人)である。

なお、乙社(判定対象者)の課税売上高(税抜)は毎期５億円以下であり、乙社は解散した丙社の株式をその解散の日の時点で100%保有していた。(丙社は他の者と一定の特殊な関係にある法人とみなされる。)

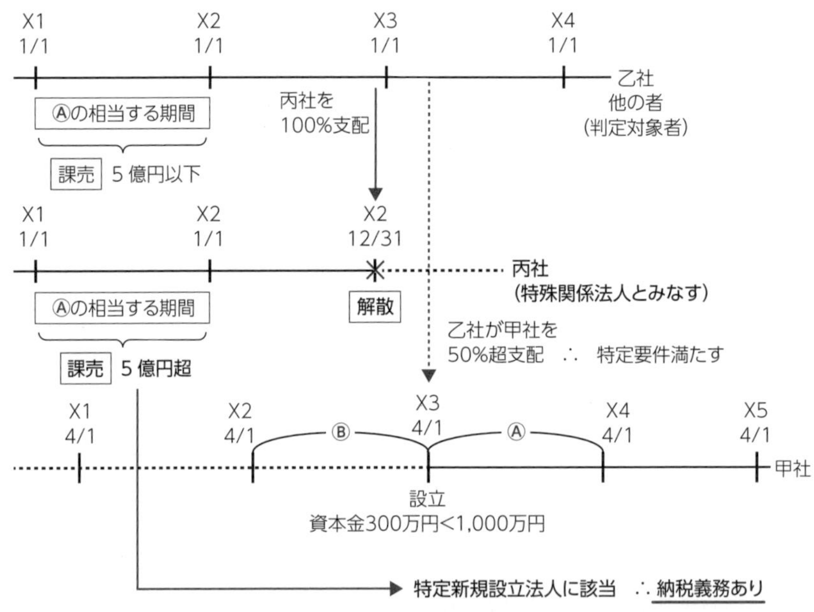

この場合、丙社は、甲社(特定新規設立法人)の設立の日前1年以内(X2年4月1日からX3年3月31日まで、上の図解Ⓑの期間)に解散していますが、他の者と一定の特殊な関係にある法人とみなされ、甲社の設立事業年度(上の図解Ⓐの期間)の納税義務の判定において、判定対象者の基準期間に相当する期間における課税売上高として、丙社の課税売上高を加味することとなります。

特殊関係法人を判定対象者から外すために解散するケースを想定しており、このような租税回避行為を防止するために、この規定が設けられました。
これは、あくまでも参考として考え方を理解しておけば充分です。

特定新規設立法人が調整対象固定資産の仕入れ等を行った場合

(1) 特定新規設立法人が調整対象固定資産の仕入れ等を行った場合

特定新規設立法人がその基準期間がない課税期間中に調整対象固定資産の仕入れ等を行った場合には、一定の課税期間、課税事業者となります。

なお、基本的な考え方は、新設法人が調整対象固定資産の仕入れ等を行った場合と同じです。

特定新規設立法人が調整対象固定資産の仕入れ等を行った場合

特定新規設立法人が、その基準期間がない事業年度に含まれる各課税期間(注)中に調整対象固定資産の仕入れ等を行った場合には、その仕入れ等の日の属する課税期間からその課税期間の初日から3年を経過する日の属する課税期間までの各課税期間における課税資産の譲渡等及び特定課税仕入れについては、納税義務は免除されません。

(注) 簡易課税の適用を受ける課税期間を除く。
(＝原則課税を適用している課税期間に限る。)

〈ケース1〉　設立第1期に調整対象固定資産の仕入れ等をした場合

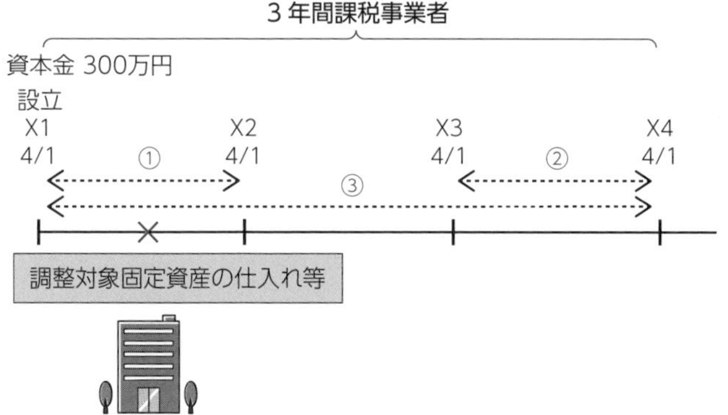

<調整対象固定資産の仕入れ等を行った場合（法12の3③）>

調整対象固定資産の仕入れ等の日の属する課税期間からその課税期間の初日から3年を経過する日の属する課税期間までの各課税期間……については、納税義務は免除されない。

①X1.4.1～X2.3.31
②X3.4.1～X4.3.31
③X1.4.1～X2.3.31、X2.4.1～X3.3.31、X3.4.1～X4.3.31

〈ケース２〉　設立第２期に調整対象固定資産の仕入れ等をした場合

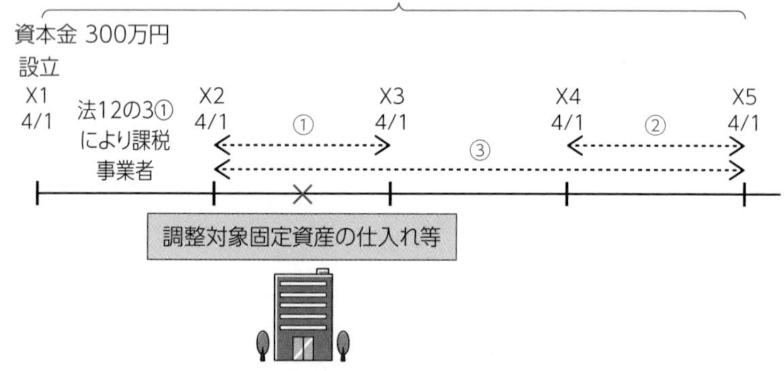

<調整対象固定資産の仕入れ等を行った場合（法12の3③）>

調整対象固定資産の仕入れ等の日の属する課税期間からその課税期間の初日から3年を経過する日の属する課税期間までの各課税期間……については、納税義務は免除されない。

①X2.4.1～X3.3.31
②X4.4.1～X5.3.31
③X2.4.1～X3.3.31、X3.4.1～X4.3.31、X4.4.1～X5.3.31

この論点は、「納税義務の判定」と「簡易課税の適用の有無」の２つの視点で整理しておくとよいでしょう。

簡易課税制度については、Chapter15（２分冊目）を復習しておきましょう。

特定新規設立法人が調整対象固定資産の仕入れ等を行った場合における納税義務の判定についてまとめると、次のとおりです。

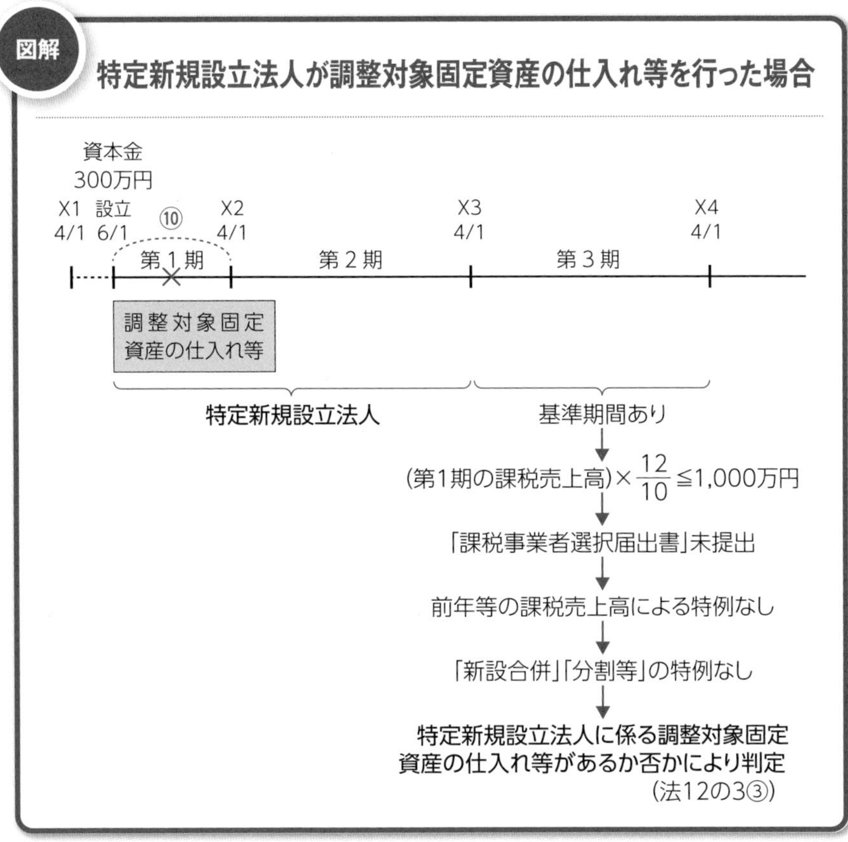

特定新規設立法人に該当する第1期において調整対象固定資産の仕入れ等を行ったときは、第3期については、特定新規設立法人が調整対象固定資産の仕入れ等を行った場合(法12の3③)の規定を適用し納税義務を判定します。

条文の適用順序を意識して、納税義務の全体系を確認しながら整理してみましょう。

仮に第１期・第２期が、前年等の課税売上高による特例、新設合併・分割等の特例により課税事業者となり、特定新規設立法人の納税義務の免除の特例（法12の３①）の適用がない場合であっても、特定新規設立法人が調整対象固定資産の仕入れ等を行った場合は、法12の３③の規定を適用し納税義務を判定します。

(2) 法12の3①と法12の3③との関係

基準期間がない課税期間については「特定新規設立法人の納税義務の免除の特例（法12の３①）」が適用され、基準期間がある課税期間については「特定新規設立法人が調整対象固定資産の仕入れ等を行った場合（法12の３③）」の規定が適用されます。

法12の３①と法12の３③との関係を示すと、次のとおりです。

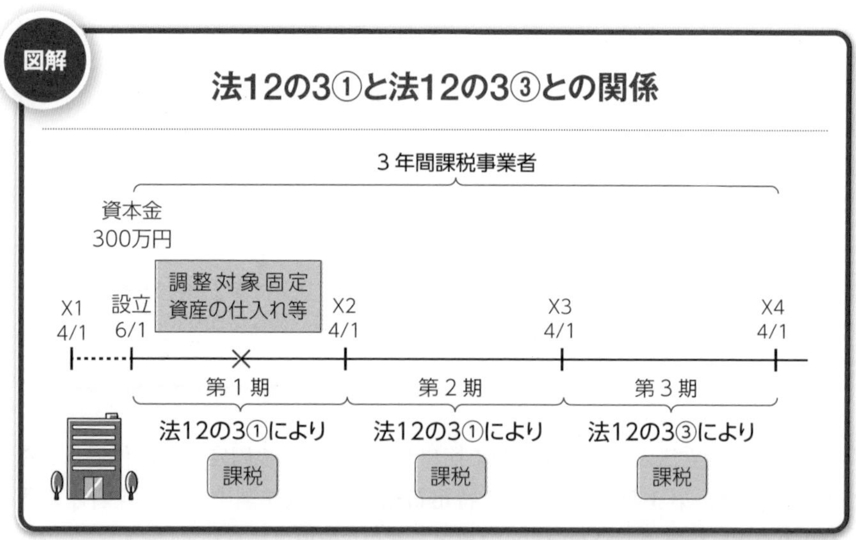

つまり、第１期と第２期は法12の３①（資本金などによる判定）により課税事業者となり、第３期は法12の３③（調整対象固定資産の仕入れ等）により課税事業者となります。

なお、調整対象固定資産の仕入れ等を行った場合の新設法人の規定（法12の２②）及び特定新規設立法人の規定（法12の３③）は、調整対象固定資産の仕入れ等を行った後、その調整対象固定資産を廃棄、売却等により処分したとしても、継続適用されます。

調整対象固定資産の仕入れ等を行った場合について、条文では次のとおり規定されています。

条文

調整対象固定資産の仕入れ等を行った場合（法12の3③）

特定新規設立法人が、その**基準期間**がない事業年度に含まれる各課税期間（注1）中に**調整対象固定資産**の仕入れ等を行った場合には、その仕入れ等の日の属する課税期間からその課税期間の初日以後**3年**を経過する日の属する課税期間までの各課税期間（注2）における**課税資産の譲渡等**（特定資産の譲渡等を除く。）及び**特定課税仕入れ**については、納税義務は免除されない。

（注1）**簡易課税**の適用を受ける課税期間を除く。

（注2）基準期間における課税売上高が**1,000万円**を超える課税期間、課税事業者の選択、前年等の課税売上高による特例、新設合併、分割等の特例、新設法人が調整対象固定資産の仕入れ等を行った場合の規定、又は特定新規設立法人の納税義務の免除の特例の規定により課税事業者となる課税期間を除く。

また、特定新規設立法人が、基準期間がない第１期・第２期の期間中に、調整対象固定資産の仕入れ等をした場合には、その仕入れ等をした課税期間から２年間は「簡易課税制度選択届出書」を提出できません。ただし、設立当初から簡易課税を適用していた場合には、調整対象固定資産を仕入れた場合においても、簡易課税が適用されることになります。

納税義務、調整対象固定資産の仕入れのタイミング、簡易課税制度選択届出書の提出制限との関係を意識して知識を整理しておきましょう。

問題 >>> 問題編の**問題4**に挑戦しましょう！

ここで、Chapter15で学習した「消費税簡易課税制度選択届出書」の提出制限との関係を復習しておきましょう。

調整対象固定資産の仕入れ等を行った場合の「消費税簡易課税制度選択届出書」の提出制限

〈特定新規設立法人が基準期間がない課税期間中に調整対象固定資産の仕入れ等を行った場合〉

簡易課税制度選択届出書提出制限

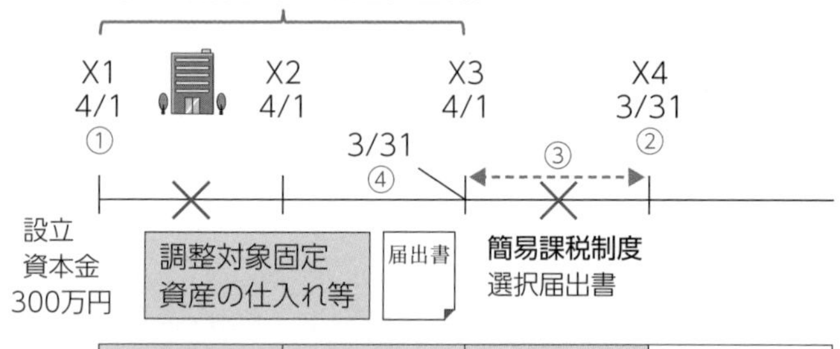

原則課税	原則課税	原則課税	

調整対象固定資産の仕入れ等の日の属する課税期間の初日（①X1.4.1）からその初日以後３年を経過する日（②X4.3.31）の属する課税期間（③X3.4.1～X4.3.31）の初日の前日までの期間（④～X3.3.31）は、簡易課税制度選択届出書を提出することができない。

Section[2]で学習した「新設法人が基準期間がない課税期間中に調整対象固定資産の仕入れ等を行った場合」と同じ考え方ですね。

高額特定資産を取得した場合等の納税義務の免除の特例

趣　旨

民間の資金とノウハウを活用して公共施設等の整備等を進める事業（PFI事業：Private Finance Initiative）を行う目的で、企業が特定目的会社（SPC：Special Purpose Company）を設立することがあります。

これは、事業を行うにあたり必要な資金調達を行う際、企業自身が借入れを行うのではなく、この事業を遂行するSPCを事業者として独立して借入れを行うためです。

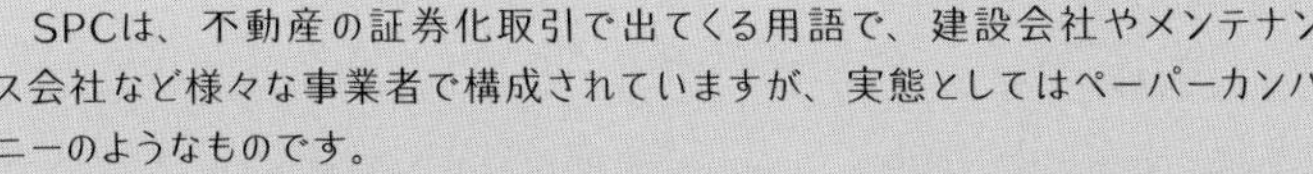

SPCは、不動産の証券化取引で出てくる用語で、建設会社やメンテナンス会社など様々な事業者で構成されていますが、実態としてはペーパーカンパニーのようなものです。

SPCを利用するメリットの一つは、資金調達が容易になることです。

一方で、様々な事業者と関わることになるため、事務処理などが複雑になるというデメリットもあるようです。

ここでは、この特例が設けられた当時の背景から趣旨について触れていますので、SPCについて深く掘り下げていく必要はありません。

時代とともに、制度の活用方法も変化していくことを念頭に入れつつ、消費税法の受験対策のためのバックグラウンドの知識として押さえておけば充分です。

事業者がそのPFI事業に係る公共施設等の建設等のために高額な資産を取得又は建設した課税期間に、原則課税によりその高額な資産に係る課税仕入れ等について仕入税額控除の適用を受け、翌課税期間以後にその公共施設等の完成・引渡しを行った場合に、小規模事業者に係る納税義務の免除の規定又は簡易課税制度が適用されると、本来、国に納付されるべき消費税が納付されないことが問題となっていました。まとめると、次のとおりです。

図解

原則課税により高額特定資産を取得した場合の問題点

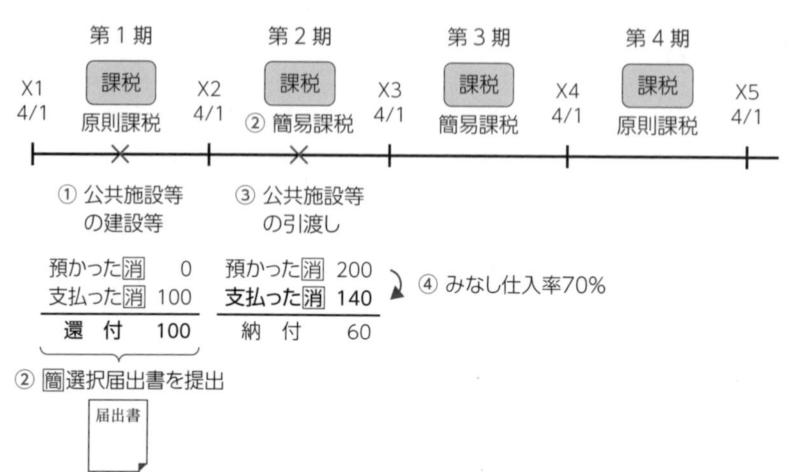

(第1期)

公共施設等の建設等をした課税期間は、その施設の建設等（①）のみで引渡しは行っていないため、課税売上げは生じず課税仕入れのみ生じています。そのため、原則課税により仕入れに係る消費税額の控除を受け、課税売上げにのみ対応する課税仕入れ等の税額は、還付を受けることになります。

また、第1期に簡易課税制度選択届出書を提出し（②）、翌期に簡易課税の適用を受けられるように準備します。

(第2期)

公共施設等の引渡しをした課税期間は、第1期に簡易課税制度選択届出書を提出しているため、簡易課税の適用を受けることになります。公共施設等の引渡し（③）を受けているため、請負価額が課税売上げになります。また、簡易課税により仕入税額控除を考えると、本来、課税仕入れが生じていない第2期であっても、その課税売上げに対してみなし仕入率（建設業であるため70%④）を適用して税額控除を受けることになります。

（問題点）
第1期で建設等に係る税額控除をしているにもかかわらず、本来仕入れが生じていない第2期においても、みなし仕入率の適用により再度税額控除するという、いわゆる二重控除というスキームが可能であったことが問題となっていました。

上記の問題点を解決するため、高額特定資産を取得した場合には、課税事業者は、その高額特定資産の仕入れ等の課税期間から3年間は、**課税事業者**となり、かつ、**簡易課税制度の適用が制限**されることとなりました。

図解

高額特定資産を取得した場合の解決策

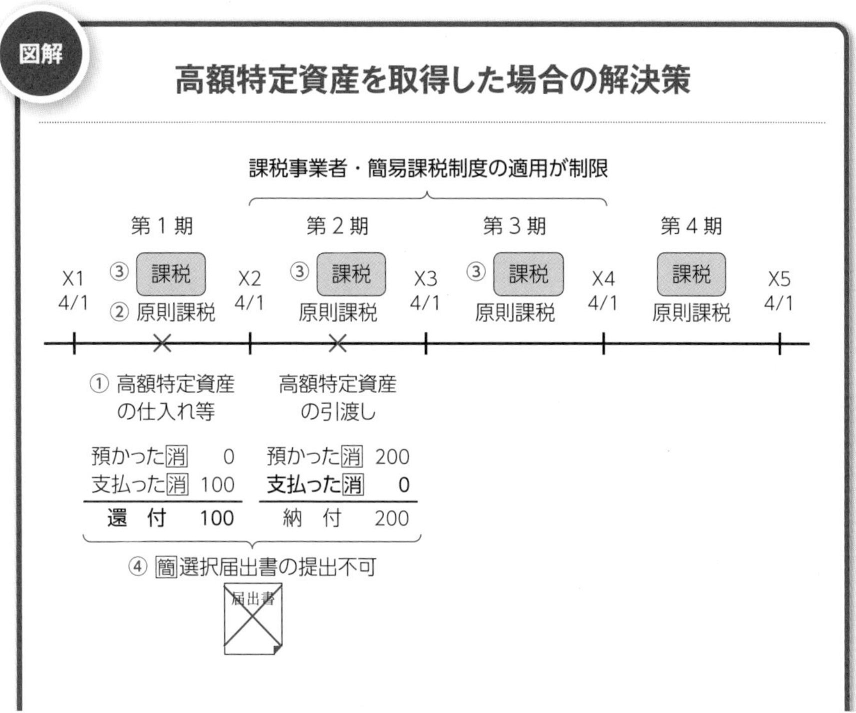

（改正点）

平成28年度改正により、高額特定資産を取得した場合の規定が創設され、原則課税のもとで高額特定資産の仕入れ等を行った課税期間（①②）を含めた3年間は、課税事業者となり（③）、かつ、簡易課税制度の適用が制限されることになりました（④）。

したがって、公共施設等の建設等を行った第1期では、還付を受けることになりますが、公共施設等の引渡しをしている第2期では、原則課税の適用により、預かった消費税が納付されることになります。

つまり、みなし仕入率の適用による仕入税額控除を行うことができなくなりました。

この改正により問題となっていた二重控除を排除した形となりました。

この特例の適用についても、納税義務の全体系の適用順序に従って判定します。また、納税義務のみならず、仕入税額控除について一定期間、原則課税となることに注意しましょう。

高額特定資産とは

高額特定資産とは、一の取引の単位につき、課税仕入れに係る支払対価の額（税抜）が**1,000万円以上**の**棚卸資産**及び**調整対象固定資産**のことをいいます。

図解

高額特定資産

① 棚卸資産

② 調整対象固定資産

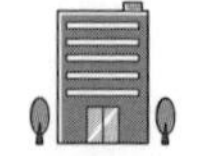

調整対象固定資産

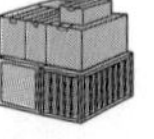

棚卸資産

高額特定資産には、棚卸資産も含まれる点に注意しましょう。

調整対象固定資産とは、棚卸資産以外の資産のうち、建物、機械及び装置、商標権などで一の取引単位につき、課税仕入れに係る支払対価の額（税抜）が100万円以上のものをいいます。

調整対象固定資産の意義は、Chapter10（2分冊目）で学習済みです。

「調整対象固定資産」と「高額特定資産」との違いに留意して整理しましょう。

高額特定資産を取得した場合等の納税義務の免除の特例

(1) 高額特定資産の仕入れ等を行った場合

前述のとおり、課税事業者が、簡易課税の適用を受けない課税期間に高額特定資産の仕入れ等を行った場合は、その仕入れ等を行った日の属する課税期間の翌課税期間からおおむね2年間の納税義務は免除されません。この特例のことを、**高額特定資産を取得した場合等の納税義務の免除の特例**といいます。対象資産が棚卸資産又は固定資産のケースについて、まとめると次のとおりです。

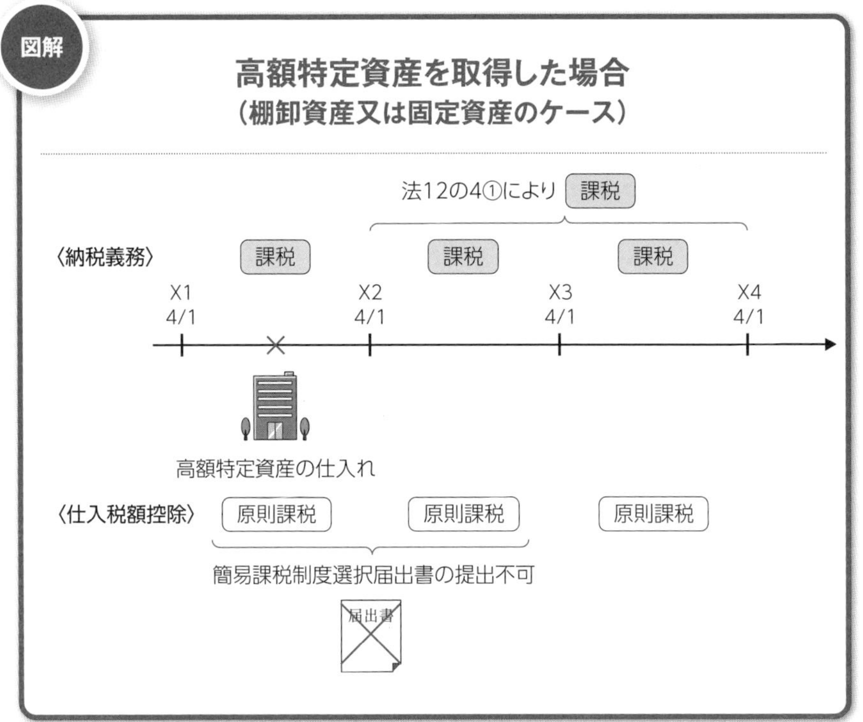

課税事業者が原則課税で仕入税額控除を計算していた課税期間中(X1.4/1～X2.3/31)に高額特定資産の仕入れ等を行った場合には、その仕入れ等の日の属する課税期間から3年間(X1.4/1～X2.3/31、X2.4/1～X3.3/31、X3.4/1～X4.3/31)は、課税事業者となります。また、高額特定資産の仕入れ等を行った課税期間を含む2年間(X1.4/1～X2.3/31、X2.4/1～X3.3/31)は、簡易課税制度選択届出書の

提出が認められないため、仕入れ等の日の属する課税期間から３年間（X1.4/1～X2.3/31、X2.4/1～X3.3/31、X3.4/1～X4.3/31）は、仕入税額控除については原則課税となります。

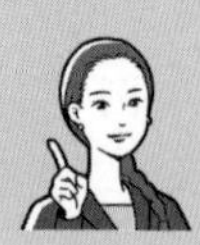

この特例は、平成28年４月１日以後に行われる高額特定資産の仕入れ等について適用されています。

また、課税事業者が簡易課税で仕入税額控除を計算していた課税期間に高額特定資産の仕入れ等を行った場合には、その高額特定資産の仕入れ等をした後の課税期間についても、簡易課税の適用要件を満たせば簡易課税が適用されることになります。

(2) 自己建設高額特定資産の仕入れを行った場合

自己建設高額特定資産とは、自ら建設等した高額特定資産のことをいいます。

課税事業者が簡易課税の適用を受けない課税期間中に、自己建設高額特定資産の仕入れを行った場合にも、高額特定資産を取得した場合等の納税義務の免除の特例により、一定期間の納税義務は免除されません。

自己建設高額特定資産の仕入れを行った場合とは、その建設等に要した原材料、経費に係る課税仕入れの累計額が1,000万円以上となった場合のことをいいます。

高額特定資産を取得した場合等の納税義務の免除の特例の適用を受ける対象資産が自己建設高額特定資産のケースについて、まとめると次のとおりです。

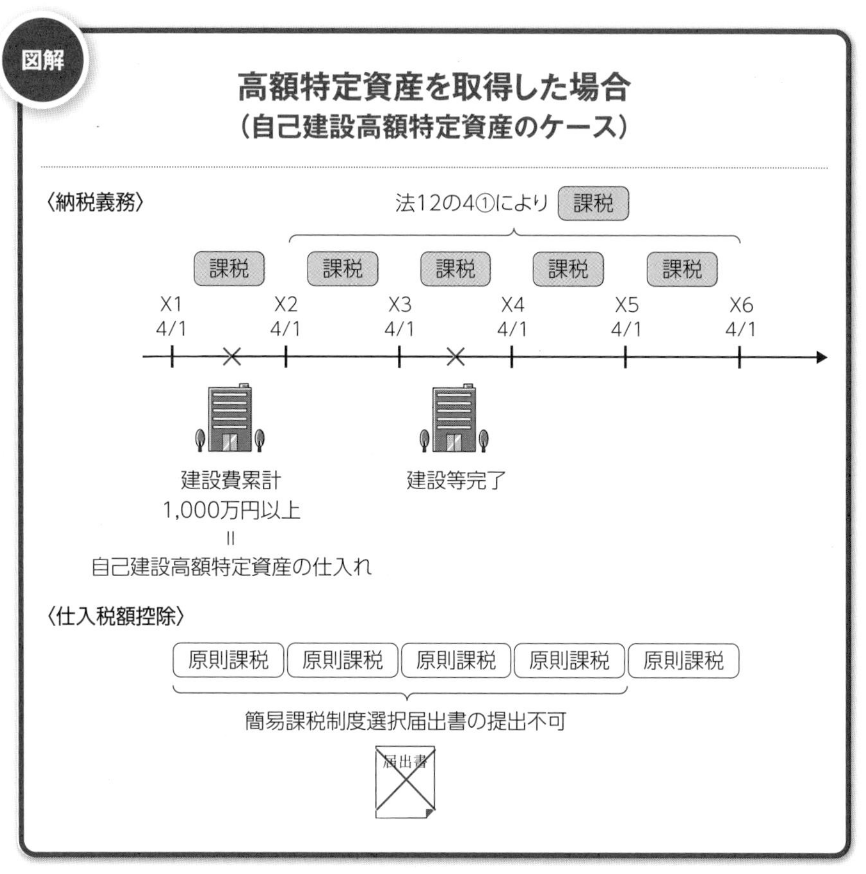

課税事業者が原則課税で仕入税額控除を計算していた課税期間中（X1.4/1～X2.3/31）に自己建設高額特定資産の仕入れを行った場合には、建設等が完了した日の属する課税期間の初日以後３年を経過する日の属する課税期間までは課税事業者となるため、その結果、その仕入れの日の属する課税期間から５年間（X1.4/1～X2.3/31、X2.4/1～X3.3/31、X3.4/1～X4.3/31、X4.4/1～X5.3/31、X5.4/1～X6.3/31）は課税事業者となります。この免除の特例の適用期間をカウントする際に、「その建設等が完了した日の属する課税期間の初日」（X3.4/1）を起算日として、効果が及ぶ期間を判定していくことになります。さらに、自己建設高額特定資産の仕

入れを行った課税期間を含む4年間（X1.4/1～X2.3/31、X2.4/1～X3.3/31、X3.4/1～X4.3/31、X4.4/1～X5.3/31）は簡易課税制度選択届出書の提出が認められないため、自己建設高額特定資産の仕入れの日の属する課税期間から5年間（X1.4/1～X2.3/31、X2.4/1～X3.3/31、X3.4/1～X4.3/31、X4.4/1～X5.3/31、X5.4/1～X6.3/31）は仕入税額控除については原則課税となります。

高額特定資産を仕入れた場合と自己建設高額特定資産を建設した場合とでは、「3年間」のカウントのしかたが違う点に注意しましょう。

高額特定資産を取得した場合等の納税義務の免除の特例について、条文では次のように規定されています。

条文

高額特定資産を取得した場合等の納税義務の免除の特例（法12の4①）

事業者（**免税事業者**を除く。）が、**簡易課税**又は2割特例の適用を受けない課税期間中に**高額特定資産**の仕入れ等（注1）を行った場合（注2）には、次の日の属する課税期間の翌課税期間からその仕入れ等の日の属する課税期間（注3）の初日以後**3年**を経過する日の属する課税期間までの各課税期間（注4）における**課税資産の譲渡等**（特定資産の譲渡等を除く。）及び**特定課税仕入れ**については、納税義務は免除されない。

(1) 高額特定資産（(2)を除く。）
　　その仕入れ等を行った日

(2) 自己建設高額特定資産
　　その仕入れを行った場合（注2）に該当することとなった日

（注1）国内における高額特定資産の課税仕入れ又は課税貨物の保税地域からの引取りをいう。

（注2）自己建設高額特定資産にあっては、その建設等に要した一定の費用の額の累計額が**1,000万円**以上となった場合

（注3）自己建設高額特定資産にあっては、その建設等が完了した日の属する課税期間

（注4）基準期間における課税売上高が**1,000万円**を超える課税期間、課税事業者の選択、前年等の課税売上高による特例、相続、合併、分割の特例、新設法人又は特定新規設立法人の特例により課税事業者となる課税期間を除く。

2割特例とは、令和5年10月1日からインボイス制度が開始されたことにより、免税事業者から適格請求書発行事業者として新たに課税事業者となる場合、その課税期間の納付税額を課税標準額に対する消費税額の2割とすることができる制度のことです。
この特例は、令和8年9月30日までの日の属する課税期間まで適用できます。詳しくはChapter22（4分冊目）で学習します。

(3) 棚卸資産の調整の適用を受けた場合

免税事業者が新たに課税事業者となった場合、免税事業者であった期間中に課税仕入れ等を行った「期首棚卸資産」に係る消費税額について、棚卸資産に係る消費税額の調整の規定により、その仕入れの際に支払った消費税額について仕入税額控除が認められていますが、この棚卸資産の中に「高額特定資産」も含まれる場合には、高額特定資産を取得した場合等の納税義務の免除の特例が適用されます。

つまり、この「高額特定資産を取得した場合等の納税義務の免除の特例」は、「棚卸資産に係る消費税額の調整の規定」により、課税事業者となり仕入税額控除を受けることになった場合にも適用されるのですね。「棚卸資産に係る消費税額の調整の規定」は、Chapter14（2分冊目）で学習しました。

このような高額特定資産に該当する「棚卸資産」に係る消費税額の調整の適用を受けた場合について、まとめると次のとおりです。

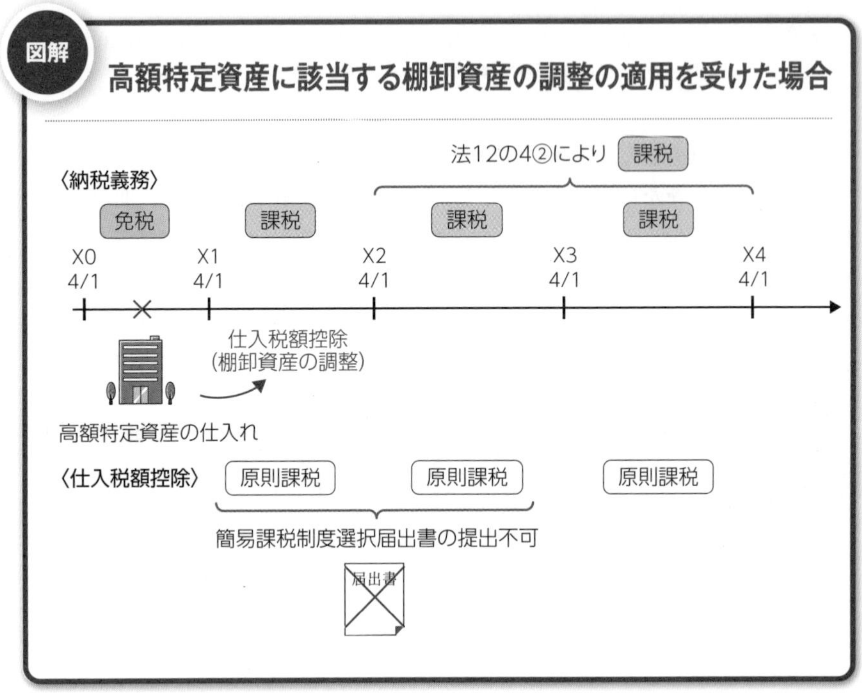

免税事業者であった期間中（X0.4/1～X1.3/31）に課税仕入れ等を行った「高額特定資産に該当する期首棚卸資産」に係る消費税額について、その仕入れの際に支払った消費税額は、新たに課税事業者となった課税期間（X1.4/1～X2.3/31）において仕入税額控除が認められます。

また、その課税事業者は上記の棚卸資産の調整の適用を受けることにより、高額特定資産を取得した場合と同様に扱われることとなるため、その課税期間の翌課税期間（X2.4/1～X3.3/31）から、その適用を受けた課税期間の初日であるX1.4/1以後３年を経過する日の属する課税期間（X3.4/1～X4.3/31）までの各課税期間（X1.4/1～X2.3/31、X2.4/1～X3.3/31、X3.4/1～X4.3/31）については、納税義務は免除されず課税事業者となり、仕入税額控除は原則課税により計算することとなります。

一方、高額特定資産に該当する「居住用賃貸建物」の課税仕入れを行った場合には、仕入税額控除は適用されません。

「居住用賃貸建物」については、Chapter12（2分冊目）で学習しました。

この免除の特例を復習する際には、他の論点と関連する箇所も合わせて復習しておきましょう。

条文

棚卸資産の調整の適用を受けた場合（法12の4②）

事業者が、**高額特定資産**である棚卸資産若しくは課税貨物又は**調整対象自己建設高額資産**について棚卸資産の調整の適用を受けた場合には、その適用を受けた課税期間の翌課税期間からその適用を受けた課税期間（注5）の初日以後**3年**を経過する日の属する課税期間までの各課税期間（注6）における**課税資産の譲渡等**及び**特定課税仕入れ**については、納税義務は免除されない。

（注5）棚卸資産の調整に規定する場合に該当することとなった日の前日までに建設等が完了していない**調整対象自己建設高額資産**にあっては、その建設等が完了した日の属する課税期間

（注6）基準期間における課税売上高が**1,000万円**を超える課税期間、課税事業者の選択、前年等の課税売上高による特例、相続、合併、分割の特例、新設法人、特定新規設立法人の特例、又は高額特定資産を取得した場合の規定により課税事業者となる課税期間を除く。

次の例題で、高額特定資産を取得した場合等の納税義務の判定方法を確認してみましょう。

例題

高額特定資産を取得した場合等の納税義務の判定方法

問題

甲社はX0年４月１日に、資本金1,000万円により新たに設立された法人（新設合併又は分割等により設立されたものではなく、平成28年４月１日以後に設立されたものとする。）であり、前課税期間まで継続して課税事業者に該当している。

この場合において、甲社の当課税期間（X3年度）における納税義務の有無を判定しなさい。

なお、甲社は適格請求書発行事業者には該当せず、消費税課税事業者選択届出書及び消費税簡易課税制度選択届出書を提出したことはない。

1　甲社の各課税期間における課税売上高（税抜金額）は次のとおりである。

課　税　期　間	課税売上高
X1年度　X1年４月１日～X2年３月31日	9,900,000円
X2年度　X2年４月１日～X3年３月31日※	10,300,000円
X3年度　X3年４月１日～X4年３月31日	20,900,000円

※　X2年４月１日から９月30日までの期間の課税売上高は、5,800,000円であり、同期間の給与等支払額は、3,790,000円である。

2　資産の購入に関する事項

甲社は、次の固定資産を購入し、当期末において保有している。

なお、取得価額は税込金額である。

資産の種類	取得日	取得価額
機械装置	X2年６月22日	13,310,000円

解答

● **基準期間**

(1) 9,900,000円≦10,000,000円

● **特定期間**

(1) 売上高

5,800,000円≦10,000,000円

(2) 給与等

3,790,000円≦10,000,000円

● **高額特定資産に該当するか確認後、納税義務の有無の判定**

(3) ① 高額特定資産の判定

$$13{,}310{,}000円 \times \frac{100}{110} = 12{,}100{,}000円 \geqq 10{,}000{,}000円$$

∴ 高額特定資産に該当

② 課税事業者、かつ、原則課税を適用している課税期間（X2年度）において高額特定資産（機械装置）を仕入れている

∴ 納税義務あり

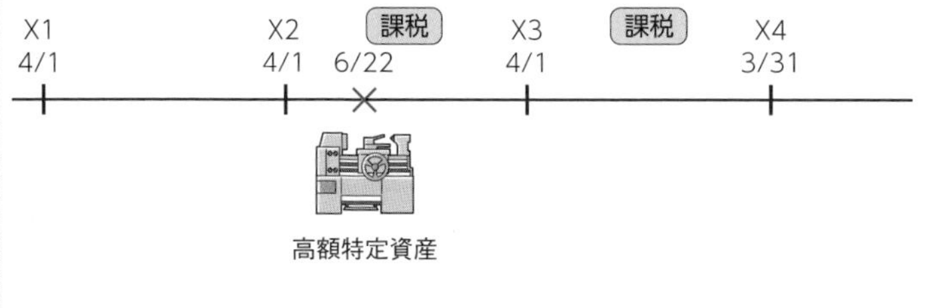

金地金等の仕入れ等を行った場合

(1) 背景

ここまで説明してきた高額特定資産を取得した場合と同様に、高額な金や白金の売買により仕入税額控除制度を利用した租税回避も頻繁に見受けられるようになったため、令和６年度の税制改正により、納税義務と仕入税額控除に一定の制限が加えられました。

(2) 金地金等の仕入れ等を行った場合

課税事業者が、簡易課税制度又は２割特例の適用を受けない課税期間中に金又は白金の地金等（仕入れ等の金額の合計額が年額で税抜200万円以上）の仕入れ等を行った場合は、その仕入れ等を行った日の属する課税期間の翌課税期間からおおむね２年間の納税義務は免除されません。まとめると次のとおりです。

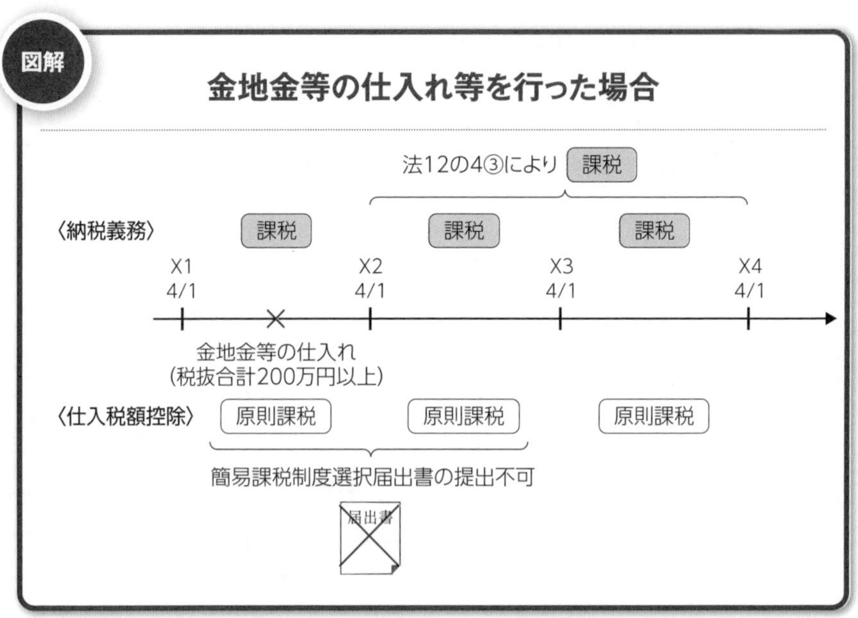

課税事業者が原則課税で仕入税額控除を計算していた課税期間中（X1.4/1～X2.3/31）に税抜合計200万円以上の金地金等の仕入れ等を行った場合には、その仕入れ等の日の属する課税期間から３年間（X1.4/1～X2.3/31、X2.4/1～X3.3/31、X3.4/1～X4.3/31）は、課税事業者となります。また、その仕入れ等を行った課税期間を含む２年間（X1.4/1～X2.3/31、X2.4/1～X3.3/31）は、簡易課税制度選択届出書の提出が認められないため、その仕入れ等の日の属する課税期間から３年間（X1.4/1～X2.3/31、X2.4/1～X3.3/31、X3.4/1～X4.3/31）は、仕入税額控除については原則課税となります。

この制限は、令和６年４月１日以後に行う課税仕入れ等から適用されます。

なお、金地金等の仕入れ等の課税期間が１年に満たない場合には、金地金等の仕入れ等の金額は年換算をして税抜合計200万円以上かどうかの判定を行います。

高額特定資産の仕入れ等を行った場合の「消費税簡易課税制度選択届出書」の提出制限

高額特定資産の仕入れ等を行った場合、「消費税簡易課税制度選択届出書」の提出には制限があります。まとめると、次のとおりです。

消費税簡易課税制度選択届出書の提出制限

● **簡易課税制度選択届出書の提出制限**（法37③）

簡易課税の適用を受けようとする事業者が、高額特定資産の仕入れ等を行った場合には、その仕入れ等の日の属する課税期間の初日からその初日（自己建設高額特定資産にあっては、その建設等が完了した日の属する課税期間の初日）以後３年を経過する日の属する課税期間の初日の前日までの期間は、「消費税簡易課税制度選択届出書」を提出することができません。

〈ケース１〉　高額特定資産の仕入れ等を行った場合

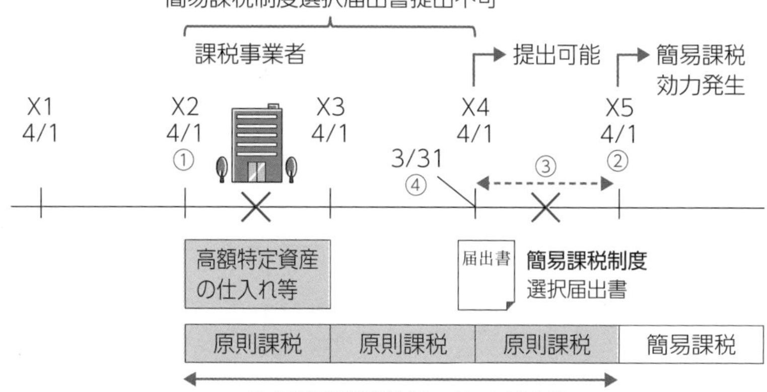

<高額特定資産の仕入れ等を行った場合（法37③）>

高額特定資産の仕入れ等の日の属する課税期間の初日（①X2.4.1）からその初日以後３年を経過する日（②X5.3.31）の属する課税期間（③X4.4.1～X5.3.31）の初日の前日までの期間（④X4.3.31）は、簡易課税制度選択届出書を提出することができない。

〈ケース２〉　自己建設高額特定資産の仕入れ等を行った場合

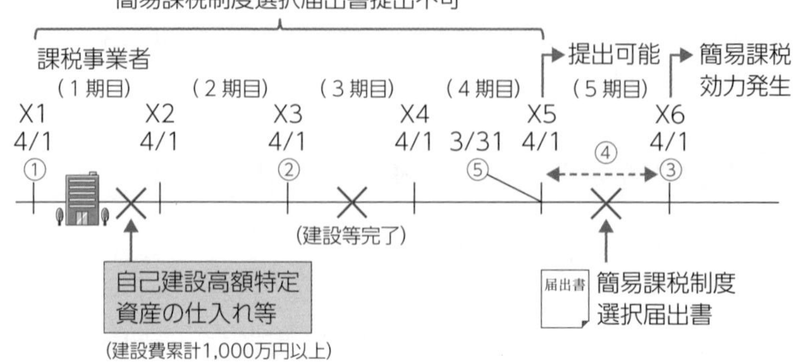

自己建設高額特定資産の仕入れを行った場合に該当することとなった日（①X1.4.1）の属する課税期間の初日からその建設等が完了した日（②X3.4.1）の属する課税期間の初日以後３年を経過する日（③X6.3.31）の属する課税期間（④X5.4.1～X6.3.31）の初日の前日までの期間（⑤～X5.3.31）は、簡易課税制度選択届出書を提出することができない。

〈ケース３〉　高額特定資産に該当する棚卸資産の調整の適用を受けた場合

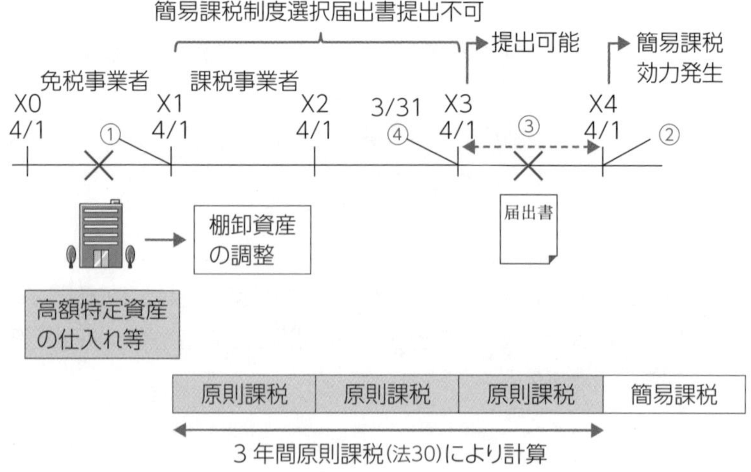

棚卸資産の調整の適用を受けた課税期間の初日からその初日以後３年を経過する日の属する課税期間の初日の前日までの期間は、簡易課税制度選択届出書を提出することができない。

①X1.4.1　②X4.3.31　③X3.4.1～X4.3.31　④～X3.3.31

〈ケース４〉　新設法人が設立課税期間から簡易課税制度を選択する場合

(特定新規設立法人)

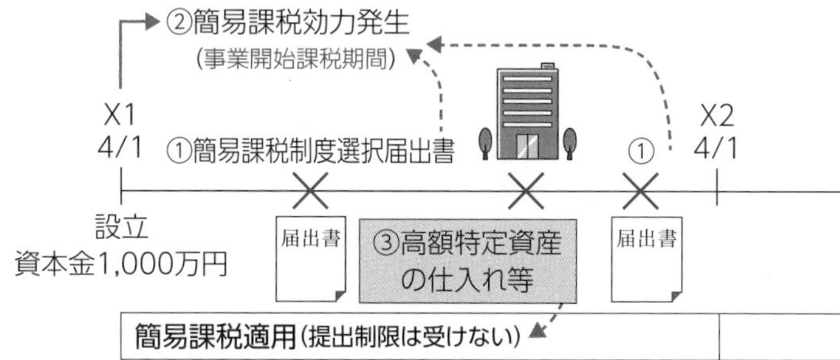

簡易課税制度選択届出書の提出制限の規定は、事業を開始した日の属する課税期間その他の一定の課税期間から簡易課税の適用を受けようとする場合には、適用しない。

● 簡易課税制度選択届出書の提出がなかったものとみなす場合 (法37④)

簡易課税制度選択届出書の提出制限を受ける場合において、高額特定資産の仕入れ等の日の属する課税期間の初日から、その仕入れ等の日までの間に「消費税簡易課税制度選択届出書」を納税地の所轄税務署長に提出しているときは、その提出は、なかったものとみなされます。

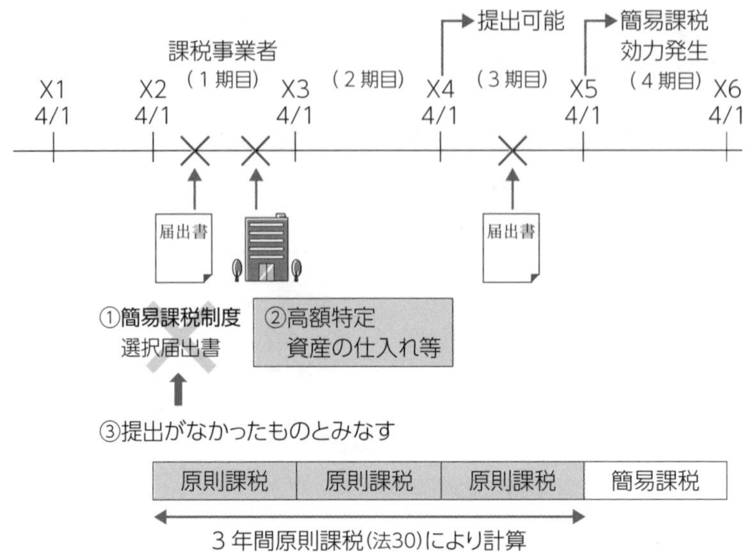

高額特定資産の仕入れ等の日の属する課税期間の初日からその仕入れ等の日までの間に簡易課税制度選択届出書を納税地の所轄税務署長に提出しているときは、その届出書の提出は、なかったものとみなす。

〈ケース5〉については、高額特定資産の仕入れ等をした課税期間より前（X1年度以前）に簡易課税制度選択届出書を提出していた場合には、高額特定資産を仕入れた場合においても、簡易課税制度選択届出書の提出制限はないことから簡易課税が適用される可能性があります。

この論点は、「納税義務の判定」、「簡易課税制度の適用の有無」といった観点から、もう一度丁寧に整理しておきましょう。

また、Chapter15（2分冊目）で紹介している「調整対象固定資産の仕入れ等を行った場合の「消費税簡易課税制度選択届出書」の提出制限」と合わせて復習しておきましょう。

問題 >>> 問題編の**問題5**〜**問題8**に挑戦しましょう！

索 引

あ行

か行

さ行

た行

な行

は行

ま行

〈執　　筆〉政木美恵（まさきみえ）
TAC税理士独学道場消費税法講師
〈執筆協力〉TAC出版開発グループ
井上雅美（TAC税理士講座消費税法講師）
〈イラスト〉梶浦ゆみこ
〈装　　幀〉Malpu Design

2025年度版
みんなが欲しかった！　税理士　消費税法の教科書＆問題集
3　納税義務編

（2018年度版　2017年10月20日　初版　第1刷発行）
2024年9月26日　初　版　第1刷発行

編著者　TAC株式会社（税理士講座）
発行者　多田敏男
発行所　TAC株式会社　出版事業部（TAC出版）
〒101-8383
東京都千代田区神田三崎町3-2-18
電話 03(5276)9492(営業)
FAX 03(5276)9674
https://shuppan.tac-school.co.jp
印　刷　株式会社　光　邦
製　本　東京美術紙工協業組合

ISBN 978-4-300-11299-1
N.D.C. 336

「税理士」の扉を開くカギ

それは、合格できる教育機関を決めること!

あなたが教育機関を決める最大の決め手は何ですか?
通いやすさ、受講料、評判、規模、いろいろと検討事項はありますが、一番の決め手となること、それは「合格できるか」です。
TACは、税理士講座開講以来今日までの40年以上、「受講生を合格に導く」ことを常に考え続けてきました。そして、「最小の努力で最大の効果を発揮する、良質なコンテンツの提供」をもって多数の合格者を輩出し、今も厚い信頼と支持をいただいております。

令和5年度 税理士試験
TAC 合格祝賀パーティー

東京会場　ホテルニューオータニ

合格者から「喜びの声」を多数お寄せいただいています。

https://www.tac-school.co.jp/kouza_zeiri/zeiri_jisseki.html

税理士講座のご案内

2025年合格目標コース

反復学習でインプット強化！ & 豊富な演習量で実践力強化！

対象者：初学者／次の科目の学習に進む方

2024年9月〜2025年8月

9月入学 基礎マスター＋上級コース（簿記・財表・相続・消費・酒税・固定・事業・国徴）
3回転学習！年内はインプットを強化、年明けは演習機会を増やして実践力を鍛える！
※簿記・財表は5月・7月・8月・10月入学コースもご用意しています。

9月入学 ベーシックコース（法人・所得）
2回転学習！週2ペース、8ヵ月かけてインプットを鍛える！

9月入学 年内完結＋上級コース（法人・所得）
3回転学習！年内はインプットを強化、年明けは演習機会を増やして実践力を鍛える！

12月・1月入学 速修コース（全11科目）
7ヵ月〜8ヵ月間で合格レベルまで仕上げる！

3月入学 速修コース（消費・酒税・固定・国徴）
短期集中で税法合格を目指す！

→ 8月 税理士試験

対象者：受験経験者（受験した科目を再度学習する場合）

2024年9月〜2025年8月

9月入学 年内上級講義＋上級コース（簿記・財表）
年内に基礎・応用項目の再確認を行い、実力を引き上げる！

9月入学 年内上級演習＋上級コース（法人・所得・相続・消費）
年内から問題演習に取り組み、本試験時の実力維持・向上を図る！

12月入学 上級コース（全10科目）
※住民税の開講はございません
講義と演習を交互に実施し、答案作成力を養成！

→ 8月 税理士試験

※2024年7月12日時点の情報です。最新の情報は、TAC 税理士講座ホームページをご確認ください。

"入学前サポート"を活用しよう!

無料セミナー&個別受講相談

無料セミナーでは、税理士の魅力、試験制度、科目選択の方法や合格のポイントをお伝えしていきます。セミナー終了後は、個別受講相談でみなさんの疑問や不安を解消します。

TAC 税理士 セミナー 検索

https://www.tac-school.co.jp/kouza_zeiri/zeiri_gd_gd.htm

無料Webセミナー

TAC動画チャンネルでは、校舎で開催しているセミナーのほか、Web限定のセミナーも多数配信しています。受講前にご活用ください。

TAC 税理士 動画 検索

https://www.tac-school.co.jp/kouza_zeiri/tacchannel.html

体験入学

教室講座開講日(初回講義)は、お申込み前でも無料で講義を体験できます。講師の熱意や校舎の雰囲気を是非体感してください。

TAC 税理士 体験 検索

https://www.tac-school.co.jp/kouza_zeiri/zeiri_gd_taiken.html

税理士11科目 Web体験

「税理士11科目Web体験」では、TAC税理士講座で開講する各科目・コースの初回講義をWeb視聴いただけるサービスです。講義の分かりやすさを確認いただき、学習のイメージを膨らませてください。

TAC 税理士 検索

https://www.tac-school.co.jp/kouza_zeiri/taiken_form.html

税理士講座のご案内

チャレンジコース

受験経験者・独学生待望のコース!

4月上旬開講!

開講科目	簿記・財表・法人 所得・相続・消費

基礎知識の底上げ  **徹底した本試験対策**

チャレンジ講義 ＋ チャレンジ演習 ＋ 直前対策講座 ＋ 全国公開模試

受験経験者・独学生向けカリキュラムが一つのコースに!

※チャレンジコースには直前対策講座(全国公開模試含む)が含まれています。

直前対策講座

5月上旬開講!

本試験突破の最終仕上げ!

学習メディア	教室講座・ビデオブース講座 Web通信講座・DVD通信講座・資料通信講座

＼全11科目対応／

開講科目	簿記・財表・法人・所得・相続・消費 酒税・固定・事業・住民・国徴

直前期に必要な対策が
すべて揃っています!

- 徹底分析!「試験委員対策」
- 即時対応!「税制改正」
- 毎年的中!「予想答練」

※直前対策講座には全国公開模試が含まれています。

チャレンジコース・直前対策講座ともに詳しくは2月下旬発刊予定の
「チャレンジコース・直前対策講座パンフレット」をご覧ください。

全国公開模試

6月中旬実施!

全11科目実施

TACの模試はここがスゴイ!

1 信頼の母集団

2023年の受験者数は、会場受験・自宅受験合わせて10,316名！この大きな母集団を分母とした正確な成績（順位）を把握できます。

信頼できる実力判定

※11科目延べ人数

2 本試験を擬似体験

全国の会場で緊迫した雰囲気の中「真の実力」が発揮できるかチャレンジ!

3 個人成績表

現時点での全国順位を確認するとともに「講評」等を通じて本試験までの学習の方向性が定まります。

4 充実のアフターフォロー

解説Web講義を無料配信。また、質問電話による疑問点の解消も可能です。

※TACの受講生はカリキュラム内に全国公開模試の受験料が含まれています（一部期別申込を除く）。

直前オプション講座

6月中旬～8月上旬実施!

最後まで油断しない! ここからのプラス5点!

【重要理論確認ゼミ】
～理論問題の解答作成力UP!～

【ファイナルチェック】
～確実な5点UPを目指す!～

【最終アシストゼミ】
～本試験直前の総仕上げ!～

全国公開模試および直前オプション講座の詳細は4月中旬発刊予定の「全国公開模試パンフレット」「直前オプション講座パンフレット」をご覧ください。

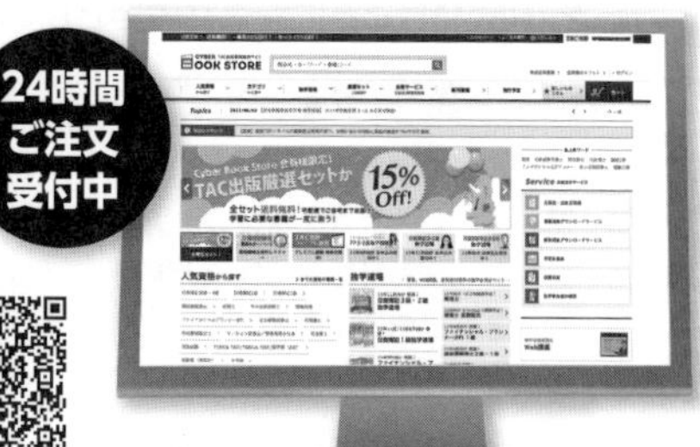

2025年度版 税理士試験対策書籍のご案内

TAC出版では、独学用、およびスクール学習の副教材として、各種対策書籍を取り揃えています。学習の各段階に対応していますので、あなたのステップに応じて、合格に向けてご活用ください!

（刊行内容、発行月、装丁等は変更することがあります）

●2025年度版 税理士受験シリーズ

税理士試験において長い実績を誇るTAC。このTACが長年培ってきた合格ノウハウを“TAC方式”としてまとめたのがこの「税理士受験シリーズ」です。近年の豊富なデータをもとに傾向を分析、科目ごとに最適な内容としているので、トレーニング演習に欠かせないアイテムです。

簿記論

01	簿記論	個別計算問題集	（8月）
02	簿記論	総合計算問題集 基礎編	（9月）
03	簿記論	総合計算問題集 応用編	（11月）
04	簿記論	過去問題集	（12月）
	簿記論	完全無欠の総まとめ	（11月）

財務諸表論

05	財務諸表論	個別計算問題集	（8月）
06	財務諸表論	総合計算問題集 基礎編	（9月）
07	財務諸表論	総合計算問題集 応用編	（12月）
08	財務諸表論	理論問題集 基礎編	（9月）
09	財務諸表論	理論問題集 応用編	（12月）
10	財務諸表論	過去問題集	（12月）
33	財務諸表論	重要会計基準	（8月）
	※財務諸表論	重要会計基準 暗記音声	（8月）
	財務諸表論	完全無欠の総まとめ	（11月）

法人税法

11	法人税法	個別計算問題集	（11月）
12	法人税法	総合計算問題集 基礎編	（10月）
13	法人税法	総合計算問題集 応用編	（12月）
14	法人税法	過去問題集	（12月）
34	法人税法	理論マスター	（8月）
	※法人税法	理論マスター 暗記音声	（9月）
35	法人税法	理論ドクター	（12月）
	法人税法	完全無欠の総まとめ	（12月）

所得税法

15	所得税法	個別計算問題集	（9月）
16	所得税法	総合計算問題集 基礎編	（10月）
17	所得税法	総合計算問題集 応用編	（12月）
18	所得税法	過去問題集	（12月）
36	所得税法	理論マスター	（8月）
	※所得税法	理論マスター 暗記音声	（9月）
37	所得税法	理論ドクター	（12月）

相続税法

19	相続税法	個別計算問題集	（9月）
20	相続税法	財産評価問題集	（9月）
21	相続税法	総合計算問題集 基礎編	（9月）
22	相続税法	総合計算問題集 応用編	（12月）
23	相続税法	過去問題集	（12月）
38	相続税法	理論マスター	（8月）
	※相続税法	理論マスター 暗記音声	（9月）
39	相続税法	理論ドクター	（12月）

酒税法

24	酒税法	計算問題+過去問題集	（2月）
40	酒税法	理論マスター	（8月）

書籍の正誤に関するご確認とお問合せについて

書籍の記載内容に誤りではないかと思われる箇所がございましたら、以下の手順にてご確認とお問合せをしてくださいますよう、お願い申し上げます。
なお、正誤のお問合せ以外の**書籍内容に関する解説および受験指導などは、一切行っておりません。**
そのようなお問合せにつきましては、お答えいたしかねますので、あらかじめご了承ください。

1 「Cyber Book Store」にて正誤表を確認する

TAC出版書籍販売サイト「Cyber Book Store」の
トップページ内「正誤表」コーナーにて、正誤表をご確認ください。

CYBER BOOK STORE TAC出版書籍販売サイト

URL:https://bookstore.tac-school.co.jp/

2 1の正誤表がない、あるいは正誤表に該当箇所の記載がない ⇒ 下記①、②のどちらかの方法で文書にて問合せをする

★ご注意ください★

お電話でのお問合せは、お受けいたしません。
①、②のどちらの方法でも、お問合せの際には、「お名前」とともに、
「対象の書籍名(○級・第○回対策も含む)およびその版数(第○版・○○年度版など)」
「お問合せ該当箇所の頁数と行数」
「誤りと思われる記載」
「正しいとお考えになる記載とその根拠」
を明記してください。
なお、回答までに1週間前後を要する場合もございます。あらかじめご了承ください。

① ウェブページ「Cyber Book Store」内の「お問合せフォーム」より問合せをする

【お問合せフォームアドレス】

https://bookstore.tac-school.co.jp/inquiry/

② メールにより問合せをする

【メール宛先 TAC出版】

syuppan-h@tac-school.co.jp

※土日祝日はお問合せ対応をおこなっておりません。
※正誤のお問合せ対応は、該当書籍の改訂版刊行月末日までといたします。

乱丁・落丁による交換は、該当書籍の改訂版刊行月末日までといたします。なお、書籍の在庫状況等により、お受けできない場合もございます。
また、各種本試験の実施の延期、中止を理由とした本書の返品はお受けいたしません。返金もいたしかねますので、あらかじめご了承くださいますようお願い申し上げます。

TACにおける個人情報の取り扱いについて
■お預かりした個人情報は、TAC(株)で管理させていただき、お問合せへの対応、当社の記録保管にのみ利用いたします。お客様の同意なしに業務委託先以外の第三者に開示、提供することはございません(法令等により開示を求められた場合を除く)。その他、個人情報保護管理者、お預かりした個人情報の開示等及びTAC(株)への個人情報の提供の任意性については、当社ホームページ(https://www.tac-school.co.jp)をご覧いただくか、個人情報に関するお問い合わせ窓口(E-mail:privacy@tac-school.co.jp)までお問合せください。

(2022年7月現在)

>>問題集　問題
>>問題集　解答・解説

この冊子には、問題集の問題と解答・解説がとじこまれています。

別冊ご利用時の注意

別冊は、この色紙を残したままていねいに抜き取り、ご利用ください。
また、抜き取る際の損傷についてのお取替えはご遠慮願います。

みんなが欲しかった！　税理士

消費税法の教科書＆問題集 3

問題集

問題

Chapter 16

納税義務の原則・免除

問題 1 納税義務者

重要度 A　3分　解答 28P

消費税の納税義務者について説明した次の文章のかっこの中に適当な語句又は金額を記入しなさい。

消費税は消費一般に広く公平に課税される間接税であるため、国内取引については、国内において［ ① ］の譲渡等（特定資産の譲渡等を除く。）及び特定課税仕入れを行った事業者が消費税を納める義務を負っている。また、輸入取引については、保税地域から［ ② ］を引き取る者が消費税を納める義務を負っている。しかし、［ ③ ］における課税売上高が［ ④ ］以下である小規模事業者（適格請求書発行事業者を除く。）については、納税に係る事務負担の軽減等の理由から国内取引の納税義務が免除されることとなる。

問題 2 基準期間（1）

重要度 A　3分　解答 28P

基準期間について説明した次の文章のかっこの中に適当な語句を記入しなさい。

基準期間とは、原則として個人事業者の場合はその年の［ ① ］のことをいい、法人の場合はその事業年度の［ ② ］のことをいう。ただし、［ ② ］が1年未満の法人の場合は、その事業年度開始の日の［ ③ ］から［ ④ ］までの間に［ ⑤ ］を合わせた期間とする。

問題 3 基準期間（2）

重要度 A　2分　解答 29P

次のそれぞれの期間について、納税義務の判定の基準となる期間（基準期間）を答えなさい。

⑴　甲社（法人）の当課税期間（第18期：令和7年4月1日～令和8年3月31日）

甲社の過去の事業年度は下記のとおりである。

第15期：令和４年４月１日～令和５年３月31日

第16期：令和５年４月１日～令和６年３月31日

第17期：令和６年４月１日～令和７年３月31日

(2) 個人事業者乙の当課税期間（令和７年１月１日～令和７年12月31日）

問題 4 基準期間（3）

重要度 B　6分 　解答 29P

次のそれぞれの期間について、納税義務の判定の基準となる期間（基準期間）を答えなさい。

(1) 甲社（法人）の当課税期間（第24期：令和７年４月１日～令和７年９月30日）

甲社の過去の事業年度は下記のとおりである。

第19期：令和４年10月１日～令和５年３月31日

第20期：令和５年４月１日～令和５年９月30日

第21期：令和５年10月１日～令和６年３月31日

第22期：令和６年４月１日～令和６年９月30日

第23期：令和６年10月１日～令和７年３月31日

(2) 乙社（法人）の当課税期間（第３期：令和７年４月１日～令和８年３月31日）

乙社の過去の事業年度は下記のとおりである。

第１期：令和５年12月１日～令和６年３月31日

第２期：令和６年４月１日～令和７年３月31日

(3) 丙社（法人）の当課税期間（第８期：令和７年４月１日～令和７年11月30日）

丙社の過去の事業年度は下記のとおりである。

第４期：令和４年８月１日～令和５年３月31日

第５期：令和５年４月１日～令和５年11月30日

第６期：令和５年12月１日～令和６年７月31日

第７期：令和６年８月１日～令和７年３月31日

問題5 納税義務の判定（1）

重要度A　15分　解答 32P

次の【資料】から、甲株式会社（以下「甲社」という。）の当期（令和７年４月１日から令和８年３月31日まで）に係る基準期間における課税売上高を次のケース別に計算し、納税義務の有無を判定しなさい。なお、甲社は基準期間において課税事業者に該当しており、商品は非課税とされるものではない。また、金額は税込であり、甲社は適格請求書発行事業者の登録を受けたことはない。

【資　料】

基準期間（令和５年４月１日から令和６年３月31日まで）における資産の譲渡等の状況は次のとおりである。また、甲社は軽減税率が適用される取引は行っていないものとする。

(単位：円)

	内　　訳	（ケース１）	（ケース２）	（ケース３）	（ケース４）
(1)	国内における商品売上高	12,100,000	5,500,000	8,800,000	6,844,000
(2)	(1)に係る売上値引高	385,000	0	264,000	611,000
(3)	輸出免税となる売上高	0	5,000,000	6,000,000	4,600,000
(4)	(3)に係る売上値引高	0	0	180,000	350,000

問題6 納税義務の判定（2）

重要度A　5分　解答 35P

甲株式会社（以下「甲社」という。）の前々事業年度（令和５年４月１日から令和６年３月31日まで）における資産の譲渡等の状況は、次のとおりである。これに基づいて、甲社の当課税期間（令和７年４月１日から令和８年３月31日まで）の納税義務の有無を判定しなさい。なお、甲社は前々事業年度において課税事業者に該当しており、「商品売上高」及び「売上値引」には非課税取引に係るものは含まれていない。また、金額は税込であり、軽減税率が適用される取引は行っていないものとし、甲社は適格請求書発行事業者の登録を受けたことはないものとする。

(1)　商品売上高 ………………………… 380,000,000円
　　うち輸出取引に係るもの ………………… 23,610,000円

(2) 売上値引 …… 1,280,000円
うち輸出取引に係るもの …… 340,000円
(3) 株式売却額 …… 5,600,000円
(4) 受取利息 …… 792,000円
(5) 建物売却額 …… 8,403,000円

問題7 納税義務の判定 (3)

重要度A　7分　解答36P

甲株式会社（以下「甲社」という。）の前々事業年度（令和5年4月1日から令和6年3月31日まで）における資産の譲渡等の状況は、次のとおりである。これに基づいて、甲社の当課税期間（令和7年4月1日から令和8年3月31日まで）の納税義務の有無を判定しなさい。なお、甲社は前々事業年度において課税事業者に該当しており、「商品売上高」及び「売上値引」には非課税取引に係るものは含まれていない。また、金額は税込であり、軽減税率が適用される取引は行っていないものとし、甲社は適格請求書発行事業者の登録を受けたことはないものとする。

(1) 商品売上高 …… 560,000,000円
うち輸出免税売上高 …… 102,770,000円
うち海外支店で販売した商品の売上高 …… 84,714,000円
(2) 売上返品高 …… 4,900,000円
うち輸出免税売上げに係るもの …… 1,600,000円
うち海外支店で販売した商品の売上げに係るもの …… 850,000円
(3) 株式売却額 …… 3,200,000円
(4) 土地売却額 …… 15,400,000円
(5) 車両売却額 …… 2,200,000円
(6) 貸倒損失 …… 2,500,000円
上記金額は前々事業年度の国内商品売上高に係る売掛金が貸し倒れたことによるものである。

問題8 納税義務の判定（4）

重要度B　10分　解答 38P

甲株式会社（以下「甲社」という。）の令和４年８月１日以降に開始した事業年度における資産の譲渡等の状況は、次のとおりである。これに基づいて、甲社の当課税期間（令和７年４月１日から令和８年３月31日まで）の納税義務の有無を判定しなさい。

甲社は、創立以来８カ月決算であったが、定款を変更し令和７年４月１日以後に開始する事業年度から４月１日から３月31日までの年１回決算に変更することとなった。また、いずれの事業年度も消費税法第９条第１項《小規模事業者に係る納税義務の免除》の規定の適用を受けていない。

なお、「総売上高」及び「売上割戻」は、すべて国内課税売上げに係るもので、金額は税込であり、軽減税率が適用される取引は行っていないものとし、甲社は適格請求書発行事業者の登録を受けたことはないものとする。

（単位：円）

内　　訳	令和４年8月1日～令和５年3月31日	令和５年4月1日～令和５年11月30日	令和５年12月1日～令和６年7月31日	令和６年8月1日～令和７年3月31日
⑴総売上高	329,135,500	316,180,000	351,640,800	296,308,500
⑵売上割戻	2,989,000	3,689,000	2,959,200	2,634,200
⑶株式売却額	2,788,000	2,055,000	3,040,200	2,600,000
⑷受取利息	588,000	542,000	570,000	521,000
⑸車両売却額	0	0	1,100,000	0
⑹駐車場施設使用料収入	4,678,900	4,279,000	4,386,700	4,522,100
⑺土地売却収入	0	52,000,000	0	0

問題9 納税義務の判定（5）

重要度B　5分　解答 39P

甲株式会社（以下「甲社」という。）の前々事業年度（令和５年４月１日から令和６年３月31日まで）における資産の譲渡等の状況は、次のとおりである。これに基づいて、甲社の当課税期間（令和７年４月１日から令和８年３月31日まで）に係る基準期間における課税売上高を計算し、納税義務の有無を判定しなさい。なお、甲社は適格請求書発行事業者の登録を受けたことはなく、前々事業年度において消費税法第９条第１項《小規模事業者に係る納税義務の免除》の規定の適用を受けていたため免税事業者に該当していた。また、「商品売上高」及び「売上値引」には、非課税取引及び軽減税率が適用される取引に係るものは含まれておらず、金額は税込である。

(1) 商品売上高 …… 16,200,000円
　　うち輸出免税売上高 …… 1,470,000円
(2) 売上返品高 …… 900,000円
　　うち輸出免税売上げに係るもの …… 170,000円
(3) ゴルフ場利用株式売却額 …… 300,000円
(4) 土地売却額 …… 1,800,000円
(5) 車両売却額 …… 220,000円
(6) 受取配当金 …… 500,000円

納税義務の免除の特例①（届出書・前年等・相続・合併）

問題 1 課税事業者の選択

重要度 A　5分　解答 41P

課税事業者の選択について説明した次の文章のかっこの中に適当な語句又は数字を記入しなさい。

国内取引については、消費税法第９条第１項《小規模事業者に係る納税義務の免除》の規定により基準期間における課税売上高が1,000万円以下となる事業者（適格請求書発行事業者を除く。）は、納税義務は免除される。しかし、免税事業者は「預かった消費税」よりも「支払った消費税」の方が多かった場合に消費税の還付を受けることができないため、この規定により納税義務が免除される事業者は、［　①　］を納税地の所轄税務署長に提出することにより自ら「課税事業者」となることを選択し、還付を受けられるようにすることができる。なお、課税事業者の選択の規定の適用を受けることをやめようとするときは［　②　］を提出することになるが、［　②　］は［　①　］の効力が生ずる課税期間の初日から［　③　］年を経過する日の属する課税期間の初日以後でなければ提出することができない。

［　④　］があるために［　①　］及び［　②　］を、その適用を受けようとし又は受けることをやめようとする課税期間の初日の前日までに提出できなかった場合は、［　④　］がやんだ後相当の期間内に一定の申請書を提出することにより寛大な取扱いが認められる宥恕規定が設けられている。

問題 2 前年等の課税売上高による納税義務の免除の特例

重要度 A　5分　解答 41P

前年等の課税売上高による納税義務の免除の特例の規定について、次の文章のかっこの中に適当な語句又は数字を記入しなさい。

個人事業者のその年又は法人のその事業年度の［　①　］における課税売上高が1,000万円以下である場合（注）において、［　②　］における課税売上高が1,000万円を超えるときは、その年又はその事業年度における課税資産の譲渡等

(特定資産の譲渡等を除く。)及び特定課税仕入れについては、納税義務は免除されない。

なお、[　③　]以外の事業者がこの特例を適用する場合においては、[　②　]中に支払った支払明細書に記載すべき一定の[　④　]の合計額を[　②　]における課税売上高とすることができる(注)。

(注)[　⑤　]の選択により課税事業者となる場合を除く。

問題3 特定期間

重要度A　2分　解答42P

次のそれぞれの期間に係る特定期間を答えなさい。

(1) 甲社(法人)の当課税期間(第14期:令和7年4月1日から令和8年3月31日まで)

甲社の過去の事業年度は下記のとおりである。

第11期:令和4年4月1日～令和5年3月31日
第12期:令和5年4月1日～令和6年3月31日
第13期:令和6年4月1日～令和7年3月31日

(2) 個人事業者乙の当課税期間(令和7年1月1日～令和7年12月31日)

問題4 納税義務の免除の特例(1)

重要度A　5分　解答44P

次の資料から、個人事業者甲の当課税期間(令和7年1月1日から令和7年12月31日まで)に係る納税義務の有無を判定しなさい。なお、甲は国外事業者に該当しない。

(1) 前々年(令和5年1月1日～令和5年12月31日)における課税売上高
……………………………… 9,800,000円(税抜金額)

(2) 前年上半期(令和6年1月1日～令和6年6月30日)における課税売上高
……………………………… 11,000,000円(税抜金額)

(3) 前年上半期(令和6年1月1日～令和6年6月30日)における支払明細書に記載すべき一定の給与等の合計額 ……………… 8,200,000円

問題5 納税義務の免除の特例（2） 重要度B 10分 解答46P

甲株式会社（以下「甲社」という。）の各事業年度における資産の譲渡等の状況は、次のとおりである。これに基づいて、甲社の当課税期間（令和7年4月1日から令和8年3月31日まで）の納税義務の有無を判定しなさい。

なお、「商品売上高」及び「売上値引」には非課税取引に係るものは含まれておらず、金額は税込である。また、いずれの事業年度も消費税法第9条第1項《小規模事業者に係る納税義務の免除》の規定の適用を受けておらず、軽減税率が適用される取引はないものとする。甲社は適格請求書発行事業者の登録を受けたことはなく、国外事業者に該当しない。

	令和5年4月1日～ 令和6年3月31日	令和6年4月1日～ 令和7年3月31日	左記の期間のうち 令和6年4月1日～ 令和6年9月30日
(1)商品売上高	11,415,274円	34,758,000円	18,302,800円
(2)売上値引	2,200,000円	4,300,000円	3,240,000円
(3)株式売却額	540,000円	620,000円	379,000円
(4)受取利息	212,900円	233,600円	119,100円
(5)備品売却額	200,000円	0円	0円

令和6年4月1日から令和6年9月30日までの期間中に支払った給与等の合計額は12,200,000円である。

問題6 相続（1） 重要度A 2分 解答48P

相続があった年の相続人（国内において課税資産の譲渡等を行う個人事業者であり、適格請求書発行事業者の登録を受けたことはない。）の納税義務の有無に関して適用が想定される消費税法の規定について、次のそれぞれの判定基準を適用される順番どおりに並べ替えなさい。なお、被相続人は適格請求書発行事業者の登録を受けたことはないものとする。

① 相続人が消費税課税事業者選択届出書を前課税期間の末日までに提出しているかどうか？

② 被相続人の基準期間における課税売上高が1,000万円を超えているかどう

か？

③　相続人の基準期間における課税売上高が1,000万円を超えているかどうか？

④　相続人の特定期間における課税売上高が1,000万円を超えているかどうか？

問題7　相続（2）　重要度A　8分　解答50P

次の【資料】から、相続人の令和７年から令和９年までの各課税期間における納税義務の有無を判定しなさい。

【資　料】

(1)　相続人は、令和７年５月31日の被相続人の死亡によりその事業を承継した。

(2)　相続人及び被相続人は、それぞれ適格請求書発行事業者の登録を受けたことはない。

(3)　「課税事業者の選択」及び「前年等の課税売上高による納税義務の免除の特例」について考慮する必要はない。

(4)　相続人及び被相続人の各課税期間における課税売上高（税抜金額）は、次のとおりである。

課　税　期　間	相　続　人	被　相　続　人
令和５年１月１日　～　令和５年12月31日	950万円	1,200万円
令和６年１月１日　～　令和６年12月31日	830万円	1,040万円
令和７年１月１日　～　令和７年12月31日	1,000万円	（注）310万円
令和８年１月１日　～　令和８年12月31日	1,250万円	—
令和９年１月１日　～　令和９年12月31日	1,380万円	—

（注）　令和７年１月１日から令和７年５月31日までの期間の金額である。

問題 8 相続 (3)

重要度 A　20分　解答 52P

多津久甲太（以下「甲」という。）は文房具（課税資産）の小売業を営む個人事業者である。令和７年５月13日に甲の父である多津久乙夫（以下「乙」という。）が死亡したことに伴い、相続により乙が営んでいた家具（課税資産）の卸売業を引き継いでいる。次の【資料】に基づき甲の令和７年から令和９年までの各課税期間における納税義務の有無を判定しなさい。なお、各課税期間において軽減税率が適用された課税資産の譲渡等及び売上げに係る対価の返還等はなく、また、特定資産の譲渡等はないものとする。また、甲及び乙は税込経理方式により会計帳簿の記録を行っている。

【資　料】

(1) 甲は令和５年３月12日に文房具の小売業を開業しており、甲の各課税期間に係る取引等の状況は下記のとおりである。なお、令和５年及び令和６年の課税期間については、それぞれ消費税法第９条第１項《小規模事業者に係る納税義務の免除》の規定の適用を受けている。また、甲は消費税課税事業者選択届出書を提出したことはない。

取引の状況	令和５年	令和６年	
	1月1日～12月31日	1月1日～6月30日	7月1日～12月31日
Ⅰ　資産の譲渡等の金額	6,500,000円	4,800,000円	5,000,000円
Ⅰのうち非課税取引に係るもの	30,000円	20,000円	30,000円
Ⅱ　Ⅰの売上げに係る対価の返還等（注１）	170,000円	80,000円	70,000円

取引の状況	令和７年		
	1月1日～5月13日	5月14日～6月30日	7月1日～12月31日
Ⅰ　資産の譲渡等の金額	4,200,000円	1,385,000円	7,125,000円
Ⅰのうち非課税取引に係るもの	30,000円	10,000円	250,000円
Ⅱ　Ⅰの売上げに係る対価の返還等（注1）	70,000円	55,000円	275,000円

（注１）すべてその課税期間中の商品売上げに係るものである。

（注２）令和６年１月１日から同年６月30日までの期間における給与等の支払額は1,500,000円である。

（注３）令和７年１月１日から同年６月30日までの期間における給与等の支払額は2,500,000円である。

（注４）甲は、適格請求書発行事業者の登録を受けたことはない。

（注５）甲は国外事業者に該当しない。

（注６）甲の過年度の取引等の状況に関しては、上記の資料以外は考慮する必要はない。

(2)　乙の取引等の状況は下記のとおりである。なお、乙は各課税期間において消費税の課税事業者に該当している。

取引の状況	令和５年	令和６年	令和７年
	１月１日～12月31日	１月１日～12月31日	１月１日～５月13日
Ⅰ　資産の譲渡等の金額	13,710,000円	10,052,000円	4,930,000円
Ⅰのうち非課税取引に係るもの	200,000円	280,000円	200,000円
Ⅱ　Ⅰの売上げに係る対価の返還等（注1）	540,000円	489,000円	220,000円

（注１）すべてその課税期間中の商品売上げに係るものである。なお、令和５年については、令和５年１月18日に売上げたものについて同日に値引きを行ったものである。

（注２）乙は、適格請求書発行事業者の登録を受けたことはない。

（注３）乙は国外事業者に該当しない。

（注４）乙の過年度の取引等の状況に関しては、上記の資料以外は考慮する必要はない。

問題9 吸収合併

重要度A　8分　解答 56P

次の【資料】から、A社の第14期から第16期までの各課税期間に係る被合併法人の合併法人のその事業年度の「基準期間に対応する期間」を具体的な日付で答えたうえで、各課税期間における納税義務の有無を判定しなさい。

【資　料】

(1)　A社はB社を令和7年10月1日に吸収合併した。

(2)　A社は、適格請求書発行事業者の登録を受けたことはない。

(3)　A社及びB社は、いずれも国外事業者に該当しない。

(4)　「課税事業者の選択」及び「前年等の課税売上高による納税義務の免除の特例」について考慮する必要はない。

(5)　A社及びB社の各課税期間における課税売上高（税抜金額）は、次のとおりである。

合併法人A社	
課税期間	課税売上高
第12期：令和5年4月1日 ～ 令和6年3月31日	9,000,000円
第13期：令和6年4月1日 ～ 令和7年3月31日	8,500,000円
第14期：令和7年4月1日 ～ 令和7年9月30日	4,000,000円
第14期：令和7年10月1日 ～ 令和8年3月31日	6,000,000円
第15期：令和8年4月1日 ～ 令和9年3月31日	11,000,000円
第16期：令和9年4月1日 ～ 令和10年3月31日	12,000,000円

被合併法人B社	
課税期間	課税売上高
第5期：令和5年1月1日 ～ 令和5年12月31日	11,700,000円
第6期：令和6年1月1日 ～ 令和6年12月31日	9,000,000円
第7期：令和7年1月1日 ～ 令和7年9月30日	4,500,000円

問題 10 新設合併

重要度 B　8分　解答 60P

次の【資料】から、C社の第1期から第3期までの各課税期間に係る各被合併法人の合併法人のその事業年度の「基準期間に対応する期間」を具体的な日付で答えたうえで、各課税期間における納税義務の有無を判定しなさい。

【資　料】

(1) 令和7年7月1日にA社とB社を合併し、C社を設立した。

(2) A社は、適格請求書発行事業者の登録を受けたことはない。

(3) A社、B社及びC社は、いずれも国外事業者に該当しない。

(4) 「課税事業者の選択」及び「前年等の課税売上高による納税義務の免除の特例」について考慮する必要はない。

(5) A社、B社及びC社の各課税期間における課税売上高（税抜金額）は、次のとおりである。

被合併法人A社	
課税期間	課税売上高
第7期：令和5年4月1日 ～ 令和6年3月31日	8,400,000円
第8期：令和6年4月1日 ～ 令和7年3月31日	7,500,000円
第9期：令和7年4月1日 ～ 令和7年6月30日	1,800,000円

被合併法人B社	
課税期間	課税売上高
第16期：令和5年1月1日 ～ 令和5年12月31日	10,200,000円
第17期：令和6年1月1日 ～ 令和6年12月31日	8,700,000円
第18期：令和7年1月1日 ～ 令和7年6月30日	4,200,000円

合併法人C社	
課税期間	課税売上高
第1期：令和7年7月1日 ～ 令和8年3月31日	7,200,000円
第2期：令和8年4月1日 ～ 令和9年3月31日	12,500,000円
第3期：令和9年4月1日 ～ 令和10年3月31日	13,700,000円

納税義務の免除の特例②（会社分割・新設法人・高額特定資産ほか）

問題1 新設分割

重要度B　15分　解答65P

次の【資料】から、A社の第25期から第26期までの各課税期間及びB社の第1期から第3期までの各課税期間における納税義務の有無を各社の「基準期間に対応する期間」を具体的な日付で答えたうえで判定しなさい。

【資　料】

(1)　A社は令和8年1月1日に新設分割によりB社を設立した。

(2)　A社はB社の発行済株式の100%を所有しており、特定要件を満たしている。

(3)　A社及びB社は、適格請求書発行事業者の登録を受けたことはない。

(4)　A社及びB社は、いずれも国外事業者に該当しない。

(5)　「課税事業者の選択」及び「前年等の課税売上高による納税義務の免除の特例」について考慮する必要はない。

(6)　A社及びB社の各課税期間における課税売上高（税抜金額）は、次のとおりである。

新設分割親法人A社	
課税期間	課税売上高
第21期：令和5年4月1日 ～ 令和6年3月31日	10,800,000円
第22期：令和6年4月1日 ～ 令和7年3月31日	10,200,000円
第23期：令和7年4月1日 ～ 令和8年3月31日	8,400,000円
第24期：令和8年4月1日 ～ 令和9年3月31日	6,300,000円
第25期：令和9年4月1日 ～ 令和10年3月31日	5,700,000円
第26期：令和10年4月1日 ～ 令和11年3月31日	5,400,000円

新設分割子法人B社	
課税期間	課税売上高
第1期：令和8年1月1日 ～ 令和8年12月31日	4,800,000円
第2期：令和9年1月1日 ～ 令和9年12月31日	5,400,000円
第3期：令和10年1月1日 ～ 令和10年12月31日	6,000,000円

問題2 吸収分割

重要度C　8分　解答71P

次の【資料】から、B社の第18期から第19期までの各課税期間に係る分割法人の分割承継法人のその事業年度の「基準期間に対応する期間」を具体的な日付で答えたうえで、各課税期間における納税義務の有無を判定しなさい。

【資　料】

(1)　B社は令和7年10月1日に吸収分割によりA社の事業の一部を承継した。

(2)　B社は、適格請求書発行事業者の登録を受けたことはない。

(3)　A社及びB社は、いずれも国外事業者に該当しない。

(4)　「課税事業者の選択」及び「前年等の課税売上高による納税義務の免除の特例」について考慮する必要はない。

(5)　A社及びB社の各課税期間における課税売上高（税抜金額）は、次のとおりである。

分割法人A社	
課税期間	課税売上高
第10期：令和5年4月1日 ～ 令和6年3月31日	15,300,000円
第11期：令和6年4月1日 ～ 令和7年3月31日	15,600,000円
第12期：令和7年4月1日 ～ 令和8年3月31日	9,200,000円
第13期：令和8年4月1日 ～ 令和9年3月31日	8,800,000円
第14期：令和9年4月1日 ～ 令和10年3月31日	9,400,000円
第15期：令和10年4月1日 ～ 令和11年3月31日	5,400,000円

分割承継法人B社	
課税期間	課税売上高
第16期：令和5年7月1日 ～ 令和6年6月30日	9,200,000円
第17期：令和6年7月1日 ～ 令和7年6月30日	9,500,000円
第18期：令和7年7月1日 ～ 令和8年6月30日	12,200,000円
第19期：令和8年7月1日 ～ 令和9年6月30日	15,000,000円
第20期：令和9年7月1日 ～ 令和10年6月30日	15,500,000円

問題3 新設法人

重要度A　6分　解答 74P

次の【資料】から、A社の第1期から第3期までの各課税期間における納税義務の有無を判定しなさい。

【資　料】

(1)　A社は令和5年8月1日に、資本金1,000万円により新たに設立された法人（新設合併又は分割等により設立されたものではない。）であり、設立以来、増資及び減資は行っていない。

(2)　A社は、適格請求書発行事業者の登録を受けたことはない。

(3)　A社は国外事業者に該当しない。

(4)　A社は消費税課税事業者選択届出書及び消費税簡易課税制度選択届出書を提出したことはない。また、前年等の課税売上高による特例を適用する場合には、給与等支払額は考慮しないものとする。

(5)　A社は令和5年9月10日に営業車両（調整対象固定資産に該当する。）の課税仕入れを行った。

(6)　A社の各課税期間における課税売上高（税抜金額）は、次のとおりである。

課　税　期　間	課税売上高
第1期：令和5年8月1日 ～ 令和6年3月31日	6,480,000円
上記のうち令和5年8月1日 ～ 令和6年1月31日	4,860,000円
第2期：令和6年4月1日 ～ 令和7年3月31日	12,000,000円
上記のうち令和6年4月1日 ～ 令和6年9月30日	6,080,000円
第3期：令和7年4月1日 ～ 令和8年3月31日	13,500,000円

問題4 特定新規設立法人

重要度B　8分　解答 78P

次の【資料】から、A社の第1期から第3期までの各課税期間における納税義務の有無を判定しなさい。

【資　料】

(1) A社は令和7年6月1日に、資本金900万円でB社により新たに設立された法人（新設合併又は分割等により設立されたものではない。）であり、設立以来、増資及び減資は行っていない。

(2) B社はA社株式の100%を保有している。

(3) A社は、適格請求書発行事業者の登録を受けたことはない。

(4) A社及びB社は、国外事業者に該当しない。

(5) A社は消費税課税事業者選択届出書及び消費税簡易課税制度選択届出書を提出したことはない。また、前年等の課税売上高による特例を適用する場合には、給与等支払額は考慮しないものとする。

(6) A社は令和8年1月12日に機械装置（調整対象固定資産に該当する。）の課税仕入れを行った。

(7) A社及びB社の各課税期間における課税売上高（税抜金額）は、次のとおりである。なお、国外における収入金額はないものとする。

A社	
課税期間	課税売上高
第1期：令和7年6月1日 ～ 令和8年3月31日	8,000,000円
上記のうち令和7年6月1日 ～ 令和7年11月30日	3,800,000円
第2期：令和8年4月1日 ～ 令和9年3月31日	11,000,000円
上記のうち令和8年4月1日 ～ 令和8年9月30日	5,800,000円
第3期：令和9年4月1日 ～ 令和10年3月31日	13,000,000円

B社	
課税期間	課税売上高
第14期：令和5年4月1日 ～ 令和6年3月31日	480,000,000円
第15期：令和6年4月1日 ～ 令和7年3月31日	540,000,000円
上記のうち令和6年4月1日 ～ 令和6年9月30日	250,000,000円

問題5 高額特定資産

重要度B　6分　解答84P

次の【資料】から、A社の第21期から第23期までの各課税期間における納税義務の有無を判定しなさい。

【資　料】

(1)　A社は第19期及び第20期は課税事業者に該当している。

(2)　A社は、適格請求書発行事業者の登録を受けたことはない。

(3)　A社は設立以来、消費税課税事業者選択届出書及び消費税簡易課税制度選択届出書を提出したことはなく、前年等の課税売上高による特例を適用する場合には、給与等支払額は考慮しないものとし、合併・分割等の組織再編を行ったことはない。

(4)　A社は令和5年5月15日に倉庫建物（取得価額39,490,000円（税込））の課税仕入れを行った。

(5)　A社の各課税期間における課税売上高（税抜金額）は、次のとおりである。

課税期間	課税売上高
第19期：令和4年4月1日 ～ 令和5年3月31日	9,890,000円
上記のうち令和4年4月1日 ～ 令和4年9月30日	4,960,000円
第20期：令和5年4月1日 ～ 令和6年3月31日	9,780,000円
上記のうち令和5年4月1日 ～ 令和5年9月30日	4,860,000円
第21期：令和6年4月1日 ～ 令和7年3月31日	9,600,000円
上記のうち令和6年4月1日 ～ 令和6年9月30日	4,600,000円
第22期：令和7年4月1日 ～ 令和8年3月31日	10,040,000円
上記のうち令和7年4月1日 ～ 令和7年9月30日	5,100,000円
第23期：令和8年4月1日 ～ 令和9年3月31日	10,300,000円
上記のうち令和8年4月1日 ～ 令和8年9月30日	5,030,000円

問題 6 規定の適用順序

重要度 A　3分　解答 87P

当社は、近年の事業規模の拡大に伴い肥大化した組織の効率的な運営を図るために、新たに子会社を設立し、必要な設備投資を行う計画を立てている。そこで、子会社設立後の事業計画の策定上、子会社の消費税の納税義務の有無に関して適用が想定される消費税法の規定について、次のそれぞれの判定基準を適用される順番どおりに並べ替えなさい。なお、当該子会社は、適格請求書発行事業者の登録を受けない予定である。

① 課税事業者の選択をしているか？
② 新設法人に該当するか？
③ 特定新規設立法人に該当するか？
④ 新設合併・分割等により設立された法人で、一定の要件を満たすか？
⑤ 基準期間における課税売上高が1,000万円を超えているか？
⑥ 特定期間における課税売上高が1,000万円を超えているか？
⑦ 原則課税の新設法人が調整対象固定資産を取得した課税期間の初日から3年以内の課税期間か？
⑧ 原則課税の特定新規設立法人が調整対象固定資産を取得した課税期間の初日から3年以内の課税期間か？
⑨ 原則課税の課税事業者が高額特定資産を取得した課税期間の初日から3年以内の課税期間か？

問題7 簡易課税の届出をしている場合の納税義務の判定 重要度B 15分 解答88P

次の【資料】から、当社の当課税期間（令和７年４月１日から令和８年３月31日まで）の納税義務の有無及び簡易課税制度の適用の有無を次のケース別に判定しなさい。なお、当社は設立以来、消費税課税事業者選択届出書を提出したことはなく、分割・合併等の組織再編を行ったことはない。また、当社は、国内に本店を置く法人であり、適格請求書発行事業者の登録を受けたことはなく、資料以外の事項は考慮する必要はない。

【資　料】

（ケース１）

(1) 当社は、第12期及び第13期は原則課税適用の課税事業者であった。

(2) 当社は、令和６年10月19日に当課税期間（第14期）を適用開始課税期間とする消費税簡易課税制度選択届出書を提出している。

(3) 当社の前期以前の各課税期間における課税売上高（税抜金額）は、次のとおりである。

課　税　期　間	課税売上高
第12期：令和５年４月１日 ～ 令和６年３月31日	8,000,000円
上記のうち令和５年４月１日 ～ 令和５年９月30日	4,000,000円
第13期：令和６年４月１日 ～ 令和７年３月31日	25,000,000円
上記のうち令和６年４月１日 ～ 令和６年９月30日	12,000,000円

（ケース２）

(1) 当社は、令和６年４月１日に資本金1,000万円で設立された法人であり、設立以来、資本金の額に変動はない。

(2) 当社は、第１期は原則課税の課税事業者に該当している。

(3) 当社は、令和６年５月16日に当課税期間（第２期）を適用開始課税期間とする消費税簡易課税制度選択届出書を提出している。

(4) 当社は、令和６年６月20日に営業用車両（取得価額1,485,000円（税込））を購入している。

(5) 当社の前課税期間における課税売上高（税抜金額）は、次のとおりである。

課　　税　　期　　間	課税売上高
第１期：令和６年４月１日　～　令和７年３月31日	16,000,000円
上記のうち令和６年４月１日　～　令和６年９月30日	9,000,000円

（ケース３）

⑴　当社は、令和５年４月１日に資本金1,000万円で設立された法人であり、設立以来、資本金の額に変動はない。

⑵　当社は、第１期及び第２期は課税事業者であった。

⑶　当社は、令和５年５月12日に第１期を適用開始課税期間とする消費税簡易課税制度選択届出書を提出している。

⑷　当社は、令和６年７月13日に機械装置（取得価額3,663,000円（税込））を購入している。

⑸　当社の前期以前の各課税期間における課税売上高（税抜金額）は、次のとおりである。

課　　税　　期　　間	課税売上高
第１期：令和５年４月１日　～　令和６年３月31日	6,000,000円
上記のうち令和５年４月１日　～　令和５年９月30日	3,000,000円
第２期：令和６年４月１日　～　令和７年３月31日	9,000,000円
上記のうち令和６年４月１日　～　令和６年９月30日	5,000,000円

問題８　国外事業者に関連する納税義務等の判定　重要度Ｂ　8分　解答 92P

Ａ社の当期（令和７年４月１日から令和８年３月31日までの期間）の納税義務及び簡易課税制度の適用判定に必要な資料は、次の**【資料】**のとおりである。これに基づき、ケース１～４における当期の納税義務の有無及びケース５における当期の簡易課税制度の適用の有無を判定し、解答欄に丸を付しなさい。納税義務の有無を事業者の任意で選択できる方法がある場合は、納税義務が免除される方法を選択すること。なお、Ａ社の事業年度は毎年４月１日から３月31日までの期間であり、Ａ社は適格請求書発行事業者の登録及び課税事業者の選択は行っておらず、特定資産の譲渡等に該当する取引は行っていないものとする。また、金額はすべて税抜金額とし、資料以外のことについては考慮不要とする。

【資　料】

（ケース１）

(1)　Ａ社はアメリカに本店を置く法人であり、当期は第15期事業年度である。

(2)　令和５年４月１日から令和６年３月31日までの国内課税売上高は20,000,000円である。

(3)　A社は国内に支店等を設けていない。

（ケース２）

(1)　Ａ社はアメリカに本店を置く法人であり、当期は第15期事業年度である。

(2)　令和５年４月１日から令和６年３月31日までの国内課税売上高は8,000,000円である。

(3)　令和６年４月１日から令和６年９月30日までの国内課税売上高は15,000,000円である。

(4)　令和6年4月1日から令和6年9月30日までの給与等支払額は7,000,000円である。

(5)　Ａ社は国内に営業所を設けており、従業員に給料を支払っている。

（ケース３）

(1)　Ａ社はアメリカに本店を置く法人であり、当期は第15期事業年度である。

(2)　令和７年４月１日における資本金の額は30,000,000円である。

(3)　Ａ社は、令和７年４月１日から国内において課税資産の譲渡等に係る事業を開始しており、令和７年３月31日以前に国内において課税資産の譲渡等を行ったことはない。

（ケース４）

(1)　Ａ社は国内に本店を置く法人であり、当期は設立第１期事業年度である。

(2)　令和７年４月１日における資本金の額は7,000,000円である。

(3)　令和７年４月１日において、外国法人Ｂ社（アメリカに本店を置く法人である。）はＡ社株式の100％を保有している。

(4)　Ｂ社の第23期事業年度（令和５年４月１日から令和６年３月31日までの期間）の国内課税売上高は300,000,000円、国外分の収入を含む総収入金額は

8,000,000,000円である。

（ケース５）

⑴　Ａ社はアメリカに本店を置く法人であり、当期は第15期事業年度である。

⑵　令和５年４月１日から令和６年３月31日までの国内課税売上高は30,000,000円である。

⑶　Ａ社は、令和７年4月1日において国内に法人税法上の恒久的施設を設けていない。

⑷　Ａ社は、令和６年11月20日に、当期を適用開始課税期間とする簡易課税制度選択届出書を提出している。

問題集

解答・解説

Chapter 16 納税義務の原則・免除

解答1 納税義務者

①	課税資産	②	課税貨物	③	基準期間	④	1,000万円

解答へのアプローチ

国内において課税資産の譲渡等（特定資産の譲渡等を除く。）及び特定課税仕入れを行った事業者と保税地域から課税貨物を引き取る者が消費税の納税義務を負います。しかし、基準期間における課税売上高が1,000万円以下の事業者（適格請求書発行事業者を除く。）については、「別段の定め」がある場合を除き、国内取引の納税義務が免除されます。

学習のポイント

消費税の「負担者」は消費者であり、消費者に代わって消費税を納付する義務を負う事業者が「納税義務者」であることに注意してください。誰が消費税を納めなければいけないのか、全体像をしっかりとイメージできるようにしましょう。なお、「特定資産の譲渡等」、「特定課税仕入れ」については、Chapter21（４分冊目）で詳しく説明します。

また、「別段の定め」については、Chapter17、18で学習します。

解答2 基準期間（1）

①	前々年	②	前々事業年度	③	２年前の日の前日
④	１年を経過する日	⑤	開始した各事業年度		

学習のポイント

基準期間がいつからいつまでの期間となるのか正確に把握することが、納税義務の有無を判定する上で非常に重要になります。基準期間の意義については、しっかり覚えるようにしましょう。

解答3 基準期間（2）

(1) 令和５年４月１日～令和６年３月31日

(2) 令和５年１月１日～令和５年12月31日

解答へのアプローチ

(1)　１年決算法人の場合は、前々事業年度（第16期：令和５年４月１日～令和６年３月31日）が基準期間となります。

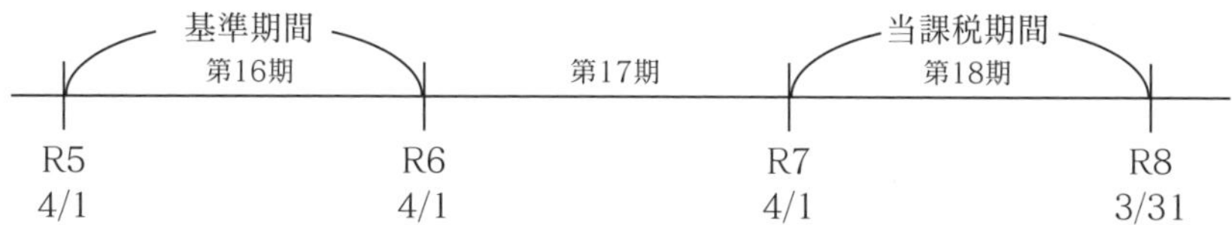

(2)　個人事業者の場合は、前々年（令和５年１月１日～令和５年12月31日）が基準期間となります。

学習のポイント

基準期間は、１年決算法人の場合は前々事業年度、個人事業者の場合は前々年と覚えましょう。

解答4 基準期間（3）

(1) 令和５年４月１日～令和６年３月31日

(2) 令和５年12月１日～令和６年３月31日

⑶ 令和５年４月１日～令和６年７月31日

解答へのアプローチ

前々事業年度が１年未満の法人の基準期間は、「①その事業年度開始の日の②２年前の日の前日から③１年を経過する日までの間に④開始した⑤各事業年度を合わせた期間」となります。それぞれの問題について、タイムテーブルを書いて、基準期間の意義に照らし合わせて見ていきましょう。

⑴ ①その事業年度開始の日（令和５年４月１日）の②２年前の日の前日（令和５年４月１日）から③１年を経過する日（令和６年３月31日）までの間に④開始した⑤各事業年度（第20期、第21期）を合わせた期間（令和５年４月１日～令和６年３月31日）が基準期間となります。

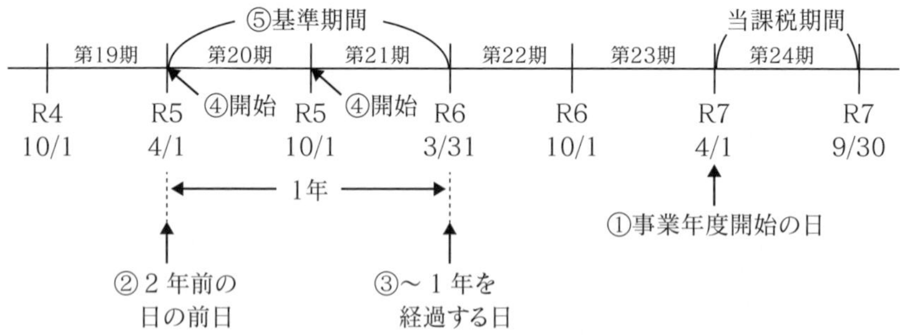

⑵ ①その事業年度開始の日（令和７年４月１日）の②２年前の日の前日（令和５年４月１日）から③１年を経過する日（令和６年３月31日）までの間に④開始した⑤各事業年度（第１期）を合わせた期間（令和５年12月１日～令和６年３月31日）が基準期間となります。

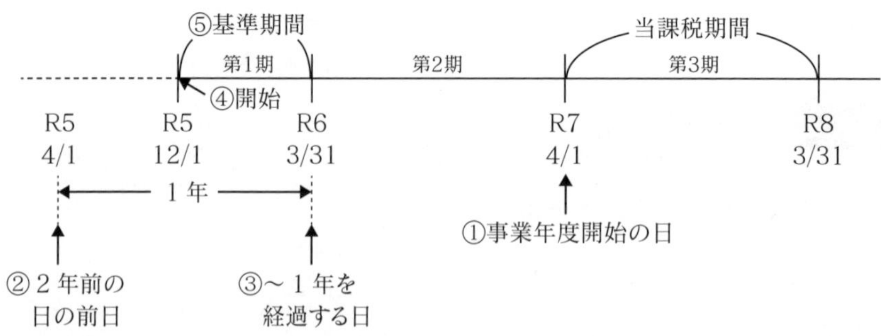

⑶　①その事業年度開始の日（令和７年４月１日）の②２年前の日の前日（令和５年４月１日）から③１年を経過する日（令和６年３月31日）までの間に④開始した⑤各事業年度（第５期、第６期）を合わせた期間（令和５年４月１日～令和６年７月31日）が基準期間となります。

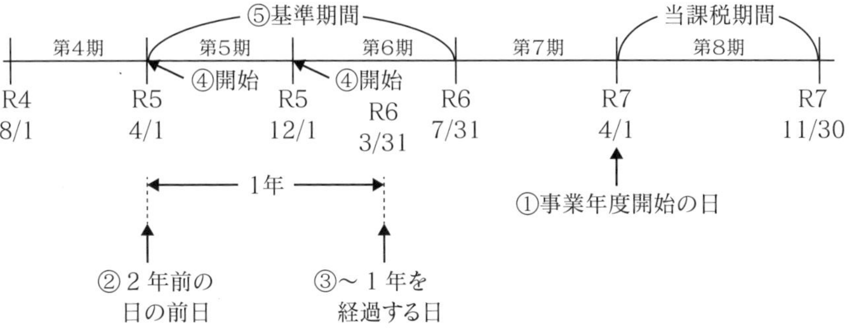

学習のポイント

基準期間がどの期間なのか判定するときは、計算用紙等にタイムテーブルを書くようにしましょう。

「２年前の日」というのは起算日を１日目として数えるため、例えば、令和７年４月１日の「２年前の日」は令和５年４月２日となります。したがって、令和７年４月１日から起算した「２年前の日の前日」は令和５年４月１日となります。

また、「経過する日」とは応答日（所定の年又は月の起算日と同じ日付）の前日のことを示します。例えば、令和５年４月１日から「１年を経過する日」というのは、応答日（令和６年４月１日）の前日の令和６年３月31日となります。

なお、「経過した日」とは応答日のことを示すため、例えば、令和５年４月１日から「１年を経過した日」というのは応答日である令和６年４月１日となります。「経過する日」と「経過した日」はよく似た表現ですが、それぞれ示す日付が異なりますので、違いをしっかりと押さえて正確に使い分けられるようにしましょう。

解答 5　納税義務の判定（1）

（ケース 1）

【納税義務の有無の判定】

計　算　過　程　（単位：円）
⑴　課税売上高 $12{,}100{,}000 \times \frac{100}{110} = 11{,}000{,}000$ ⑵　売上返還等 $385{,}000 \times \frac{100}{110} = 350{,}000$ ⑶　⑴−⑵=10,650,000>10,000,000 ∴ 納税義務あり

（ケース 2）

【納税義務の有無の判定】

計　算　過　程　（単位：円）
$5{,}500{,}000 \times \frac{100}{110} + 5{,}000{,}000 = 10{,}000{,}000 \leqq 10{,}000{,}000$ ∴ 納税義務なし

（ケース 3）

【納税義務の有無の判定】

計　算　過　程　（単位：円）
⑴　課税売上高 $8{,}800{,}000 \times \frac{100}{110} + 6{,}000{,}000 = 14{,}000{,}000$ ⑵　売上返還等 $264{,}000 \times \frac{100}{110} + 180{,}000 = 420{,}000$ ⑶　⑴−⑵=13,580,000>10,000,000 ∴ 納税義務あり

（ケース4）

【納税義務の有無の判定】

<table>
<tr><td>計　算　過　程　（単位：円）</td></tr>
<tr><td>(1)　課税売上高
$6{,}844{,}000 \times \frac{100}{110} + 4{,}600{,}000 = 10{,}821{,}818$
(2)　売上返還等
$611{,}000 \times \frac{100}{110} + 350{,}000 = 905{,}454$
(3)　(1)−(2)＝9,916,364≦10,000,000
∴ 納税義務なし</td></tr>
</table>

解答へのアプローチ

各ケースごとに基準期間における課税売上高を計算し、1,000万円を超えているかどうか比較判定して納税義務の有無を判定します。

（ケース1）

(1)　課税売上高

税抜きの課税売上高で計算するため、国内課税売上高に $\frac{100}{110}$ を乗じます。

12,100,000円 × $\frac{100}{110}$ ＝11,000,000円

(2)　売上返還等

売上返還等も、国内課税売上げに係る売上返還等に $\frac{100}{110}$ を乗じて税抜金額に戻します。

385,000円 × $\frac{100}{110}$ ＝350,000円

(3)　(1)−(2)＝10,650,000円＞10,000,000円

基準期間における課税売上高が1,000万円を超えているため、納税義務があります。

（ケース2）

税抜きの課税売上高で計算するため、国内課税売上高に $\frac{100}{110}$ を乗じます。免税売上高は売上げ時に消費税が免除されているので、税抜き処理は不要です。

$$5{,}500{,}000円\times\frac{100}{110}+5{,}000{,}000円=10{,}000{,}000円\leqq10{,}000{,}000円$$

したがって、基準期間における課税売上高が1,000万円以下であるため、納税義務はありません。

(ケース３)

(1)　課税売上高

税抜きの課税売上高で計算するため、国内課税売上高に$\frac{100}{110}$を乗じます。免税売上高は売上げ時に消費税が免除されているので、税抜き処理は不要です。

$$8{,}800{,}000円\times\frac{100}{110}+6{,}000{,}000円=14{,}000{,}000円$$

(2)　売上返還等

売上返還等も、税抜金額に戻します。国内課税売上げに係る売上返還等には$\frac{100}{110}$を乗じて税抜き処理をしますが、免税売上げに係る売上返還等は税抜き処理はしないことに注意しましょう。

$$264{,}000円\times\frac{100}{110}+180{,}000円=420{,}000円$$

(3)　(1)−(2)＝13,580,000円＞10,000,000円

基準期間における課税売上高が1,000万円を超えているため、納税義務があります。

(ケース４)

(1)　課税売上高

税抜きの課税売上高で計算するため、国内課税売上高に$\frac{100}{110}$を乗じます。免税売上高は売上げ時に消費税が免除されているので、税抜き処理は不要です。

$$6{,}844{,}000円\times\frac{100}{110}+4{,}600{,}000円=10{,}821{,}818円$$

(2)　売上返還等

売上返還等も、税抜金額に戻します。国内課税売上げに係る売上返還等には$\frac{100}{110}$を乗じて税抜き処理をしますが、免税売上げに係る売上返還等は税抜き処理はしないことに注意しましょう。

$$611{,}000円\times\frac{100}{110}+350{,}000円=905{,}454円$$

(3)　(1)−(2)＝9,916,364円≦10,000,000円

基準期間における課税売上高が1,000万円以下であるため、納税義務はありません。

学習のポイント

納税義務の有無の判定は基準期間における課税売上高が1,000万円を超えるかどうかにより行うため、必ず不等号を用いて1,000万円と比較判定をしましょう。1,000万円ぴったりの場合は1,000万円以下ということになるので、納税義務はないことに注意しましょう。

基準期間における課税売上高の計算方法はChapter 8（2分冊目）で学習した課税期間における課税売上高の計算方法と基本的に同じです。

解答 6 納税義務の判定（2）

【納税義務の有無の判定】

計　算　過　程　（単位：円）

(1) 課税売上高

$(380{,}000{,}000-23{,}610{,}000)+8{,}403{,}000=364{,}793{,}000$

$364{,}793{,}000\times\frac{100}{110}+23{,}610{,}000=355{,}240{,}000$

(2) 売上返還等

$(1{,}280{,}000-340{,}000)\times\frac{100}{110}+340{,}000=1{,}194{,}545$

(3) (1)−(2)=354,045,455>10,000,000

∴ 納税義務あり

解答へのアプローチ

前々事業年度（令和5年4月1日から令和6年3月31日まで）は当課税期間に係る基準期間に該当します。与えられた資料から基準期間における課税売上高を計算し、1,000万円を超えているかどうか比較判定して納税義務の有無を判定します。

(1) 課税売上高

まず、税抜き計算をするために免税売上高を抜き出して国内課税売上高を求めます。

(380,000,000円－23,610,000円）＋8,403,000円＝364,793,000円

税抜きの課税売上高で計算するため、国内課税売上高に $\frac{100}{110}$ を乗じます。免税売上高は売上げ時に消費税が免除されているので、税抜処理は不要です。

364,793,000円× $\frac{100}{110}$ ＋23,610,000円＝355,240,000円

(2) 売上返還等

売上返還等も、税抜金額にします。国内課税売上げに係る売上返還等には $\frac{100}{110}$ を乗じて税抜処理をしますが、免税売上げに係る売上返還等は税抜処理はしないことに注意しましょう。

(1,280,000円－340,000円）× $\frac{100}{110}$ ＋340,000円=1,194,545円

(3) (1)－(2)＝354,045,455円＞10,000,000円

基準期間における課税売上高が1,000万円を超えているため、納税義務があります。

解答7 納税義務の判定（3）

【納税義務の有無の判定】

計　　算　　過　　程　　（単位：円）
(1) 課税売上高 (560,000,000−102,770,000−84,714,000)+2,200,000 =374,716,000 374,716,000× $\frac{100}{110}$ +102,770,000=443,420,909 (2) 売上返還等 (4,900,000−1,600,000−850,000)× $\frac{100}{110}$ +1,600,000 =3,827,272 (3) (1)−(2)=439,593,637>10,000,000 ∴ 納税義務あり

解答へのアプローチ

前々事業年度（令和５年４月１日から令和６年３月31日まで）は当課税期間

に係る基準期間に該当します。与えられた資料から基準期間における課税売上高を計算し、1,000万円を超えているかどうか比較判定して納税義務の有無を判定します。

(1) 課税売上高

まず、税抜き計算をするために免税売上高と国外商品売上高を抜き出して国内課税売上高を求めます。

(560,000,000円−102,770,000円−84,714,000円)＋2,200,000円
＝374,716,000円

税抜きの課税売上高で計算するため、国内課税売上高に$\frac{100}{110}$を乗じます。免税売上高は売上げ時に消費税が免除されているので、税抜処理は不要です。

374,716,000円×$\frac{100}{110}$＋102,770,000円＝443,420,909円

(2) 売上返還等

売上返還等も、税抜金額にします。海外支店で販売した国外商品売上高に係るものについては除外して計算します。

(4,900,000円−1,600,000円−850,000円)×$\frac{100}{110}$＋1,600,000円
＝3,827,272円

(3) (1)−(2)＝439,593,637円＞10,000,000円

基準期間における課税売上高が1,000万円を超えているため、納税義務があります。

学習のポイント

基準期間における課税売上高の計算では、7.8%課税売上げと免税売上げのみ使用するため、不課税売上げである海外の支店で販売した商品の売上げは一切考慮に入れないことに注意しましょう。なお、貸倒損失の金額についても基準期間における課税売上高の計算では使用しません。

解答 8　納税義務の判定（4）

【納税義務の有無の判定】

計　算　過　程　（単位：円）
⑴　課税売上高 (316,180,000+4,279,000+351,640,800+1,100,000 $+4,386,700)\times\frac{100}{110}$ =615,987,727 ⑵　売上返還等 $(3,689,000+2,959,200)\times\frac{100}{110}$ =6,043,818 ⑶　$\{(1)-(2)\}\times\frac{12}{16}$ =457,457,931>10,000,000 ∴ 納税義務あり

解答へのアプローチ

まず、タイムテーブルを書いて、基準期間の意義に照らし合わせて当課税期間に係る基準期間を求めましょう。

①その事業年度開始の日（令和７年４月１日）の②２年前の日の前日（令和５年４月１日）から③１年を経過する日（令和６年３月31日）までの間に④開始した⑤各事業年度を合わせた期間（令和５年４月１日～令和６年７月31日）が基準期間となります。

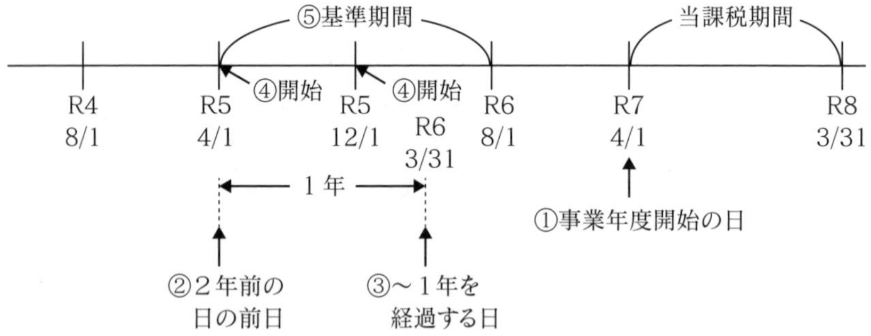

したがって、令和５年４月１日から令和５年11月30日までの期間と、令和５年12月１日から令和６年７月31日までの期間の金額を拾い出しましょう。

(1)　課税売上高

税抜きの課税売上高で計算するため、国内課税売上高に$\frac{100}{110}$を乗じます。

(316,180,000円＋4,279,000円＋351,640,800円

＋1,100,000円＋4,386,700円) × $\frac{100}{110}$＝615,987,727円

(2)　売上返還等

売上返還等も、税抜金額にします。

(3,689,000円＋2,959,200円) × $\frac{100}{110}$ ＝6,043,818円

(3)　｛(1)－(2)｝ × $\frac{12}{16}$＝457,457,931円＞10,000,000円

基準期間における課税売上高が1,000万円を超えているため、納税義務があります。

学習のポイント

基準期間が１年でない法人については、年換算して基準期間における課税売上高の計算をすることに注意しましょう。

解答９　納税義務の判定（5）

【納税義務の有無の判定】

計　　算　　過　　程　　　　　　　　（単位：円）
(1)　課税売上高 16,200,000+300,000+220,000=16,720,000 (2)　売上返還等 900,000 (3)　(1)−(2)=15,820,000>10,000,000 ∴ 納税義務あり

解答へのアプローチ

前々事業年度（令和５年４月１日～令和６年３月31日）は当課税期間に係る基準期間に該当します。与えられた資料から基準期間における課税売上高を計算し、1,000万円を超えているかどうか比較判定して納税義務の有無を判定します。

(1)　課税売上高

基準期間が免税事業者であったため、税抜修正をせずに課税売上高を求めます。

16,200,000円＋300,000円＋220,000円＝16,720,000円

(2)　売上返還等

売上返還等についても、税抜修正は不要なので、900,000円をそのまま用いて計算します。

(3)　(1)−(2)＝15,820,000円＞10,000,000円

基準期間における課税売上高が1,000万円を超えているため、納税義務があります。

☑ 学習のポイント

基準期間に免税事業者に該当していた場合は、基準期間の売上高に消費税は含まれていないため、税抜修正は不要です。基準期間における課税売上高を計算する際は、基準期間に課税事業者に該当していたのか、免税事業者に該当していたのか必ず確認するようにしましょう。

納税義務の免除の特例①（届出書・前年等・相続・合併）

解答1 課税事業者の選択

①	消費税課税事業者選択届出書	②	消費税課税事業者選択不適用届出書
③	2	④	やむを得ない事情

解答へのアプローチ

基準期間における課税売上高が1,000万円以下の事業者（適格請求書発行事業者を除く。）であっても、「消費税課税事業者選択届出書」を納税地の所轄税務署長に提出することにより課税事業者の選択をすることができます。また、課税事業者になることをやめるときは「消費税課税事業者選択不適用届出書」を提出しなければなりません。災害等のやむを得ない事情があるために「消費税課税事業者選択届出書」及び「消費税課税事業者選択不適用届出書」をその適用を受けようとし又は受けることをやめようとする課税期間の初日の前日までに提出できなかった場合には宥恕規定が設けられています。

学習のポイント

課税事業者の選択をした場合は、２年継続適用した後でなければ課税事業者の選択をやめることはできないことに注意しましょう。また、消費税課税事業者選択不適用届出書は、事業を廃止したときにも提出しなければなりません。

解答2 前年等の課税売上高による納税義務の免除の特例

①	基準期間	②	特定期間	③	国外事業者	④	給与等
⑤	課税事業者						

学習のポイント

適格請求書発行事業者に該当しない事業者の国内取引の納税義務は、①小規模事業者に係る納税義務の免除（基準期間における課税売上高が1,000万円を超えているかどうか）→②課税事業者の選択（消費税課税事業者選択届出書を提出しているかどうか）→③前年等の課税売上高による納税義務の免除の特例（特定期間における課税売上高が1,000万円を超えているかどうか）という順序で判定します。

また、国外事業者以外の事業者は、給与等の合計額を特定期間における課税売上高とすることができることもしっかりと押さえておきましょう。

解答3 特定期間

(1) 令和６年４月１日～令和６年９月30日

(2) 令和６年１月１日～令和６年６月30日

解答へのアプローチ

(1) 前事業年度が７月超の法人の場合は、前事業年度開始の日以後６月の期間（令和６年４月１日～令和６年９月30日）が特定期間となります。

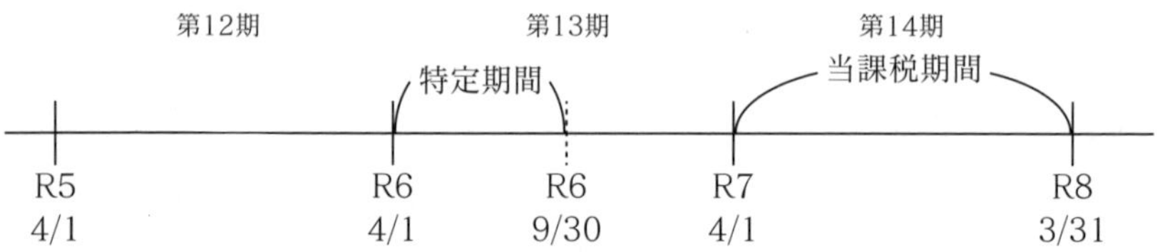

(2) 個人事業者の場合は、前年の１月１日から６月30日までの期間（令和６年１月１日～令和６年６月30日）が特定期間となります。

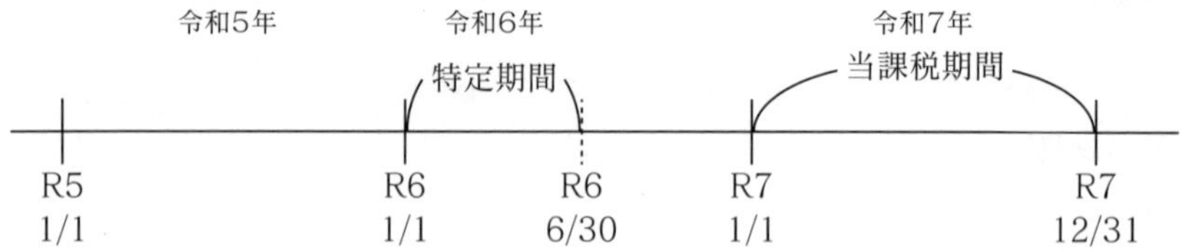

☑ 学習のポイント

特定期間は、前事業年度が7月超の法人の場合（短期事業年度に該当しない場合）は前事業年度の上半期、個人事業者の場合は前年の上半期と覚えましょう。

なお、前事業年度が7月以下の法人（短期事業年度に該当する場合）の特定期間については、次のように規定されています。

その事業年度の前々事業年度（注1）開始の日以後6月の期間（注2）

（注1）その事業年度の基準期間に含まれるものその他の一定のものを除く。

（注2）その前々事業年度が6月以下の場合には、その前々事業年度開始の日からその終了の日までの期間

解答4 納税義務の免除の特例（1）

【納税義務の有無の判定】

計　算　過　程　　　　　　　　　　　　（単位：円）
(1) 基準期間 9,800,000≦10,000,000 (2) 前年等 ① 売上高 11,000,000>10,000,000 ② 給与等 8,200,000≦10,000,000 ∴ 納税義務なし

解答へのアプローチ

前々年は当課税期間に係る基準期間に該当し、前年上半期は当課税期間に係る特定期間に該当します。

まず基準期間における課税売上高が1,000万円を超えるかどうか判定します。基準期間における課税売上高が1,000万円以下となる場合でも、特定期間における課税売上高が1,000万円を超えるときは《前年等の課税売上高による納税義務の免除の特例》により納税義務は免除されません。

(1) 基準期間における課税売上高

9,800,000円≦10,000,000円

基準期間における課税売上高が1,000万円以下なので、次に特定期間における課税売上高を計算し1,000万円と比較判定をします。

(2) 前年等の特例

① 特定期間における課税売上高

11,000,000円＞10,000,000円

特定期間における課税売上高が1,000万円を超えていますが、《前年等の課税売上高による納税義務の免除の特例》の規定では、国外事業者以外の事業者は特定期間中に支払った給与等の金額を特定期間における課税売上高とすることができるため、給与等の金額についても1,000万円と比較判定します。

②　給与等の金額

8,200,000円≦10,000,000円

給与等の金額が1,000万円以下であるため、特定期間中に支払った給与等の金額を特定期間における課税売上高とすることにより納税義務は免除されます。

学習のポイント

特定期間における課税売上高の計算では、基準期間における課税売上高の計算のような年換算はしません。また、国外事業者以外の事業者は、任意で給与等の金額を特定期間における課税売上高とすることができるので、課税売上高か給与等の金額のいずれか一方が1,000万円以下となる場合は納税義務が免除されることとなります。国外事業者以外の事業者の納税義務判定の問題で給与等の金額についての資料が与えられているときは、必ず両方とも1,000万円と比較判定するようにしましょう。なお、給与等の金額についての資料が与えられていないときは、課税売上高についてのみ比較判定を行います。

解答 5　納税義務の免除の特例（2）

【納税義務の有無の判定】

計　算　過　程　(単位：円)
(1) 基準期間 ① 課税売上高 $(11,415,274+200,000)\times\frac{100}{110}=10,559,340$ ② 売上返還等 $2,200,000\times\frac{100}{110}=2,000,000$ ③ ①−②=8,559,340≦10,000,000 (2) 前年等 ① 売上高 イ 課税売上高 $18,302,800\times\frac{100}{110}=16,638,909$ ロ 売上返還等 $3,240,000\times\frac{100}{110}=2,945,454$ ハ イ−ロ=13,693,455>10,000,000 ② 給与等 12,200,000>10,000,000 ∴ 納税義務あり

解答へのアプローチ

令和５年４月１日から令和６年３月31日までの期間は当課税期間に係る基準期間に該当し、令和６年４月１日から令和６年９月30日までの期間は当課税期間に係る特定期間に該当します。

まず基準期間における課税売上高が1,000万円を超えるかどうか判定します。基準期間における課税売上高が1,000万円以下となる場合でも、特定期間における課税売上高が1,000万円を超えるときは《前年等の課税売上高による納税義務の免除の特例》により納税義務は免除されません。

(1) 基準期間における課税売上高

① 課税売上高

税抜きの課税売上高で計算するため、国内課税売上高に$\frac{100}{110}$を乗じます。

$$(11{,}415{,}274\text{円}+200{,}000\text{円})\times\frac{100}{110}=10{,}559{,}340\text{円}$$

② 売上返還等

売上返還等も、税抜金額に戻します。

$$2{,}200{,}000\text{円}\times\frac{100}{110}=2{,}000{,}000\text{円}$$

③ ①−②＝8,559,340円≦10,000,000円

基準期間における課税売上高が1,000万円以下なので、次に特定期間における課税売上高を計算し1,000万円と比較判定をします。

(2) 前年等の特例

① 特定期間における課税売上高

イ 課税売上高

$$18{,}302{,}800\text{円}\times\frac{100}{110}=16{,}638{,}909\text{円}$$

ロ 売上返還等

$$3{,}240{,}000\text{円}\times\frac{100}{110}=2{,}945{,}454\text{円}$$

ハ イ－ロ＝13,693,455円＞10,000,000円

特定期間における課税売上高は1,000万円を超えていますが、国外事業者以外の事業者の場合は、課税売上高に代えて給与等の金額を用いて判定することができるので、給与等の金額についても見てみましょう。

② 給与等の金額

12,200,000円＞10,000,000円

課税売上高も給与等の金額も両方とも1,000万円を超えているため、納税義務があります。

☑ 学習のポイント

特定期間における課税売上高も基準期間における課税売上高と計算方法は同じです。計算に使う金額を拾い間違えないように注意しましょう。

解答 6 相続（1）

③ → ① → ④ → ②

解答へのアプローチ

事業者は、国内において行った課税資産の譲渡等につき、原則として消費税を納める義務があります。ただし、すべての事業者に消費税を納める義務があるわけではなく、事業規模が小規模であるような一定の場合には、事業者の事務負担に配慮して、原則にかかわらず、消費税を納める義務が免除されます。納税義務に関する規定はたくさんありますが、相続人及び被相続人がいずれも適格請求書発行事業者に該当しない場合における相続があった年の納税義務の有無については、条文に沿って次の適用順序で判定を行います。

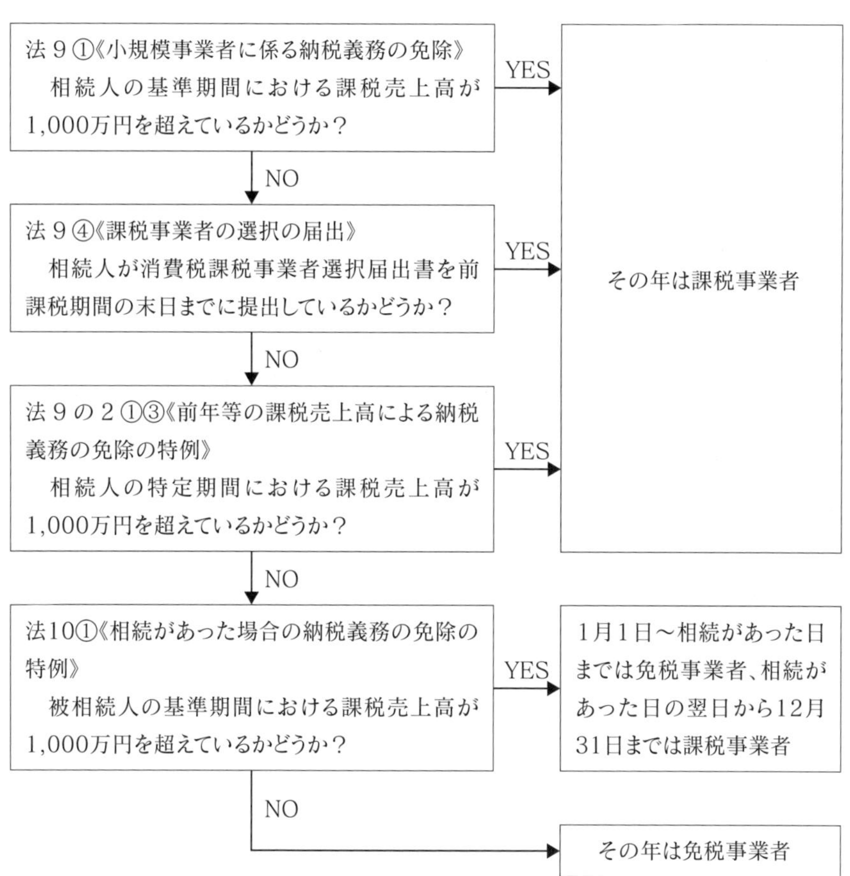

学習のポイント

納税義務の有無の判定を行うときは、必ず全体像を思い浮かべながら適用順序を意識するようにしましょう。

解答7 相続（2）

Ⅰ　納税義務の有無の判定

【令和７年】

計　　算　　過　　程　（単位：円）
(1)　基準期間 9,500,000≦10,000,000 (2)　相続 12,000,000>10,000,000 ∴ 令和７年１月１日～令和７年５月31日　納税義務なし 令和７年６月１日～令和７年12月31日　納税義務あり

【令和８年】

計　　算　　過　　程　（単位：円）
(1)　基準期間 8,300,000≦10,000,000 (2)　相続 8,300,000+10,400,000=18,700,000>10,000,000 ∴ 納税義務あり

【令和９年】

計　　算　　過　　程　（単位：円）
(1)　基準期間 10,000,000≦10,000,000 (2)　相続 10,000,000+3,100,000=13,100,000>10,000,000 ∴ 納税義務あり

解答へのアプローチ

(1)　相続があった年（令和７年）の納税義務の判定

まず、相続人の基準期間（令和５年）における課税売上高が1,000万円を超えているか判定し、1,000万円以下である場合は、被相続人の基準期間（令和

５年）における課税売上高が1,000万円を超えているか判定します。

被相続人の基準期間における課税売上高が1,000万円を超えている場合は、その相続があった日の翌日からその年の12月31日までの期間については、納税義務は免除されません。

⑵　相続があった年の翌年（令和８年）の納税義務の判定

まず、相続人の基準期間（令和６年）における課税売上高が1,000万円を超えているか判定し、1,000万円以下である場合は、相続人の基準期間（令和６年）における課税売上高と被相続人の基準期間における課税売上高との合計額が1,000万円を超えているか判定します。

相続人の基準期間における課税売上高と被相続人の基準期間における課税売上高との合計額が1,000万円を超えている場合は、納税義務は免除されません。

⑶　相続があった年の翌々年（令和９年）の納税義務の判定

相続があった年の翌々年の納税義務の判定方法は、⑵相続があった年の翌年と同じです。相続人の基準期間（令和７年）における課税売上高が1,000万円以下であっても、相続人の基準期間における課税売上高と被相続人の基準期間（令和７年）における課税売上高との合計額が1,000万円を超えている場合は、納税義務は免除されません。

問題を解くときは、次のようなタイムテーブルを書いて、各課税期間の金額を整理するとミスが少なくなります。

<table>
<tr><th></th><th>R5
1/1</th><th>R6
1/1</th><th>R7
1/1</th><th>R8
1/1</th><th>R9
1/1</th><th>R9
12/31</th></tr>
<tr><td>相続人</td><td>950万円</td><td>830万円</td><td>1,000万円</td><td rowspan="2">1,250万円</td><td rowspan="2">1,380万円</td><td rowspan="2"></td></tr>
<tr><td>被相続人</td><td>1,200万円</td><td>1,040万円</td><td>310
万円</td></tr>
</table>

5/31相続

☑ 学習のポイント

相続があった場合の納税義務の免除の特例では、相続があった年は被相続人の基準期間における課税売上高のみを用いて、相続があった年の翌年及び翌々年は相続人の基準期間における課税売上高と被相続人の基準期間における課税売上高との合計額を用いて判定します。「1年目だけは1人（相手）だけ、2年目以後は全員（自分と相手）で」と覚えましょう。

解答8 相続（3）

Ⅰ　納税義務の有無の判定

【令和7年】

計　　算　　過　　程　　　　　　　　　　　　　（単位：円）
(1)　基準期間 　①　課税売上高 　　　6,500,000－30,000＝6,470,000 　②　売上返還等 　　　170,000 　③　①－②＝6,300,000≦10,000,000 (2)　前年等 　①　売上高 　　　イ　課税売上高 　　　　　4,800,000－20,000＝4,780,000 　　　ロ　売上返還等 　　　　　80,000 　　　ハ　イ－ロ＝4,700,000≦10,000,000 　②　給与等 　　　1,500,000≦10,000,000 (3)　相続 　①　課税売上高 　　　$(13{,}710{,}000-200{,}000)\times\frac{100}{110}=12{,}281{,}818$ 　②　売上返還等 　　　$540{,}000\times\frac{100}{110}=490{,}909$ 　③　①－②＝11,790,909＞10,000,000 　　　∴令和7年1月1日～令和7年5月13日　納税義務なし 　　　　令和7年5月14日～令和7年12月31日　納税義務あり

【令和８年】

<table>
<tr><th>計　算　過　程　(単位：円)</th></tr>
<tr><td>
⑴　基準期間
①　課税売上高
4,800,000+5,000,000−20,000−30,000=9,750,000
②　売上返還等
80,000+70,000=150,000
③　①−②=9,600,000≦10,000,000
⑵　前年等
①　売上高
イ　課税売上高
$(4,200,000-30,000)+(1,385,000-10,000)\times\frac{100}{110}$
=5,420,000
ロ　売上返還等
$70,000+55,000\times\frac{100}{110}=120,000$
ハ　イ−ロ=5,300,000≦10,000,000
②　給与等
2,500,000≦10,000,000
⑶　相続
①　甲
9,600,000
②　乙
イ　課税売上高
$(10,052,000-280,000)\times\frac{100}{110}=8,883,636$
ロ　売上返還等
$489,000\times\frac{100}{110}=444,545$
ハ　イ−ロ=8,439,091
③　①+②=18,039,091>10,000,000
∴ 納税義務あり
</td></tr>
</table>

【令和９年】

<table>
<tr><th>計　　算　　過　　程　　　　(単位：円)</th></tr>
<tr><td>(1)　基準期間
　①　課税売上高
　　(4,200,000−30,000)＋(1,385,000+7,125,000−10,000
　　$-250,000)\times\frac{100}{110}$=11,670,000
　②　売上返還等
　　$70,000+(55,000+275,000)\times\frac{100}{110}$=370,000
　③　①−②=11,300,000>10,000,000
　　　　　　　　　　　　　　∴ 納税義務あり</td></tr>
</table>

解答へのアプローチ

(1)　相続があった年（令和７年）の納税義務の判定

まず、甲の基準期間（令和５年）における課税売上高が1,000万円を超えるかどうかで判定し、次に特定期間（令和６年１月１日～同年６月30日）における課税売上高が1,000万円を超えるかどうか判定します。令和５年及び令和６年は、甲は免税事業者に該当しているため、税抜処理をしないことに注意しましょう。

基準期間における課税売上高及び特定期間における課税売上高が1,000万円以下である場合は、被相続人乙の基準期間（令和５年）における課税売上高が1,000万円を超えているかどうかで判定します。乙の基準期間は課税事業者に該当していたため税抜処理が必要であることと、相続があった年は被相続人の基準期間における課税売上高のみを判定に用いることに注意しましょう。

(2)　相続があった年の翌年（令和８年）の納税義務の判定

まず、甲の基準期間（令和６年）における課税売上高が1,000万円を超えるかどうかで判定し、次に特定期間（令和７年１月１日～同年６月30日）における課税売上高が1,000万円を超えるかどうか判定します。(1)の判定の結果、令和７年は１月１日から５月13日までの期間は納税義務はありませんが、５月14日から12月31日までの期間は納税義務があるため、特定期間における課税売上高を計算する際は５月14日から６月30日までの期間の金額は税抜処理をすることに注意しましょう。基準期間における課税売上高及び特定期間における課税売上高が1,000万円以下である場合は、甲の基準期間における課税売上高と乙の基準期間（令和６年）における課税売上高との合計額が1,000万円を超えているか判定します。

(3) 相続があった年の翌々年（令和９年）の納税義務の判定

まず、甲の基準期間（令和７年）における課税売上高が1,000万円を超えるかどうかで判定します。本問の場合、基準期間における課税売上高が1,000万円を超えているため、「納税義務あり」となります。

この時点で判定は終了となり、他の特例の判定は行いません。

本問のような納税義務の判定の問題を解くときは、次のようなタイムテーブルを書いて、資料を整理するとミスが少なくなります。本問のように課税事業者に該当していた期間と免税事業者に該当していた期間が混在しているときは、課税事業者に該当していた期間に斜線をかける等の工夫をして、税抜処理が必要になることがわかるようにしておきましょう。

	R5 1/1	R6 1/1	R7 1/1		R8 1/1	R9 1/1 – R9 12/31
甲	免	免	免	課		
乙	課	課				

5/13相続

☑ 学習のポイント

納税義務の判定を行う際は、どの期間の課税売上高を用いるのか、また、税抜処理は必要かどうかがしっかりわかるように、タイムテーブルを書く等の工夫をしてミスを防ぐようにしましょう。

解答 9 吸収合併

Ⅰ 納税義務の有無の判定

【第14期】

B社の基準期間に対応する期間

令和5年1月1日～令和5年12月31日

計　算　過　程　(単位：円)
(1) 基準期間 9,000,000≦10,000,000 (2) 合併 $11{,}700{,}000 \times \frac{12}{12} = 11{,}700{,}000 > 10{,}000{,}000$ ∴ 令和7年4月1日～令和7年9月30日　納税義務なし 令和7年10月1日～令和8年3月31日　納税義務あり

【第15期】

B社の基準期間に対応する期間

令和6年1月1日～令和6年12月31日

計　算　過　程　(単位：円)
(1) 基準期間 8,500,000≦10,000,000 (2) 合併 $8{,}500{,}000 + 9{,}000{,}000 \times \frac{12}{12} = 17{,}500{,}000 > 10{,}000{,}000$ ∴ 納税義務あり

【第16期】

B 社の基準期間に対応する期間

令和７年１月１日～令和７年９月30日

計　算　過　程　(単位：円)
(1)　基準期間 4,000,000+6,000,000=10,000,000≦10,000,000 (2)　合併 $10{,}000{,}000+4{,}500{,}000\times\frac{12}{9}\times\frac{6}{12}=13{,}000{,}000>10{,}000{,}000$ ∴ 納税義務あり

解答へのアプローチ

基本的な考え方は相続があった場合の特例とよく似ています。被合併法人の「基準期間に対応する期間」がどの期間になるのかに気をつけて、相続があった場合と同じような手順で各課税期間の納税義務を判定しましょう。

(1)　合併があった事業年度（第14期）の納税義務の判定

合併があった日の属する事業年度の「基準期間に対応する期間」は、「合併法人の合併のあった日の属する①事業年度開始の日の②２年前の日の前日から③１年を経過する日までの間に④終了した被合併法人の各事業年度」となります。

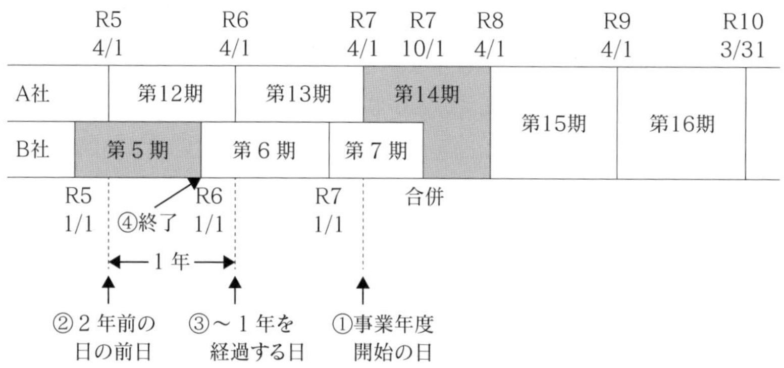

したがって、第14期に係るＢ社の基準期間に対応する期間は令和５年１月１日から令和５年12月31日までの期間となります。

まず、A社の基準期間（令和5年4月1日～令和6年3月31日）における課税売上高が1,000万円を超えているか判定し、1,000万円以下である場合は、B社の基準期間に対応する期間における課税売上高が1,000万円を超えているか判定します。

B社の基準期間に対応する期間における課税売上高が1,000万円を超えている場合は、その合併があった日からその合併があった日の属する事業年度終了の日までの期間については、納税義務は免除されません。

⑵　合併があった事業年度の翌事業年度（第15期）の納税義務の判定

合併事業年度の翌事業年度の「基準期間に対応する期間」は、「合併法人のその①基準期間の初日から②1年を経過する日までの間に③終了した被合併法人の各事業年度」となります。⑴と求め方が異なることに注意しましょう。

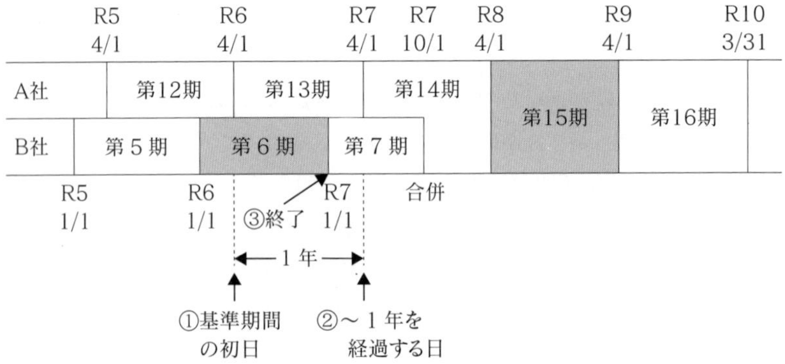

したがって、第15期に係るB社の基準期間に対応する期間は令和6年1月1日から令和6年12月31日までの期間となります。

まず、A社の基準期間（令和6年4月1日～令和7年3月31日）における課税売上高が1,000万円を超えているか判定し、1,000万円以下である場合は、A社の基準期間における課税売上高とB社の基準期間に対応する期間における課税売上高との合計額が1,000万円を超えているか判定します。

A社の基準期間における課税売上高とB社の基準期間に対応する期間における課税売上高との合計額が1,000万円を超えている場合は、納税義務は免除されません。

⑶　合併があった事業年度の翌々事業年度（第16期）の納税義務の判定

合併事業年度の翌々事業年度の「基準期間に対応する期間」は、⑵と同じで、「合併法人のその①基準期間の初日から②1年を経過する日までの間に③終了した被合併法人の各事業年度」となります。

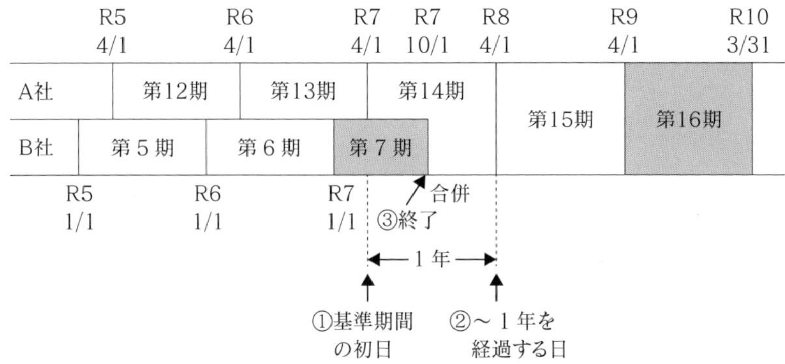

したがって、第16期に係るＢ社の基準期間に対応する期間は令和７年１月１日から令和７年９月30日までの期間となります。

納税義務の判定手順は(2)と同じになります。

学習のポイント

合併があった場合の納税義務の免除の特例では、合併事業年度は被合併法人の基準期間に対応する期間における課税売上高のみを用いて、合併事業年度の翌事業年度以後は合併法人の基準期間における課税売上高と被合併法人の基準期間に対応する期間における課税売上高との合計額を用いて判定します。相続があった場合の特例と同様に、「１年目だけは１人（相手）だけ、２年目以後は全員（自分と相手）で」と覚えましょう。なお、被合併法人の基準期間に対応する期間における課税売上高を計算する際は月数調整が必要になりますが、タイムテーブルに着目し、ボックスの面積が合併法人の基準期間における課税売上高と合わせてぴったり１年分のサイズになるように調整するということを意識しましょう。

また、合併があった場合の「基準期間に対応する期間」は、合併事業年度と翌事業年度以後で微妙に違って覚えづらいですが、「終了した」というキーワードだけは忘れないようにしましょう。

解答 10 新設合併

I 納税義務の有無の判定

【第1期】

A社の基準期間に対応する期間

令和5年4月1日～令和6年3月31日

B社の基準期間に対応する期間

令和5年1月1日～令和5年12月31日

計　算　過　程　(単位：円)
(1) 基準期間なし (2) 合併 ① $8{,}400{,}000 \times \frac{12}{12} = 8{,}400{,}000 \leqq 10{,}000{,}000$ ② $10{,}200{,}000 \times \frac{12}{12} = 10{,}200{,}000 > 10{,}000{,}000$ ∴ 納税義務あり

【第2期】

A社の基準期間に対応する期間

令和6年4月1日～令和7年3月31日

B社の基準期間に対応する期間

令和6年1月1日～令和6年12月31日

計　算　過　程　(単位：円)
(1) 基準期間なし (2) 合併 $7{,}500{,}000 \times \frac{12}{12} + 8{,}700{,}000 \times \frac{12}{12} = 16{,}200{,}000 > 10{,}000{,}000$ ∴ 納税義務あり

【第３期】

A 社の基準期間に対応する期間

令和７年４月１日～令和７年６月30日

B 社の基準期間に対応する期間

令和７年１月１日～令和７年６月30日

計　算　過　程　　(単位：円)
(1)　基準期間 $7{,}200{,}000 \times \frac{12}{9} = 9{,}600{,}000 \leqq 10{,}000{,}000$ (2)　合併 $7{,}200{,}000 + 1{,}800{,}000 \times \frac{3}{3} + 4{,}200{,}000 \times \frac{3}{6} = 11{,}100{,}000$ $> 10{,}000{,}000$ ∴ 納税義務あり

解答へのアプローチ

新設合併についても、基本的な考え方は相続や吸収合併があった場合の特例とよく似ています。ただし、合併法人の１年目と２年目は基準期間がないことや、被合併法人が２社あることなどが吸収合併の場合と異なります。吸収合併との違いを意識しながら、問題を解きましょう。

(1) 合併があった事業年度（第１期）の納税義務の判定

合併があった日の属する事業年度の「基準期間に対応する期間」は、「合併法人の合併のあった日の属する①事業年度開始の日の②２年前の日の前日から③１年を経過する日までの間に④終了した被合併法人の各事業年度」となります。

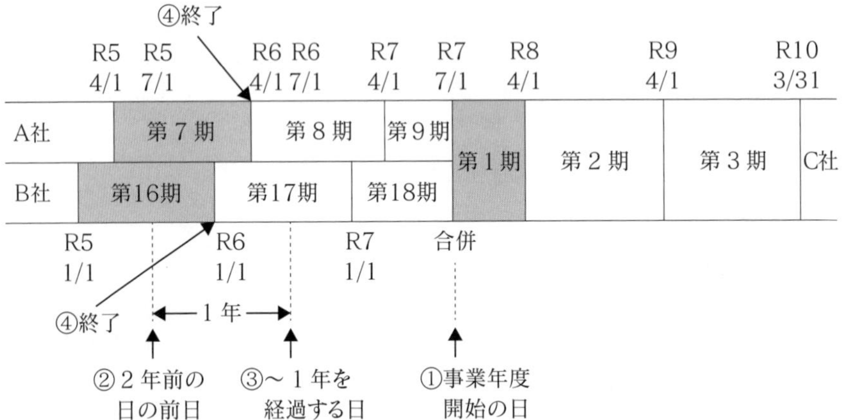

したがって、第１期に係るＡ社の基準期間に対応する期間は令和５年４月１日から令和６年３月31日までの期間、Ｂ社の基準期間に対応する期間は令和５年１月１日から令和５年12月31日までの期間となります。

Ｃ社の基準期間はないので、Ａ社又はＢ社の基準期間に対応する期間における課税売上高のいずれかが1,000万円を超えているか判定します。Ａ社とＢ社の合計額ではなく、Ａ社又はＢ社のいずれか片方の金額を使うことに注意しましょう。

Ａ社又はＢ社の基準期間に対応する期間における課税売上高のいずれかが1,000万円を超えている場合は、納税義務は免除されません。

(2) 合併があった事業年度の翌事業年度（第２期）の納税義務の判定

合併事業年度の翌事業年度の「基準期間に対応する期間」は合併事業年度と同様に、「合併法人のその①事業年度開始の日の②２年前の日の前日から③１年を経過する日までの間に④終了した被合併法人の各事業年度」となります。

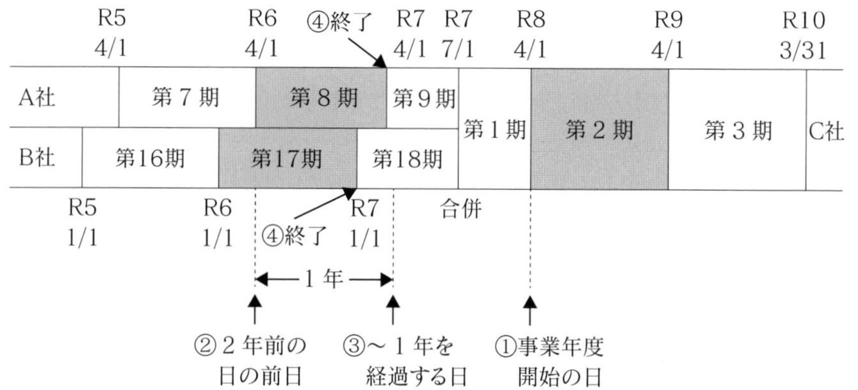

したがって、第２期に係るＡ社の基準期間に対応する期間は令和６年４月１日から令和７年３月31日までの期間、Ｂ社の基準期間に対応する期間は令和６年１月１日から令和６年12月31日までの期間となります。

Ｃ社の基準期間はないので、Ａ社及びＢ社の基準期間に対応する期間における課税売上高の合計額が1,000万円を超えているか判定します。Ａ社及びＢ社の基準期間に対応する期間における課税売上高の合計額が1,000万円を超えている場合は、納税義務は免除されません。

(3)　合併があった事業年度の翌々事業年度（第３期）の納税義務の判定

合併事業年度の翌々事業年度の「基準期間に対応する期間」についても合併事業年度と同様に、「合併法人のその①事業年度開始の日の②２年前の日の前日から③１年を経過する日までの間に④終了した被合併法人の各事業年度」となります。

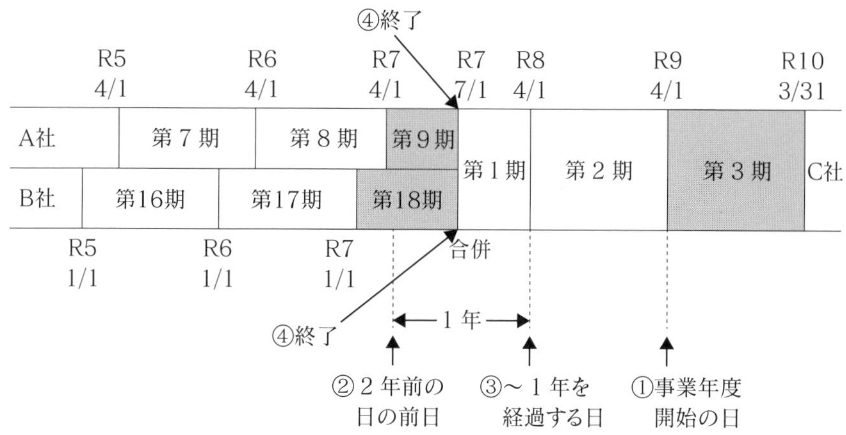

したがって、第３期に係るＡ社の基準期間に対応する期間は令和７年４月１日から令和７年６月30日までの期間、Ｂ社の基準期間に対応する期間は令和７年１月１日から令和７年６月30日までの期間となります。

まず、Ｃ社の基準期間（令和７年７月１日～令和８年３月31日）における課税売上高が1,000万円を超えているか判定し、1,000万円以下である場合は、Ｃ社の基準期間における課税売上高実額とＡ社及びＢ社の基準期間に対応する期間における課税売上高との合計額が1,000万円を超えているか判定します。

Ｃ社の基準期間における課税売上高実額とＡ社及びＢ社の基準期間に対応する期間における課税売上高との合計額が1,000万円を超えている場合は、納税義務は免除されません。

☑ 学習のポイント

合併があった場合の特例の納税義務の判定で使う金額は、新設合併についても相続や吸収合併の場合と同様に「１年目だけは１人（Ａ社かＢ社のいずれか）だけ、２年目以後は全員（２年目はＡ社とＢ社、３年目はＡ社、Ｂ社及びＣ社）で」と覚えましょう。なお、被合併法人の基準期間に対応する期間における課税売上高を計算する際は月数調整が必要になりますが、タイムテーブルに着目し、ボックスの面積が合併法人の基準期間における課税売上高と合わせてぴったり１年分のサイズになるように調整するということを意識しましょう。

また、新設合併があった場合の合併事業年度の翌事業年度以後の「基準期間に対応する期間」は、吸収合併の場合と微妙に異なります。非常に覚えづらいところですが、新設合併についても「終了した」というキーワードだけは忘れないようにしましょう。

納税義務の免除の特例②（会社分割・新設法人・高額特定資産ほか）

解答 1 新設分割

I 納税義務の有無の判定

【A社の第25期】

B社の基準期間に対応する期間

令和８年１月１日～令和８年12月31日

計　　算　　過　　程　　（単位：円）
(1) 基準期間 8,400,000≦10,000,000 (2) 分割 $8{,}400{,}000+4{,}800{,}000\times\frac{12}{12}\times\frac{3}{12}=9{,}600{,}000\leqq 10{,}000{,}000$ ∴ 納税義務なし

【A社の第26期】

B社の基準期間に対応する期間

令和９年１月１日～令和９年12月31日

計　　算　　過　　程　　（単位：円）
(1) 基準期間 6,300,000≦10,000,000 (2) 分割 $6{,}300{,}000+5{,}400{,}000\times\frac{12}{12}=11{,}700{,}000>10{,}000{,}000$ ∴ 納税義務あり

Ⅰ　納税義務の有無の判定

【B社の第１期】

A 社の基準期間に対応する期間

令和５年４月１日～令和６年３月31日

計　算　過　程　(単位：円)
(1)　基準期間なし
(2)　分割
$10{,}800{,}000 \times \frac{12}{12} = 10{,}800{,}000 > 10{,}000{,}000$
∴ 納税義務あり

【B社の第２期】

A 社の基準期間に対応する期間

令和６年４月１日～令和７年３月31日

計　算　過　程　(単位：円)
(1)　基準期間なし
(2)　分割
$10{,}200{,}000 \times \frac{12}{12} = 10{,}200{,}000 > 10{,}000{,}000$
∴ 納税義務あり

【B社の第３期】

A 社の基準期間に対応する期間

令和８年４月１日～令和９年３月31日

計　算　過　程　(単位：円)
(1)　基準期間
$4{,}800{,}000 \leqq 10{,}000{,}000$
(2)　分割
$4{,}800{,}000 + 6{,}300{,}000 \times \frac{12}{12} = 11{,}100{,}000 > 10{,}000{,}000$
∴ 納税義務あり

解答へのアプローチ

(1)　A社の第25期の納税義務の有無の判定

新設分割子法人の新設分割親法人の「基準期間に対応する期間」は、「その①事業年度開始の日の②2年前の日の前日から③1年を経過する日までの間に④開始した新設分割子法人の各事業年度」となります。

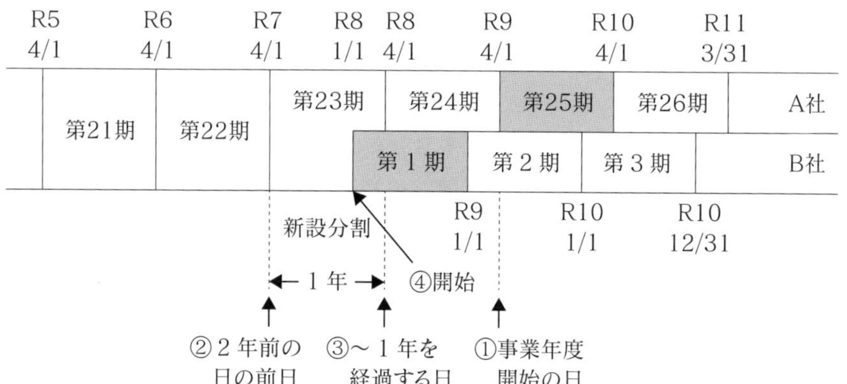

したがって、A社の第25期に係るB社の基準期間に対応する期間は令和8年1月1日から令和8年12月31日までの期間となります。

まず、A社の基準期間（令和7年4月1日～令和8年3月31日）における課税売上高が1,000万円を超えているか判定し、1,000万円以下である場合は、A社の基準期間における課税売上高とB社の基準期間に対応する期間における課税売上高との合計額が1,000万円を超えているか判定します。

A社の基準期間における課税売上高とB社の基準期間に対応する期間における課税売上高との合計額が1,000万円を超えている場合は、納税義務は免除されません。

(2)　A社の第26期の納税義務の有無の判定

新設分割子法人の新設分割親法人の「基準期間に対応する期間」は、(1)と同じで、「その①事業年度開始の日の②2年前の日の前日から③1年を経過する日までの間に④開始した新設分割子法人の各事業年度」となります。

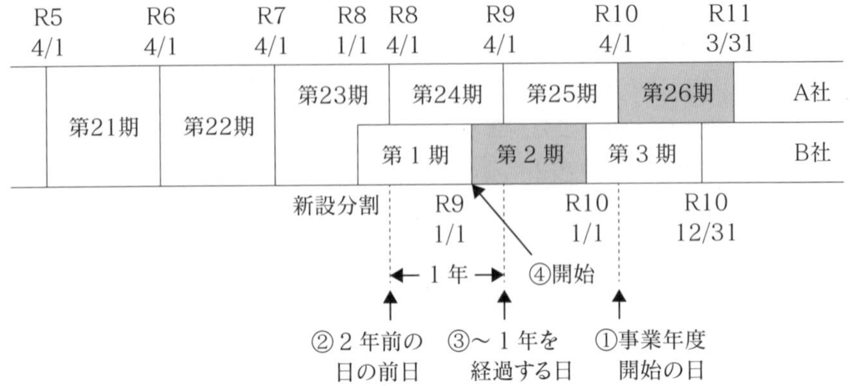

したがって、Ａ社の第26期に係るＢ社の基準期間に対応する期間は令和９年１月１日から令和９年12月31日までの期間となります。

納税義務の判定手順は(1)と同じになります。

(3)　Ｂ社の第１期の納税義務の有無の判定

分割事業年度の「基準期間に対応する期間」は、「新設分割子法人の新設分割があった日の属する①事業年度開始の日の②２年前の日の前日から③１年を経過する日までの間に④終了した新設分割親法人の各事業年度」となります。

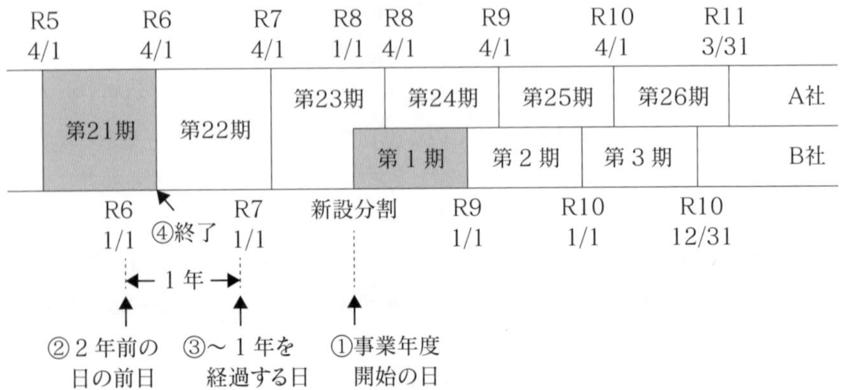

したがって、Ｂ社の第１期に係るＡ社の基準期間に対応する期間は令和５年４月１日から令和６年３月31日までの期間となります。

Ｂ社の基準期間はないので、Ａ社の基準期間に対応する期間における課税売上高が1,000万円を超えているか判定します。Ａ社の基準期間に対応する期間における課税売上高が1,000万円を超えている場合は、納税義務は免除されません。

(4)　B社の第2期の納税義務の有無の判定

分割事業年度の翌事業年度の「基準期間に対応する期間」は、「新設分割子法人のその①事業年度開始の日の②2年前の日の前日から③1年を経過する日までの間に④終了した新設分割親法人の各事業年度」となります。

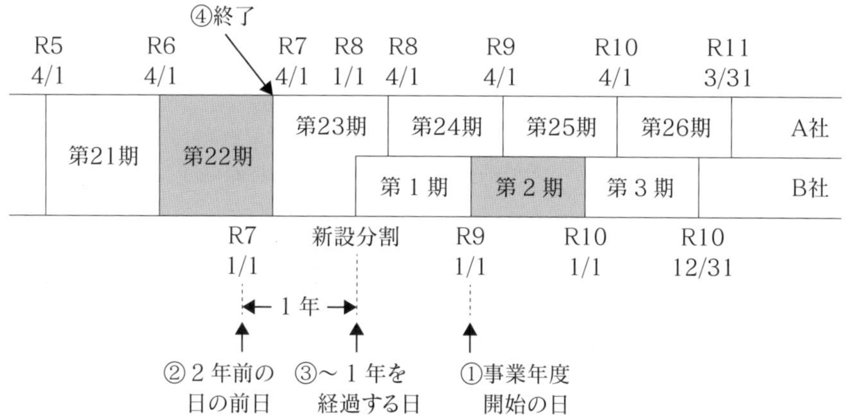

したがって、B社の第2期に係るA社の基準期間に対応する期間は令和6年4月1日から令和7年3月31日までの期間となります。

納税義務の判定手順は(3)と同じになります。

(5)　B社の第3期の納税義務の有無の判定

分割事業年度の翌々事業年度以後の「基準期間に対応する期間」は、「新設分割子法人のその①事業年度開始の日の②2年前の日の前日から③1年を経過する日までの間に④開始した新設分割親法人の各事業年度」となります。「終了した」事業年度ではないので注意しましょう。

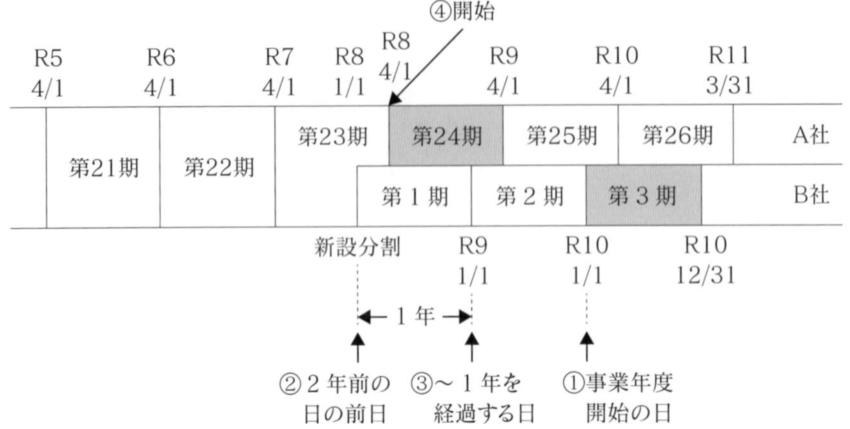

したがって、Ｂ社の第３期に係るＡ社の基準期間に対応する期間は令和８年４月１日から令和９年３月31日までの期間となります。

まず、Ｂ社の基準期間（令和８年１月１日〜令和８年12月31日）における課税売上高が1,000万円を超えているか判定し、1,000万円以下である場合は、Ｂ社の基準期間における課税売上高とＡ社の基準期間に対応する期間における課税売上高との合計額が1,000万円を超えているか判定します。

Ｂ社の基準期間における課税売上高とＡ社の基準期間に対応する期間における課税売上高との合計額が1,000万円を超えている場合は、納税義務は免除されません。

学習のポイント

分割等があった場合の特例の「基準期間に対応する期間」の覚え方のコツとして、納税義務の判定をする法人のその事業年度開始の日の２年前の日の前日から１年を経過する日までの間に、新設分割があった日よりも前に相手の法人の事業年度終了の日があったらその「終了した」事業年度、新設分割があった日以後に相手の法人の事業年度開始の日があったらその「開始した」事業年度が、「基準期間に対応する期間」となります。

解答２ 吸収分割

Ⅰ　納税義務の有無の判定

【第18期】

A社の基準期間に対応する期間

令和５年４月１日～令和６年３月31日

計　　算　　過　　程　　（単位：円）
⑴　基準期間 9,200,000≦10,000,000 ⑵　分割 $15{,}300{,}000 \times \frac{12}{12} = 15{,}300{,}000 > 10{,}000{,}000$ ∴ 令和７年７月１日～令和７年９月30日　納税義務なし 令和７年10月１日～令和８年６月30日　納税義務あり

【第19期】

A社の基準期間に対応する期間

令和６年４月１日～令和７年３月31日

計　　算　　過　　程　　（単位：円）
⑴　基準期間 9,500,000≦10,000,000 ⑵　分割 $15{,}600{,}000 \times \frac{12}{12} = 15{,}600{,}000 > 10{,}000{,}000$ ∴ 納税義務あり

解答へのアプローチ

⑴　B社の吸収分割事業年度（第18期）の納税義務の有無の判定

吸収分割事業年度の分割法人の分割承継法人の「基準期間に対応する期間」は、「分割承継法人の吸収分割があった日の属する①事業年度開始の日の②２年前の日の前日から③１年を経過する日までの間に④終了した分割法人の各事業年度」となります。

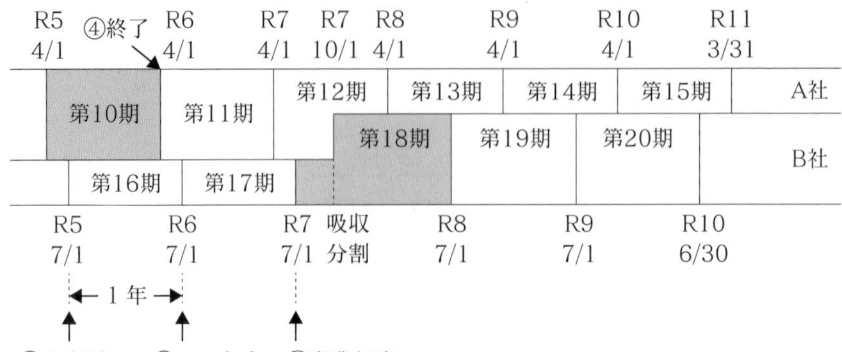

したがって、B社の第18期に係るA社の基準期間に対応する期間は令和5年4月1日から令和6年3月31日までの期間となります。

まず、B社の基準期間（令和5年7月1日〜令和6年6月30日）における課税売上高が1,000万円を超えているか判定し、1,000万円以下である場合は、A社の基準期間に対応する期間における課税売上高が1,000万円を超えているか判定します。

A社の基準期間に対応する期間における課税売上高が1,000万円を超えている場合は、吸収分割があった日からその吸収分割があった日の属する事業年度終了の日までの納税義務は免除されません。

(2)　B社の吸収分割事業年度の翌事業年度（第19期）の納税義務の有無の判定

吸収分割事業年度の翌事業年度の分割法人の分割承継法人の「基準期間に対応する期間」は、「その①事業年度開始の日の②2年前の日の前日から③1年を経過する日までの間に④終了した分割法人の各事業年度」となります。

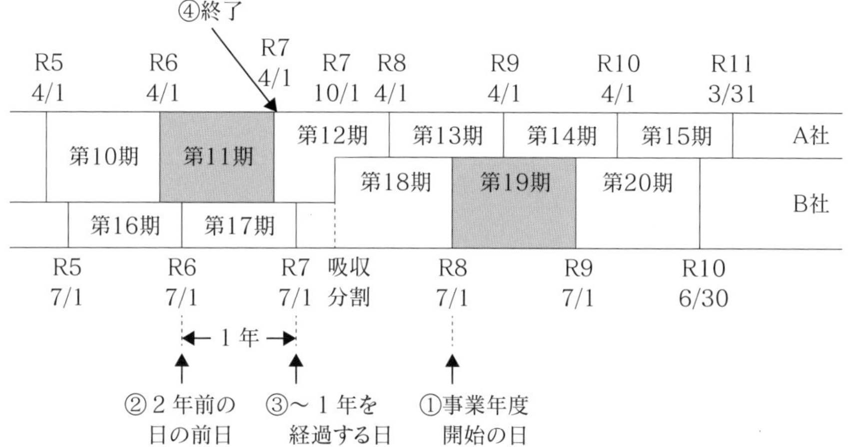

したがって、B社の第19期に係るA社の基準期間に対応する期間は令和6年4月1日から令和7年3月31日までの期間となります。

まず、B社の基準期間（令和6年7月1日～令和7年6月30日）における課税売上高が1,000万円を超えているか判定し、1,000万円以下である場合は、A社の基準期間に対応する期間における課税売上高が1,000万円を超えているか判定します。分割法人の課税売上高と分割承継法人の課税売上高を合計しないことに注意しましょう。

A社の基準期間に対応する期間における課税売上高が1,000万円を超えている場合は、納税義務は免除されません。

学習のポイント

分割承継法人の納税義務の免除の特例は、吸収分割事業年度及び翌事業年度まで適用され、翌々事業年度以降は適用されません。また、分割法人については納税義務の免除の特例の規定はないことに注意しましょう。

解答3 新設法人

Ⅰ 納税義務の有無の判定

【第1期】

計　算　過　程　(単位：円)
(1) 基準期間なし (2) 特定期間なし (3) 期首資本金 10,000,000≧10,000,000 ∴ 納税義務あり

【第2期】

計　算　過　程　(単位：円)
(1) 基準期間なし (2) 前年等 4,860,000≦10,000,000 (3) 期首資本金 10,000,000≧10,000,000 ∴ 納税義務あり

【第3期】

計　算　過　程　(単位：円)
(1) 基準期間 $6,480,000 \times \frac{12}{8} = 9,720,000 \leqq 10,000,000$ (2) 前年等 6,080,000≦10,000,000 (3) 新設法人に該当する第1期(原則課税)において、調整対象固定資産の仕入れ等を行っている。 ∴ 納税義務あり

解答へのアプローチ

新設法人とは、その事業年度の基準期間がない法人（社会福祉法人等を除く。）のうち、その事業年度開始の日における資本金の額又は出資の金額が1,000万円以上である法人をいい、新設法人に該当する課税期間については納税義務は免除されません。また、新設法人に該当していた課税期間中に調整対象固定資産の仕入れ等を行った場合は、その仕入れ等の日の属する課税期間の初日から3年を経過する日の属する課税期間までの各課税期間については、納税義務は免除されません。

上記を踏まえて、フローチャートにあてはめてひとつずつ見てみましょう。

(1)　A社の第1期の納税義務の判定

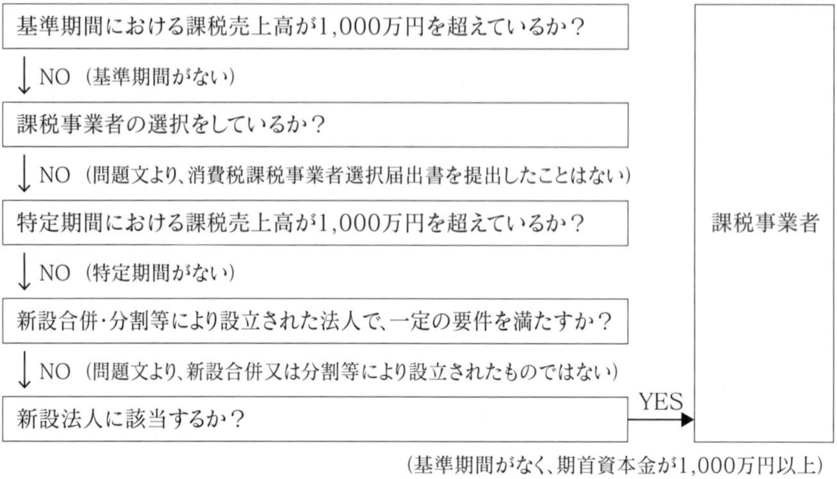

基準期間における課税売上高が1,000万円を超えているか？	
↓ NO（基準期間がない）	
課税事業者の選択をしているか？	
↓ NO（問題文より、消費税課税事業者選択届出書を提出したことはない）	
特定期間における課税売上高が1,000万円を超えているか？	
↓ NO（特定期間がない）	
新設合併・分割等により設立された法人で、一定の要件を満たすか？	
↓ NO（問題文より、新設合併又は分割等により設立されたものではない）	
新設法人に該当するか？ → YES	課税事業者

（基準期間がなく、期首資本金が1,000万円以上）

(2)　A社の第2期の納税義務の判定

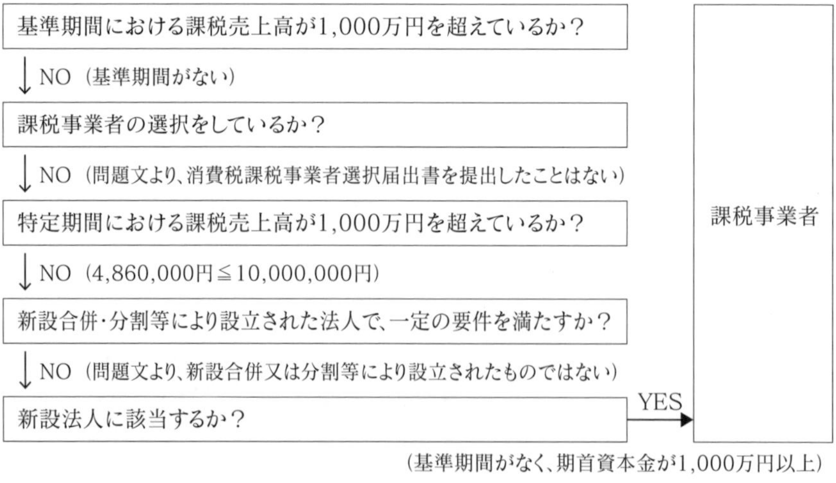

基準期間における課税売上高が1,000万円を超えているか？	
↓ NO（基準期間がない）	
課税事業者の選択をしているか？	
↓ NO（問題文より、消費税課税事業者選択届出書を提出したことはない）	
特定期間における課税売上高が1,000万円を超えているか？	
↓ NO（4,860,000円≦10,000,000円）	
新設合併・分割等により設立された法人で、一定の要件を満たすか？	
↓ NO（問題文より、新設合併又は分割等により設立されたものではない）	
新設法人に該当するか？ → YES	課税事業者

（基準期間がなく、期首資本金が1,000万円以上）

(3)　A社の第3期の納税義務の判定

基準期間における課税売上高が1,000万円を超えているか？

↓ NO （9,720,000円≦10,000,000円）

課税事業者の選択をしているか？

↓ NO （問題文より、消費税課税事業者選択届出書を提出したことはない）

特定期間における課税売上高が1,000万円を超えているか？

↓ NO （6,080,000円≦10,000,000円）

新設合併・分割等により設立された法人で、一定の要件を満たすか？

↓ NO （問題文より、新設合併又は分割等により設立されたものではない）

新設法人に該当するか？

↓ NO （基準期間があるため、新設法人に該当しない）

原則課税の新設法人が調整対象固定資産を取得した課税期間の初日から3年以内の課税期間か？ → YES → 課税事業者

（原則課税の新設法人に該当する第1期において、調整対象固定資産の仕入れ等を行っている）

新設法人が調整対象固定資産の仕入れ等を行っているときは、タイムテーブルを書いて、いつからいつまで課税事業者になるのか確認しましょう。

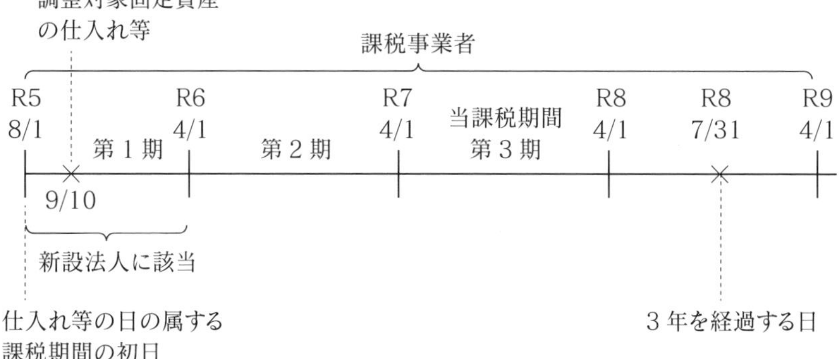

☑ 学習のポイント

基準期間がある課税期間は新設法人に該当しませんが、新設法人に該当していた課税期間中に調整対象固定資産の仕入れ等を行っている場合は、その課税期間の初日から3年を経過する日の属する課税期間までの各課税期間については課税事業者となるので注意しましょう。

本問はすべて課税事業者になるという結論は同じですが、その結論に至るまでのプロセスはそれぞれ異なります。正しいプロセスで判断できるよう、適用順序はしっかりと押さえましょう。

解答4 特定新規設立法人

Ⅰ 納税義務の有無の判定

【第1期】

計　算　過　程 (単位：円)
(1) 基準期間なし (2) 特定期間なし (3) 期首資本金 9,000,000<10,000,000 (4) ① 特定要件100%>50% ② 相当期間売上高 イ 480,000,000×$\frac{12}{12}$=480,000,000≦500,000,000 ロ 540,000,000×$\frac{12}{12}$=540,000,000>500,000,000 ∴ 納税義務あり

【第2期】

計　算　過　程 (単位：円)
(1) 基準期間なし (2) 前年等 3,800,000≦10,000,000 (3) 期首資本金 9,000,000<10,000,000 (4) ① 特定要件100%>50% ② 相当期間売上高 540,000,000×$\frac{12}{12}$=540,000,000>500,000,000 ∴ 納税義務あり

【第３期】

計　算　過　程　(単位：円)
(1)　基準期間 $8,000,000 \times \frac{12}{10} = 9,600,000 \leqq 10,000,000$ (2)　前年等 5,800,000≦10,000,000 (3)　特定新規設立法人に該当する第１期(原則課税)において、調整対象固定資産の仕入れ等を行っている。　∴ 納税義務あり

解答へのアプローチ

特定新規設立法人とは、新規設立法人（その事業年度の基準期間がない法人（社会福祉法人等を除く。）で、その事業年度開始の日における資本金の額又は出資の金額が1,000万円未満の法人）のうち、次の(1)、(2)のいずれにも該当するものをいい、特定新規設立法人に該当する課税期間については納税義務は免除されません。

(1)　新設開始日（その基準期間がない事業年度開始の日）において特定要件（注１）に該当すること。

(2)　特定要件の判定の基礎となった「他の者」(判定対象者）及び「他の者と一定の特殊な関係にある法人」(判定対象者）のうちいずれかの者のその新規設立法人の新設開始日の属する事業年度の基準期間に相当する期間における課税売上高として一定の金額が５億円を超えること、または、当該基準期間に相当する期間における総収入金額が50億円を超えること（注2）。

（注１）新規設立法人の発行済株式等又は出資（自己の株式又は出資を除く。）の総数又は総額の50%超が他の者により直接又は間接に保有される場合等であること。

（注２）基準期間に相当する期間における課税売上高及び基準期間に相当する期間における総収入金額は、次の３段階の期間の課税売上高を用います。

第１段階	新規設立法人の新設開始日の２年前の日の前日から１年を経過する日までの間に終了した判定対象者の各事業年度を合わせた期間

第２段階	新規設立法人の新設開始日の１年前の日の前日からその新設開始日の前日までの間に終了した判定対象者の各事業年度を合わせた期間（第１段階で５億円を超える場合を除く）
第３段階	新規設立法人の新設開始日の１年前の日の前日からその新設開始日の前日までの間に当該判定対象者の事業年度開始の日以後６月の期間の末日が到来する場合のその６月の期間（第１段階、第２段階で５億円を超える場合を除く）

また、特定新規設立法人に該当していた課税期間中に調整対象固定資産の仕入れ等を行った場合は、その仕入れ等の日の属する課税期間の初日から３年を経過する日の属する課税期間までの各課税期間については、納税義務は免除されません。

上記を踏まえて、フローチャートにあてはめてひとつずつ見てみましょう。

(1)　Ａ社の第１期の納税義務の判定

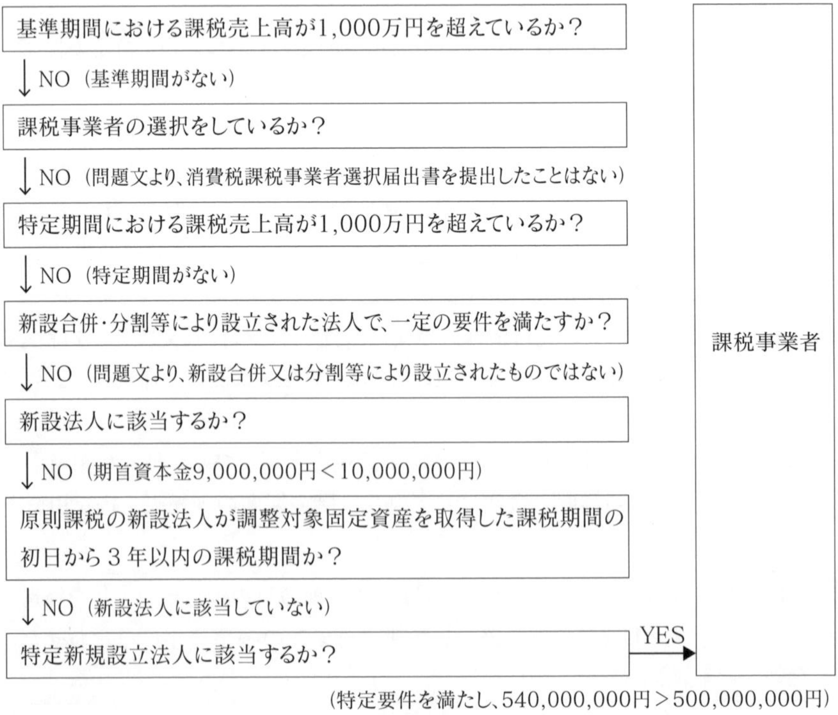

基準期間における課税売上高が1,000万円を超えているか？

↓NO（基準期間がない）

課税事業者の選択をしているか？

↓NO（問題文より、消費税課税事業者選択届出書を提出したことはない）

特定期間における課税売上高が1,000万円を超えているか？

↓NO（特定期間がない）

新設合併・分割等により設立された法人で、一定の要件を満たすか？

↓NO（問題文より、新設合併又は分割等により設立されたものではない）

新設法人に該当するか？

↓NO（期首資本金9,000,000円＜10,000,000円）

原則課税の新設法人が調整対象固定資産を取得した課税期間の初日から３年以内の課税期間か？

↓NO（新設法人に該当していない）

特定新規設立法人に該当するか？　→YES→　課税事業者

（特定要件を満たし、540,000,000円＞500,000,000円）

基準期間に相当する期間における課税売上高が５億円を超えているか、タイムテーブルを書いて確認しましょう。

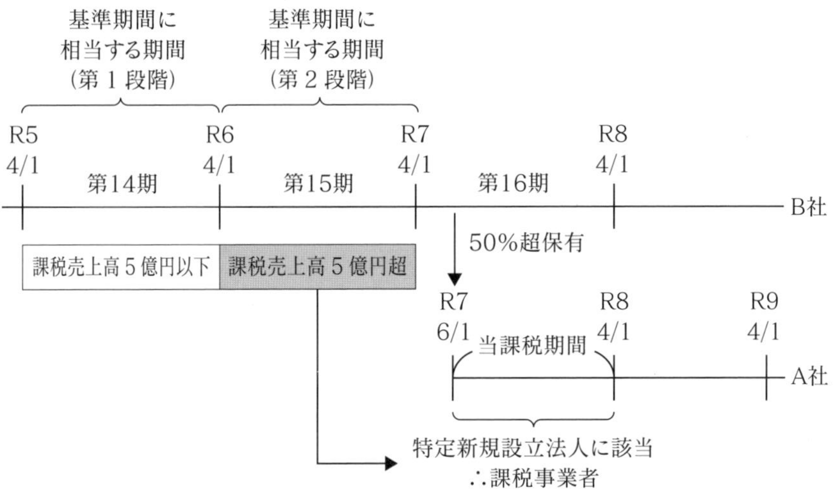

(2)　A 社の第２期の納税義務の判定

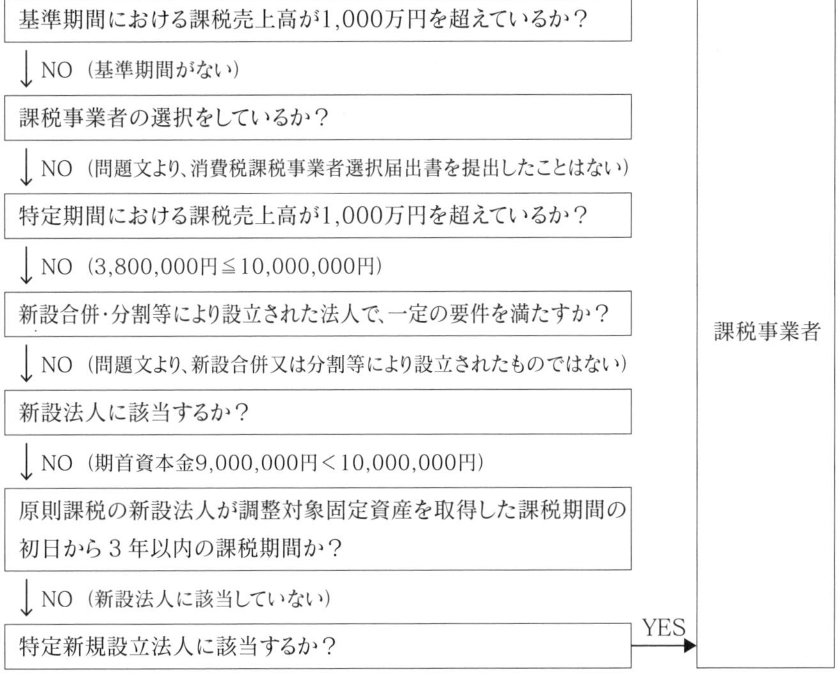

基準期間に相当する期間における課税売上高が5億円を超えているか、タイムテーブルを書いて確認しましょう。

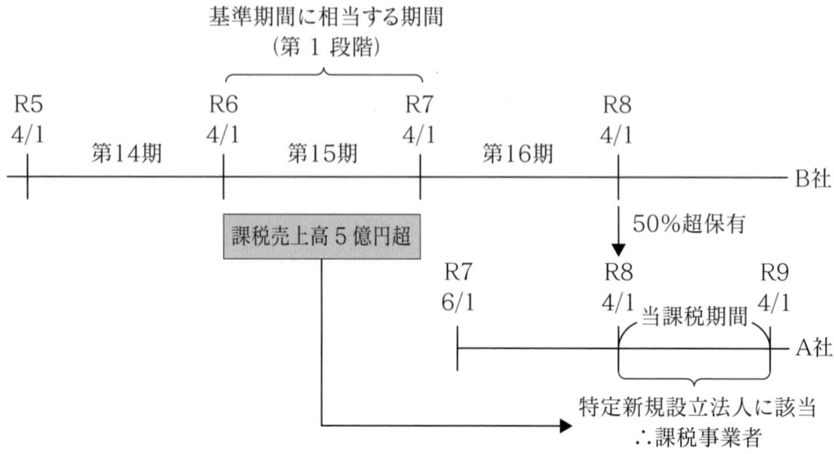

(3) A社の第3期の納税義務の判定

基準期間における課税売上高が1,000万円を超えているか？

↓NO（9,600,000円≦10,000,000円）

課税事業者の選択をしているか？

↓NO（問題文より、消費税課税事業者選択届出書を提出したことはない）

特定期間における課税売上高が1,000万円を超えているか？

↓NO（5,800,000円≦10,000,000円）

新設合併・分割等により設立された法人で、一定の要件を満たすか？

↓NO（問題文より、新設合併又は分割等により設立されたものではない）

新設法人に該当するか？

↓NO（基準期間があるため、新設法人に該当しない）

原則課税の新設法人が調整対象固定資産を取得した課税期間の初日から3年以内の課税期間か？

↓NO（新設法人に該当していない）

特定新規設立法人に該当するか？

↓NO（基準期間があるため、特定新規設立法人に該当しない）

課税事業者

原則課税の特定新規設立法人が調整対象固定資産を取得した課税期間の初日から３年以内の課税期間か？ —YES→ 課税事業者

（原則課税の特定新規設立法人に該当する第１期において、調整対象固定資産の仕入れ等を行っている）

特定新規設立法人が調整対象固定資産の仕入れ等を行っているときは、タイムテーブルを書いて、いつからいつまで課税事業者になるのか確認しましょう。

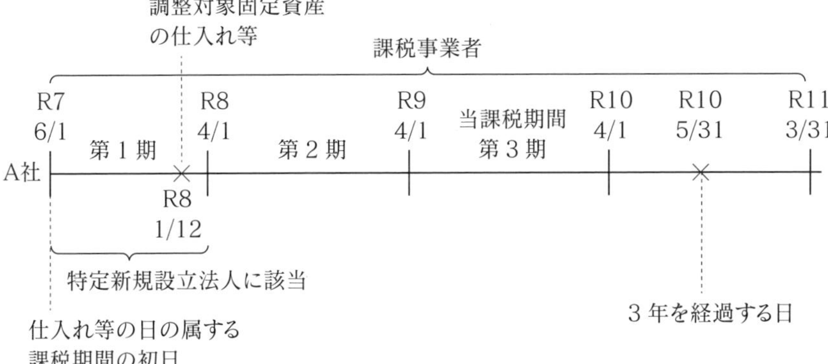

学習のポイント

特定新規設立法人の場合も新設法人と同様に、基準期間がある課税期間は特定新規設立法人に該当しませんが、特定新規設立法人に該当していた課税期間中に調整対象固定資産の仕入れ等を行っている場合は、その課税期間の初日から3年を経過する日の属する課税期間までの各課税期間については課税事業者となるので注意しましょう。

解答 5 高額特定資産

Ⅰ 納税義務の有無の判定

【第21期】

計　算　過　程　(単位：円)
⑴ 基準期間 9,890,000≦10,000,000 ⑵ 前年等 4,860,000≦10,000,000 ⑶① 高額特定資産の判定 $39,490,000 \times \frac{100}{110} = 35,900,000 \geqq 10,000,000$ ∴ 高額特定資産に該当 ② 課税事業者、かつ、原則課税を適用している第20期に高額特定資産の仕入れ等を行っている。 ∴ 納税義務あり

【第22期】

計　算　過　程　(単位：円)
⑴ 基準期間 9,780,000≦10,000,000 ⑵ 前年等 4,600,000≦10,000,000 ⑶① 高額特定資産の判定 $39,490,000 \times \frac{100}{110} = 35,900,000 \geqq 10,000,000$ ∴ 高額特定資産に該当 ② 課税事業者、かつ、原則課税を適用している第20期に高額特定資産の仕入れ等を行っている。 ∴ 納税義務あり

【第23期】

計　算　過　程　(単位：円)
⑴ 基準期間 9,600,000≦10,000,000 ⑵ 前年等 5,100,000≦10,000,000 ∴ 納税義務なし

解答へのアプローチ

本問についても、フローチャートで確認してみましょう。

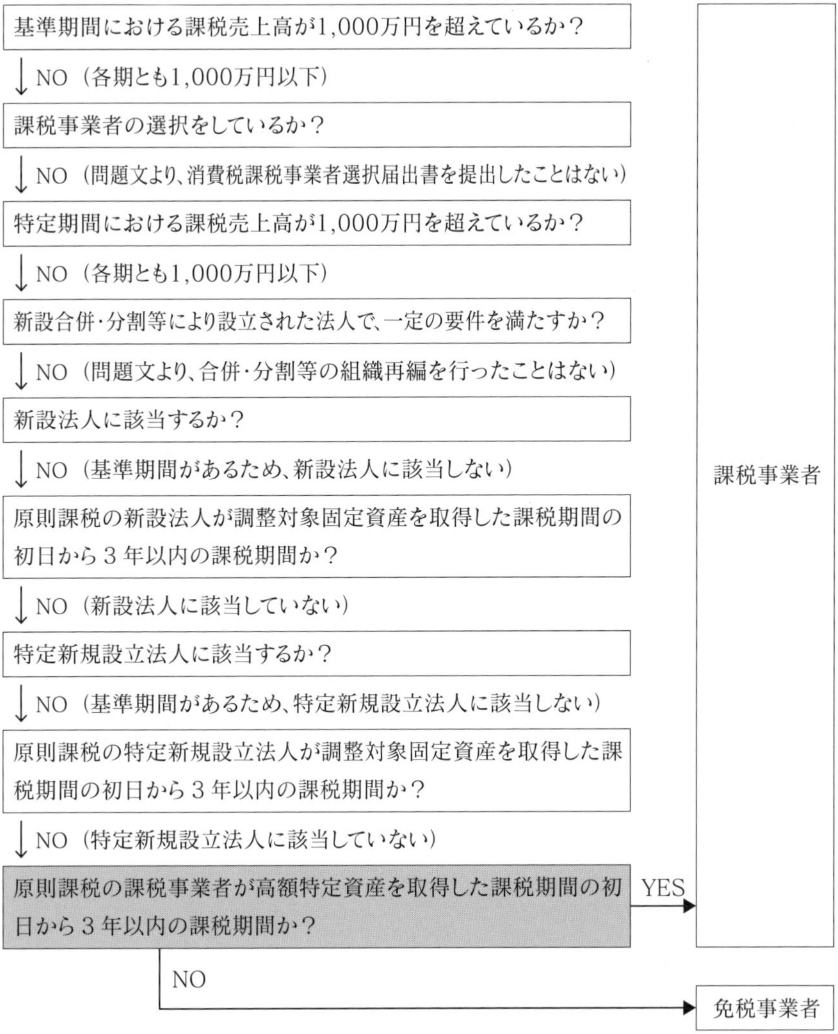

基準期間における課税売上高が1,000万円を超えているか？

↓NO（各期とも1,000万円以下）

課税事業者の選択をしているか？

↓NO（問題文より、消費税課税事業者選択届出書を提出したことはない）

特定期間における課税売上高が1,000万円を超えているか？

↓NO（各期とも1,000万円以下）

新設合併・分割等により設立された法人で、一定の要件を満たすか？

↓NO（問題文より、合併・分割等の組織再編を行ったことはない）

新設法人に該当するか？

↓NO（基準期間があるため、新設法人に該当しない）

原則課税の新設法人が調整対象固定資産を取得した課税期間の初日から３年以内の課税期間か？

↓NO（新設法人に該当していない）

特定新規設立法人に該当するか？

↓NO（基準期間があるため、特定新規設立法人に該当しない）

原則課税の特定新規設立法人が調整対象固定資産を取得した課税期間の初日から３年以内の課税期間か？

↓NO（特定新規設立法人に該当していない）

原則課税の課税事業者が高額特定資産を取得した課税期間の初日から３年以内の課税期間か？

YES → 課税事業者

NO → 免税事業者

（上記の各質問でYESの場合 → 課税事業者）

各期とも基準期間における課税売上高及び特定期間における課税売上高が1,000万円以下であるため、フローチャート下の「高額特定資産を取得した場合等の納税義務の免除の特例」により納税義務の有無の判定を行うことになります。

課税事業者が、簡易課税の適用を受けない課税期間に高額特定資産の仕入れ等を行った場合は、その仕入れ等を行った日の属する課税期間の翌課税期間からその仕入れ等を行った日の属する課税期間の初日以後３年を経過する日の属する課税期間までの納税義務は免除されません。

タイムテーブルを書いて、規定に照らし合わせていつからいつまで課税事業者となるのか確認しましょう。

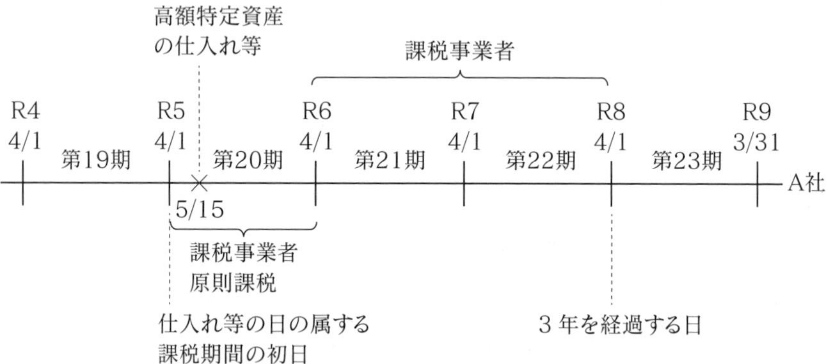

したがって、第21期、第22期は課税事業者に該当し、第23期は免税事業者となります。

学習のポイント

高額特定資産の仕入れ等を行った場合は、３年間納税義務が免除されないだけでなく、簡易課税の適用も制限されることにも注意しましょう。

解答6 規定の適用順序

⑤ → ① → ⑥ → ④ → ② → ⑦ → ③ → ⑧ → ⑨

解答へのアプローチ

新たに会社を設立する場合や固定資産を購入する場合には、消費税の納税義務の有無に関して適用が想定される消費税法の規定がたくさんありますが、それぞれの規定には適用する順序があります。次のフローチャートの手順でひとつずつ確認しながら納税義務の有無を判定しましょう。

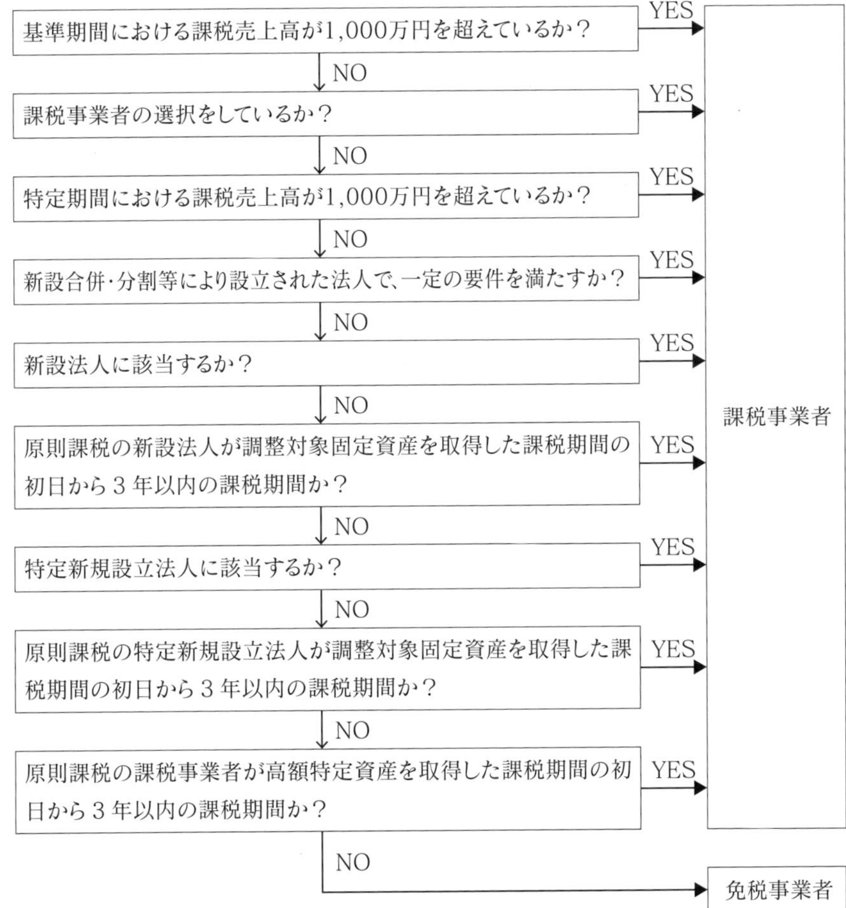

☑ 学習のポイント

子会社を設立し事業者免税点制度（小規模事業者に係る納税義務の免除）を利用して租税回避を行うことや、調整対象固定資産に係る消費税額の調整を回避することを防止するために、新たに設立された法人や固定資産等を購入した法人については非常にたくさんの租税回避防止規定が設けられています。納税義務の判定をする際は、全体像を思い浮かべながら規定の適用順序を間違えないようにしましょう。

解答7 簡易課税の届出をしている場合の納税義務の判定

（ケース１）

Ⅰ　納税義務の有無の判定

計　算　過　程	(単位：円)
(1)　基準期間	
8,000,000≦10,000,000	
(2)　前年等	
12,000,000>10,000,000	∴ 納税義務あり

Ⅱ　簡易課税制度の適用の有無の判定（納税義務がない場合には記載の必要はない）

計　算　過　程	(単位：円)
(1)　届出書の提出あり	
(2)　8,000,000≦50,000,000	∴ 適用あり

（ケース２）

Ⅰ　納税義務の有無の判定

計　算　過　程	(単位：円)
(1)　基準期間なし	
(2)　前年等	
9,000,000≦10,000,000	
(3)　期首資本金	
10,000,000≧10,000,000	∴ 納税義務あり

Ⅱ　簡易課税制度の適用の有無の判定(納税義務がない場合には記載の必要はない)

計　　算　　過　　程　　　　(単位：円)
①　調整対象固定資産の判定 $1,485,000 \times \frac{100}{110} = 1,350,000 \geqq 1,000,000$ ∴ 調整対象固定資産に該当 ②　新設法人が基準期間がない事業年度に含まれる課税期間(前期・原則課税)中に調整対象固定資産の仕入れ等を行っているため、簡易課税制度選択届出書の提出はなかったものとみなされる。 ∴ 適用なし

(ケース3)

Ⅰ　納税義務の有無の判定

計　　算　　過　　程　　　　(単位：円)
(1)　基準期間 6,000,000≦10,000,000 (2)　前年等 5,000,000≦10,000,000　　∴ 納税義務なし

Ⅱ　簡易課税制度の適用の有無の判定(納税義務がない場合には記載の必要はない)

計　　算　　過　　程　　　　(単位：円)

解答へのアプローチ

(ケース1)

(1)　納税義務の有無の判定

当社の当課税期間(第14期)に係る基準期間における課税売上高は1,000万円以下ですが、特定期間における課税売上高が1,000万円を超えているため、当課税期間の納税義務は免除されません。

⑵　簡易課税制度の適用の有無の判定

簡易課税制度は、基準期間における課税売上高が5,000万円以下であり、かつ、課税事業者が前課税期間末までに消費税簡易課税制度選択届出書を提出した場合に、適用が認められます。

本問の場合、前課税期間（第13期）末までに簡易課税制度選択届出書を提出しており、基準期間における課税売上高（8,000,000円）が5,000万円以下であるため、当課税期間は簡易課税制度の適用を受けます。

（ケース2）

⑴　納税義務の有無の判定

当社の当課税期間（第2期）に係る基準期間は存在せず、特定期間における課税売上高が1,000万円以下ですが、当課税期間は基準期間がない事業年度であり、期首資本金の額が1,000万円以上であることから当社は新設法人に該当するため、当課税期間の納税義務は免除されません。

⑵　簡易課税制度の適用の有無の判定

簡易課税の適用を受けようとする新設法人が、その基準期間がない事業年度に含まれる各課税期間中に調整対象固定資産の仕入れ等を行った場合には、その仕入れ等の日の属する課税期間の初日からその初日以後3年を経過する日の属する課税期間の初日の前日までの期間は、簡易課税制度選択届出書を提出することができません。

この場合において、その仕入れ等の日の属する課税期間の初日からその仕入れ等の日までの間に簡易課税制度選択届出書を納税地の所轄税務署長に提出しているときは、その提出はなかったものとみなされます。

タイムテーブルを描いて、規定に照らし合わせていつからいつまで簡易課税制度選択届出書の提出制限を受けるのか確認しましょう。

次の図において、簡易課税制度選択届出書の提出はなかったものとみなされるため、当課税期間は簡易課税制度の適用を受けません。

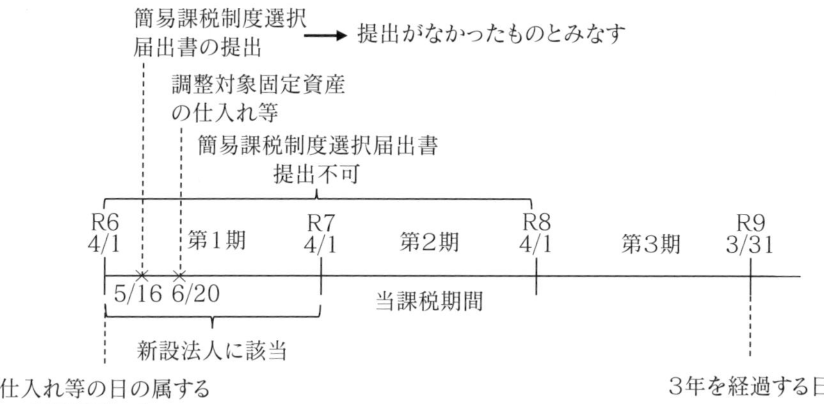

(ケース3)

⑴　納税義務の有無の判定

当社の当課税期間（第３期）に係る基準期間における課税売上高が1,000万円以下であり、かつ、特定期間における課税売上高が1,000万円以下であるため、当課税期間の納税義務は免除されます。

なお、新設法人に該当していた第２期に調整対象固定資産（機械装置3,663,000円×$\frac{100}{110}$＝3,330,000円≧1,000,000円）の仕入れ等を行っていますが、第１期は簡易課税制度の適用を受けているため、法12の２②（新設法人が調整対象固定資産の仕入れ等を行った場合）の規定の適用はありません。

調整対象固定資産の仕入れ等を行った日の属する課税期間が原則課税なのか簡易課税なのかに注意して問題を解くようにしましょう。

⑵　簡易課税制度の適用の有無の判定

⑴より、当課税期間の納税義務は免除されるため、簡易課税制度の適用はありません。

☑ 学習のポイント

計算問題を解く際に、簡易課税制度の適用の有無の判定を間違えると大きく失点してしまうことになります。特に、調整対象固定資産や高額特定資産の仕入れ等を行っている場合は慎重に判定を行うようにしましょう。簡易課税の届出の効力についても、Chapter15（２分冊目）でしっかり復習するようにしましょう。

解答 8　国外事業者に関連する納税義務等の判定

ケース1	**(納税義務あり)**	・	納税義務なし
ケース2	**(納税義務あり)**	・	納税義務なし
ケース3	**(納税義務あり)**	・	納税義務なし
ケース4	**(納税義務あり)**	・	納税義務なし
ケース5	簡易課税制度の適用あり	・	**(簡易課税制度の適用なし)**

解答へのアプローチ

（ケース１）

国内において課税資産の譲渡等を行う事業者は、国内に支店等を設けていない国外事業者であっても、消費税の納税義務を負います。Ａ社の基準期間における課税売上高は1,000万円を超えているため、当期の納税義務は免除されません。

（ケース２）

特定期間における課税売上高による納税義務の免除の特例について、課税売上高に代わり適用可能とされている給与等支払額による判定の対象から国外事業者は除かれます。したがって、Ａ社は給与等支払額による判定を行うことはできず、特定期間中の課税売上高が1,000万円を超えているため、当期の納税義務は免除されません。

（ケース３）

新設法人の納税義務の免除の特例の適用にあたって、外国法人は、基準期間を有する場合であっても、国内において課税資産の譲渡等に係る事業を開始した事業年度については基準期間がないものとみなされます。したがって、Ａ社が国内で事業を開始した事業年度開始の日における資本金の額が1,000万円以上であるため、当期の納税義務は免除されません。

（ケース４）

新設開始日において資本金の額が1,000万円未満であるため、Ａ社は新設法人には該当しません。しかし、B社はA社株式の100%を保有しているため特定要件に該当し、判定対象者であるB社の基準期間に相当する期間における課税売上高は5億円以下ですが、基準期間に相当する期間における総収入金額が50億円を超えているため、特定新規設立法人の納税義務の免除の特例の適用があり、当期の納税義務は免除されません。

(ケース5)

A社は前課税期間末日までに簡易課税制度選択届出書を提出しており、基準期間における課税売上高は5,000万円以下ですが、当課税期間の初日において国内に法人税法上の恒久的施設を有しない国外事業者であるため、簡易課税制度の適用はありません。

学習のポイント

令和6年度税制改正により、国外事業者に対する取扱いを中心に、令和6年10月1日以後に開始する課税期間に係る納税義務判定及び簡易課税制度の適用判定の方法が変わりました。まずは、国内事業者の場合の納税義務等の判定方法をしっかり押さえたうえで、余力がある方は本問を通じて国外事業者に関連する取扱いも押さえるようにしましょう。

memo

memo

TAC
出版
TAC PG

>>問題集　答案用紙

この冊子には、問題集の答案用紙がとじこまれています。

別冊ご利用時の注意

別冊は、この色紙を残したままていねいに抜き取り、ご利用ください。
また、抜き取る際の損傷についてのお取替えはご遠慮願います。

別冊の使い方

Step1

この色紙を残したまま、ていねいに抜き取ってください。色紙は本体からとれませんので、ご注意ください。

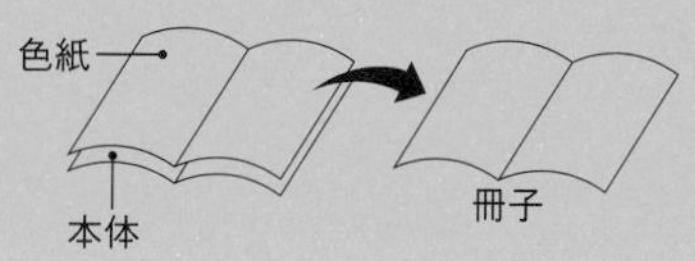

Step2

抜き取った用紙を針金のついているページでしっかりと開き、工具を使用して、針金を外してください。針金で負傷しないよう、お気をつけください。

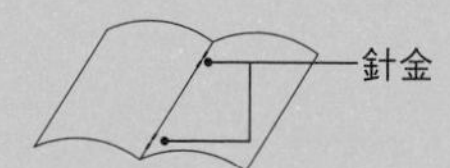

なお、答案用紙については、ダウンロードでもご利用いただけます。TAC出版書籍販売サイト・サイバーブックストアにアクセスしてください。

https://bookstore.tac-school.co.jp/

問題集

みんなが欲しかった！　税理士

消費税法の教科書＆問題集 3

Chapter 16

納税義務の原則・免除

問題 1 納税義務者

①		②		③		④	

問題 2 基準期間（1）

①		②		③	
④		⑤			

問題 3 基準期間（2）

(1) 年　月　日 ～ 年　月　日

(2) 年　月　日 ～ 年　月　日

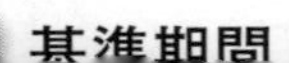

問題 4 基準期間（3）

（ケース２）

【納税義務の有無の判定】

計　算　過　程　(単位：円)

（ケース３）

【納税義務の有無の判定】

計　算　過　程　(単位：円)

問題 6　納税義務の判定（2）

【納税義務の有無の判定】

計　　算　　過　　程　（単位：円）

問題 8 納税義務の判定（4）

【納税義務の有無の判定】

計　算　過　程　　　　（単位：円）

問題 9 納税義務の判定（5）

納税義務の免除の特例①（届出書・前年等・相続・合併）

問題 1　課税事業者の選択

①		②	
③		④	

問題 2　前年等の課税売上高による納税義務の免除の特例

①		②		③		④	
⑤							

問題 3　特定期間

(1)　　年　　月　　日 ～　　年　　月　　日

(2)　　年　　月　　日 ～　　年　　月　　日

問題 5　納税義務の免除の特例（2）

【納税義務の有無の判定】

計　算　過　程　(単位：円)

【令和８年】

計　算　過　程	(単位：円)
(1)　基準期間 (2)　相続	

【令和９年】

計　算　過　程	(単位：円)
(1)　基準期間 (2)　相続	

問題 8 相続（3）

I　納税義務の有無の判定

【令和 7 年】

計　　算　　過　　程　　（単位：円）

【令和８年】

計　算　過　程　(単位：円)

問題 9　吸収合併

I　納税義務の有無の判定

【第14期】

B 社の基準期間に対応する期間

年　　月　　日 ～　　　　年　　月　　日

計　　算　　過　　程　　　　(単位：円)
(1)　基準期間
(2)　合併

【第15期】

B 社の基準期間に対応する期間

【第16期】

B 社の基準期間に対応する期間

年　　月　　日 ～　　　　年　　月　　日

計　　算　　過　　程　　　　　　　（単位：円）
(1)　基準期間   (2)　合併

問題 10　新設合併

Ⅰ　納税義務の有無の判定

【第１期】

【第２期】

A 社の基準期間に対応する期間

年　月　日 ～　年　月　日

B 社の基準期間に対応する期間

年　月　日 ～　年　月　日

計　算　過　程　（単位：円）

【第３期】

Chapter 18

納税義務の免除の特例②（会社分割・新設法人・高額特定資産ほか）

問題 1 新設分割

I　納税義務の有無の判定

【A社の第25期】

B社の基準期間に対応する期間

年　月　日 〜　年　月　日

計　算　過　程　　（単位：円）

Ⅰ　納税義務の有無の判定

【B社の第１期】

A 社の基準期間に対応する期間

年　　月　　日 ～　　　　年　　月　　日

計　算　過　程　　　　（単位：円）

【B社の第２期】

A 社の基準期間に対応する期間

年　　月　　日 ～　　　　年　　月　　日

【B社の第３期】

A 社の基準期間に対応する期間

年　　月　　日 ～　　　　年　　月　　日

計　　算　　過　　程　　　　(単位：円)

問題２ 吸収分割

Ⅰ　納税義務の有無の判定

【第18期】

【第19期】

A 社の基準期間に対応する期間

年　月　日 ～ 年　月　日

計　算　過　程　(単位：円)

問題 3　新設法人

Ⅰ　納税義務の有無の判定

【第 1 期】

【第３期】

計　　　算　　　過　　　程	（単位：円）

問題４　特定新規設立法人

Ⅰ　納税義務の有無の判定

【第１期】

計　　　算　　　過　　　程	（単位：円）

【第３期】

計　　算　　過　　程　　（単位：円）

問題５　高額特定資産

Ⅰ　納税義務の有無の判定

【第21期】

計　　算　　過　　程　　（単位：円）

【第23期】

計　　　算　　　過　　　程　　　（単位：円）

問題 6　規定の適用順序

→　　→　　→　　→　　→　　→　　→　　→

問題 7　簡易課税の届出をしている場合の納税義務の判定

（ケース１）

（ケース２）

Ⅰ　納税義務の有無の判定

計　　算　　過　　程　　　　　　　　（単位：円）

Ⅱ　簡易課税制度の適用の有無の判定（納税義務がない場合には記載の必要はない）

計　　算　　過　　程　　　　　　　　（単位：円）

問題 8 国外事業者に関連する納税義務等の判定

ケース1	納税義務あり	·	納税義務なし
ケース2	納税義務あり	·	納税義務なし
ケース3	納税義務あり	·	納税義務なし
ケース4	納税義務あり	·	納税義務なし
ケース5	簡易課税制度の適用あり	·	簡易課税制度の適用なし

（ケース３）

Ⅰ　納税義務の有無の判定

計　　算　　過　　程	（単位：円）

Ⅱ　簡易課税制度の適用の有無の判定（納税義務がない場合には記載の必要はない）

計　　算　　過　　程	（単位：円）

Ⅱ　簡易課税制度の適用の有無の判定（納税義務がない場合には記載の必要はない）

計　　算　　過　　程　　（単位：円）

【第22期】

計　算　過　程　(単位：円)

計　　算　　過　　程　　　（単位：円）

【第２期】

【第２期】

計　算　過　程　(単位：円)

計　算　過　程	（単位：円）

B 社の基準期間に対応する期間

年　　月　　日　～　　　年　　月　　日

計　算　過　程　　　　（単位：円）

B 社の基準期間に対応する期間

年　　月　　日　～　　　　年　　月　　日

計　算　過　程　　　　(単位：円)

年　月　日 ～　年　月　日

B 社の基準期間に対応する期間

年　月　日 ～　年　月　日

計　算　過　程　(単位：円)

計　算　過　程	(単位：円)
(1)　基準期間 (2)　合併	

【令和９年】

計　算　過　程　　(単位：円)

問題6 相続（1）

→　→　→

問題7 相続（2）

I　納税義務の有無の判定

【令和７年】

計　算　過　程　　　　(単位：円)
(1)　基準期間
(2)　相続

【納税義務の有無の判定】

計　算　過　程　（単位：円）

計　算　過　程　(単位：円)

計　算　過　程 (単位：円)

（ケース４）

【納税義務の有無の判定】

計　　算　　過　　程　　(単位：円)

(2) 年　月　日 ～ 年　月　日

(3) 年　月　日 ～ 年　月　日

問題5 納税義務の判定（1）

（ケース1）

【納税義務の有無の判定】

計　算　過　程　（単位：円）